The Aesthetic Brain

How We Evolved to Desire Beauty and Enjoy Art

Anjan Chatterjee
アンジャン・チャタジー 著
Tazawa Kyoko
田沢恭子 訳

なぜ人はアートを楽しむように進化したのか

草思社

THE AESTHETIC BRAIN
How We Evolved to Desire Beauty and Enjoy Art

by Anjan Chatterjee

目次

第二部 快感 135

本文中の〔〕は、訳者による注。行間の数字は参考文献で、巻末に記載している。

はしがき

「君子危うきに近寄らず」と言うが、美学について書こうとする私は、まさに危うきに近寄ろうとしているのかもしれない。科学者がなぜ美学について書くのか。アートと美学は長らく人文学の中に確固たる地位を占めてきた。哲学者、歴史家、批評家、アーティストたちは、旺盛に自らを表現してきた。科学というレンズを通して美学を眺めたら、人文学者らが長い年月をかけて積み重ねてきた膨大な知識や深い洞察に貢献できるだろうか。一見すると、その可能性は低いと思われるだろう。

科学が美学について何か有意義なことを語れるかは定かでないにしても、私のように楽観的な科学者はいる。この楽観は無知によるものかもしれないが、2つの中核的な考えに支えられている。1つは、すべての人間の行動には、少なくとも個人レベルでは、対応する神経活動が存在するという見方だ。思考も、欲望も、感情も、夢も、空想の飛翔も、すべて神経系の活動と結びついている。そこで科学者は、脳の特性をよく理解すれば、人間のいかなる能力も明らかにできるのではないかと考える。その能力には言語、感情、知覚なども含まれるので、脳に関する理解が美学にはあてはまらないと考えるべき理由はない。もう1つの重要な考えは、進化の力がわれわれの脳と行動を形づくってきたというものだ。進化生物学や、もっと新しいところで進化心理学は、われわれが特定の行動をとる理由を生み出す力について考えるための確固たる枠組みを与えてくれる。神経科学や進化心理学から出てきた考えなど、これまで人文学の研究者の手には入らなかった。これらの学問が結びついて、アートや美学について論じる際の情報を与えてくれることもなかった。だからといって、神経科学が美学における「いかに」を教えてくれるとか、進化心理学が美学における「なぜ」を教えてくれると考える科学者がいたとすれば、楽観主義に浸りきっているということになるのかもしれない。ともあれわれわれ科学者はおそらく、美学についてなにかしら有意義なことを言えるのではないだろうか。

一部の人文学者はこんな楽観的な言葉に対して、疑念を抱き続ける。この疑念は、さまざまな形をとる。科学的な美学など考えても無意味だと一蹴する者もいる。束の間だけ脚光を浴びて、それからもとの地味な存在に戻る、よくある流行りの1つだと思う者もいるかもしれない。また、あからさまに敵意を示す者もいる。こうした反応は、神経科学の世界から現れた野蛮人がいたるところへ侵入しようとしているという、漠然とした不安から生じるのかもしれない。神経経済学、神経法学、神経文学、さらには神経神学といった用語が頻繁に使われるようになったのは、ここ10年ほどにすぎない。美学のように神聖不可侵な領域さえ、もはや神経軍団の襲撃を逃れることはできない。神経美学者は美学からその豊かさを奪い、真の栄光のあとに干からびた抜け殻だけを残すのだろうか。

神経科学者はそんな人文学者の反応を、縄張りを奪われそうな絶滅危惧種の叫びとして無視したいと思うかもしれない。人文学は職や資金が攻撃にさらされ、領域によっては科学やテクノロジーの発展に伴って過去の遺物となる危機に直面している。神経科学者は、美学に対する人文学的なアプローチなど過去へのノスタルジーだとして退けるかもしれない。この過去は、未来は科学やテクノロジーとともにあると考える人から、儀礼的な敬意くらいは受けるかもしれない。あるいは神経科学者は、人文学者の反応を反知性的なものと受け止め、なぜ探究を拒絶するのかと問うかもしれない。アイデアの行き交う場で神経科学や進化心理学がなんらかの貢献をするならば、その貢献はきっと生き永らえるはずだ。そこで神経科学者はこう考えるかもしれない。とにかく前へ進もう、やるべきことをやろう、人文学者の懸念など気にするのはやめよう、と。

ここで私が描いたのは、神経科学者と人文学者の戯画だ。実際には、たいていの神経科学者は人文学のことなど、少なくとも仕事のうえではほとんど気にかけない。一方、私の知る限り、人文学者も自分の専門分野と科学との関係などほとんど気にかけない。自分以外の研究領域に束の間以上の関心をもつ人の多くは、異なる領域が交差する点について考える意思があり、少なくとも有意義な対話の可能性を受け入れようとしている。たとえばそうした交差点を探求する書籍として、マーガレット・リヴィングストンの『ビジョンとアート：見ることの生物学』（*Vision and Art: The Biology of Seeing*）と、ジョン・オナイアンスの『神経芸術史』（*Neuroarthistory*）を見てみよう。

神経科学や進化学が美学に対してなし得る貢献について、楽観や悲観を抱くのは時期尚早だと私は思っている。神経美学は今まさに成長しつつある分野だ。研究課題、研究手法、さらには探究する価値のある問いについて、明らかにしようとしている。美学という文脈で進化心理学について考えるのに最良の方法を知るにも、まだ機が熟していない。この分野において適切な手法や、特定の立場について説得力のあるエビデンスと見なされ得るものについても、議論が続いている。今は科学としての美学の揺籃期であり、そのおかげで胸の躍る状況となっている。地平は広く開かれており、新たな発見ができそうだ。

とはいえ、人文学と科学のあいだにもともと緊張状態が存在していることは否定できない。神経美学が進化するなかで、そうした緊張状態がどう展開していくかはまだわからない。前進しながらも目を向け続けられるように、最初の段階で緊張状態について明確にしておくことは大事だ。緊張状態の一部はやがて解消するかもしれないが、一部は克服できないことが明らかになるかもしれない。人文学と科学のあいだの亀裂には、主に3種類の緊張状態が存在する。主観的経験と客観的経験のあいだに生じるもの、特殊への関心と一般への関心とのあいだに生じるもの、そして美学やアートに対する拡張主義的なアプローチと還元主義的なアプローチとのあいだに生じるものだ。

絵画や楽曲に心を奪われて、空間や時間の感覚を完全に失うという経験をしたことはないだろうか。こうした自己の感覚を失う魔法のような瞬間は、皮肉なことにきわめて主観的だ。もちろん問題は、科学では分析をする際に客観性が要求されるということだ。この深遠な経験をどうしたら客観的にとらえられるだろうか。通常、客観性は定量的な形をとる。超越的な経験と思われるものを数値に変換する作業が、美学に対する実験的アプローチにおいてはきわめて重要だ。情報は定量化し、仮説は検証し、主張は追試で再現するか、さもなくば反証する必要がある。科学の進歩はこうした基礎の上に築かれる。このような客観化は科学の領分だが、審美的経験を語る場合にこのアプローチをとるのはまったくの的外れなのだろうか。神経美学はこうした経験の核をなす本質を理解せず、経験の周縁に追いやられて無為にたたずむだけなのだろうか。

審美的経験は、特定の対象との深いかかわりから生じるのだと主張する人もいるかもしれない。美術を愛する人もいれば、音楽を好む人もいて、はたまたダンスが好きだという人もいる。美術のなかでも、セザンヌに心を震わせる人もいれば、ポロックに同じ思いを抱く人もいる。

さらにセザンヌのなかでも、風景画や静物画は好きだが、肖像画には関心がわかないという人もいるだろう。審美的経験の本質とは、おそらくまさに特定の対象に魅了されることだ。そのような経験から引き出される一般論など、おもしろくもなんともない。たとえば私がセザンヌを好きなのは、体の曲線の描き方と量感を表すための平面の使い方がすばらしいからだと一般化しても、セザンヌの絵画に関する私の経験において大事なのはそれだけではない。一方、科学が目指すのは、一般論を明らかにすることだ。個々の事物は一般原理を明らかにするための媒体にすぎない。実験を設計する際、われわれは通常、個々のアート作品（刺激と呼んでもいい）による悩ましくユニークな貢献が、別の作品による等しく悩ましくユニークな貢献でバランスを保てるように、多数の個々の例を取り入れる。その結果としてあとに残るのは、検討対象の作品すべてに共通する事柄だ。扱う作品が多ければ多いほど、目指す一般化に到達する力は強くなる。この〈個別―一般〉の緊張状態は、アートを鑑賞する人や制作する人に内在する〈主観―客観〉の緊張状態に対応する。この場合、緊張状態は作品自体に存在する。さまざまな作品から一般論を引き出したいという科学者の欲求は、個々の作品と深くかかわることによってのみ見出される魔法を、やはりつかみ損ねているのだろうか。

複雑な領域に対して科学的にアプローチする場合、その領域を構成要素に分解してから各パーツをおのおの別個に検分する必要がある。科学者が各パーツを理解していくと、全体像が立ち現れる。この方法は、知覚、言語、感情、動作に関する理解や、のちほど論じるとおり意思決定に関する理解を深めるのにきわめて有効だった。しかし科学としての美学を確立するのに必要なこのやり方は、失敗に至るレシピなのだろうか。おそらく審美的経験はさまざまな構成要素から現れ出る性質であり、各パーツを調べることで導き出せるものではない。この状況は、化学者が水について理解するために水素と酸素の性質を調べるようなものかもしれない。美学の科学を目指すというのは、やはり的外れなのか。

では、われわれはどんな場所にいるのだろう。本書では、科学と人文学との緊張状態に目を向けながら、美学における伝統的な考え方に触れていく。本書は美と快感とアートという3つのパートからなる。美はほとんどの人の考える美学に不可欠な要素だ。美とは何から生まれるのか。美はどんな感情をかき立てるのか。審美的経験は感情を強く動かし、しばしば快感をもたらす。快感は、そしてもっと広く言って報酬を得る経験は、脳内でどのように生み出されるのだろうか。なぜわれわれは快感を覚えるのか。美も快感も複雑なテーマで、それぞれ別個に論じることができるし、実際にそうされてきた。本書で目指すのは、これらを互いに結びつけ、さらにアートと結びつけることだ。アートについて、そしてアートと美の関係やアートと快感の関係について、どのように考えられるかを探究していく。ポストモダンの世界では、アートは伝統的にパートナーだった美や快感とのつながりを断ってしまったのだろうか。私は神経科学と進化心理学という2つの視点から、美、快感、アートを見つめていく。

本書でいくつか重大な省略をしたことを、ここでお断りしておく。音楽や文学といった非視覚的なアートは対象としない。応用芸術である建築についても論じない。本書で扱うアイデアのなかにはこれらの領域と関係したものもあるが、意味のある結びつきを引き出そうとすれば、すでに寄り道だらけの道のりからあまりにも遠くへさらに足を延ばすことになる。創造性という重要なトピックにも触れない。創造性について語りだしたら、それだけで簡単に本が一冊書けてしまう。私が重視したいのは審美的遭遇であって、そのような遭遇をするための状況の創出ではない。また、科学的な書き物にありがちな、数々の但し書きとか煮え切らない結論は控えるつもりだ。そうするなかで、われわれにわかっていること、わかっている度合い、そして科学知識の性質とその蓄積に関して、過度に乱暴な扱いをすることは避けたいと思っている。

ここで、私は美学を神経科学や進化心理学と結びつけることについて、いくらか楽観を覚えていることを告白する。脳に焦点を当てることは、美学の「いかに」を理解する助けとなり、また進化心理学の枠組みが美学の「なぜ」を理解する助けとなるだろう。しかし私はいささか先走ってしまったようだ。迷路のようなこの美と快感とアートの世界で、神経科学や進化心理学がわれわれの道を照らせるのか、確かめにいこう。

序章

ある晴れた午後、私はマヨルカ島のパルマ近代現代美術館まで歩いた。美術館は古い城壁に囲まれ、鮮やかな青い地中海に臨む広々としたパティオの奥にある。入館する前にパティオで足を止め、揺れるヤシの木、水面で跳ねるボート、入江をきらきらと輝かせる美しい光を眺めた。

館内に入ると、ピカソが作った陶製の絵皿をまず鑑賞した。無駄のない線で顔を描く卓越した技量がよくわかる。ミロの版画が展示された部屋では、人の仕草を使って豊かな表現をする彼の力に心を奪われた。2人の巨匠の作品に没頭するのは大きな喜びだった。

それから「エロスとタナトス」(愛と死) というメインの展示に進んだ。部屋の一角へ向かうと、血液らしきもので満たされたビニール袋がいくつもあるのに気づいた。輸血用に準備されているかのように、管からぶら下がっている。そして上下2段でらせん状に円を描くように配置されている。私は好奇心と不穏な気持ちを同時に抱きながら、袋を眺めて歩き回った。血液のカーテンの向こうには、高さ60センチから90センチほどの鏡が、角度をつけて並べられている。鏡には来場者の脚が映る。私の脚もだ。鏡の前を通り過ぎると、今度は幹の細い小さな木がさかさまに吊るされている。枝にはたくさんの黒っぽい小さな鳥が、頭を上にしたふつうの態勢でとまっている。床にも同じ鳥がいて、まるで小さな果実が熟して落ちたように見える。私はこれらの作品の意味に戸惑いながらも、気づけば興味をそそられていた。

美術館の警備員が私の戸惑いに気づき、スペイン語で話しかけてきた。私がさらに混乱しているのを察して、今度は英語で話し始めた。親切にも、展示室の一角に掲示されたパネルを指し、それぞれの作品における作者の意図が説明されていると教えてくれた。自分が見ているものを理解するのに、この解読装置が必要だった。私がスペインを訪れているアメリカ人であることは関係がなかった。私が勤務先のペンシルヴァニア大学のキャンパスにある現代美術研究所にいたとしても、そこで展示されている作品を堪能するには、やはり解説が必要だ。

この出来事から、私が本書で扱うつもりの根本的な問いが生じる。地中海を眺めていたとき、光景を織りなす光や水や色彩を美しいと感じた。だが、この光景の美しさはどこから生まれるのか。私の両親がそこで私と一緒にいたなら、やはりその光景を美しいと感じたに違いない。

読者の皆さんも、やはりそう感じただろう。このような美しい光景を見るとき、脳では何か特別なことが起きているのだろうか。たいていの人があの光景を美しく感じるだろうという私の直観が正しいなら、その美しさに対する私の反応には普遍的な何かがあるのだろうか。目の前に広がる風景だけでなく、顔や体もとりわけ美しく感じられることがある。これらを描いた風景画、肖像画、裸体画が美術においてとりわけ頻繁に制作されるジャンルであり、これらが脳のさまざまな領域で特別な位置を占めるということは、ただの偶然だろうか。顔や体の美しさに触れているときには、風景の美しさに触れているときと同じようなことが脳内で起きているのだろうか。

美しい対象に魅了されているときに脳で起きることを突き止めても、なぜその対象が美しいのかという疑問を完全に解決することはできないだろう。この疑問に取り組むために、われわれは進化心理学に頼る。身体的な形質と同様に知的能力も、進化するのはそれが生存に与する場合だというのが、進化心理学の基本的な考え方だ。はるか昔のわれわれの祖先は、厳しい環境で生き延び、健康な子を産んでくれるパートナーを選べるように、行動にかかわる特定の形質を環境に適応させた。人の美しさについては、顔や体に現れる形態的な特徴が、その人の健康状態を示した。今から何万年も前に配偶相手を選ぶ際に重視されたこれらの特徴が、今では美しいと感じられている。風景の美しさについては、はるか昔に狩猟採集民としてさすらっていた祖先にとって、よそより魅惑的に感じられる風景があった。このような風景は、はるか昔の野蛮で苛酷な生活を小さな部族が生き延びる助けとなりそうな資源に富み、安全な場所だと思われた。

地中海を眺めていると、私は穏やかな快感に包まれた。狩猟採集を営んでいた祖先と同じように、私もしばらくこの風景に浸りきって安らげそうだと感じた。しかしこの快感は、パティオにいる魅力的な女性に見とれるときの快感とは違うようだった。また、香り高く豊潤で複雑な味わいのパエリアを食するときの快感とも違うようだった。これらの快感はいったいどんなもので、美学やアートとどのように結びついているのか。ピカソの絵皿やミロの版画を見たときにも、快感を覚えた。ここで私はその精彩にあふれる色や線を堪能すると同時に、作者の技量にも感嘆した。ミロの版画で自宅に飾ったらとりわけ素敵だと思われるものが1つあり、いくら払えば買えるのかと考えたりした。

審美的経験の科学的意味を考える

こうした快感をもたらす経験から、審美的経験をするとはどういう意味なのかという問いが生じる。脳内で快感にかかわる情動系は、脳の表面から遠く隔たった深部のパーツに存在する。これらのパーツには、眼窩《がんか》前頭皮質とか側坐核《そくざかく》といったいかめしい名前がついている。また、オピエート、カンナビノイド、ドーパミンなど、快感をもたらす信号伝達の仕事をするさまざまな脳内神経伝達物質もある。だが、さまざまな快感がすべて脳内で単一の通貨に変換されるのだろうか。マグノリアの香りがもたらす快感は、賭け事で勝ったり、ロスコの絵画に感嘆したりするときの快感となんらかの点で類似しているのだろうか。

快感を審美的経験と結びつけようとすると、パラドックスにぶつかる。生存に役立つという理由で美への反応を進化させたのに、美に対する審美的反応は役に立たないと思われているというパラドックスだ。脳内では、特定の報酬系が特定の欲求と結びついている。つまり、美しい顔や体は性的欲求と結びつき、風景は安全への欲求と結びつく。適応的な形質が適応的なのは、まさにそれが何よりも実利的な理由で役立ったからにほかならない。つまり、配偶相手を見つけて健康な子をもうけ、苛酷な世界で生き延びるためだ。しかしアントニー・アシュリー＝クーパー（第3代シャフツベリー伯爵）やイマヌエル・カントといった18世紀の理論家たちは、審美的遭遇は「無私の関心」を伴う特別なタイプの経験だと考えた。審美的経験のもたらす快感は自己完結的であり、広がって有用なものに変わることがない。私がミロの版画を見て、自宅に飾ったらすばらしいだろうと思ったとき、その空想は快感をもたらしたかもしれない（実際にその版画を購入する場合の快感には及ばないだろうが）。しかし、何かを手に入れることによる快感は審美的でない。この考えが正しく、審美的経験が無私ならば（この考え方は決して普遍的に受け入れられてはいない）、われわれはパラドックスに行き当たる。無私の関心がどうしたら適応の助けになり得るのか。同様に、報酬が適応的ならば、つまり役立つならば、どうしたら審美的になり得るのか。私は本書で美と快感とアートの世界をそぞろ歩きながら、このパラドックスに立ち向かうつもりだ。

無私の関心とは、脳内で実際にはどんなことを意味するのだろうか。これを理解するために、私はラットの顔に現れる快感を利用した実験に目を向けるつもりだ。一連の巧妙な実験から、神経科学者のケント・ベリッジと共同研究者らは、「嗜好」と「欲求」という2つの類似した報酬系を同定している。これらの報酬系は脳内で互いに近接した位置にあり、通常は協調して作用する。われわれは自分のほしいものを好み、好むものをほしがる。これらの系は通常は協調して働くが、別々に働くこともあり得る。欲求を伴わない嗜好とはいったいどんなものか。それは獲得衝動を伴わない快感だろう。おそらく審美的快感を覚えるとはこういうことだ。ほしいという気持ちに汚されることなく何かを好むのだ。では、嗜好を伴わない欲求とはどんなものだろう。典型的な例は薬物依存症だ。依存症患者は、好むという段階をはるかに超えて薬物を渇望する。依存症は、反審美的状態のまさに典型だ。

美と快感に関する考えをパルマの美術館での経験と結びつけてきたが、自分が当惑を覚えた「愛と死」の展示（らせんを描く血液、斜めに置かれた鏡、地に落ちた鳥）にはこれまでのところ触れていない。展示されていた作品は興味深かったが、美しいとは思わなかった。ピカソやミロを堪能したのと同じ気持ちで楽しむことはできなかった。私の中でさまざまな感情がかき立てられたが、それらは心地よいものではなかった。私が覚えたのは、好奇心、困惑、混乱、さらには嫌悪の入り混じった感情だった。あれらの作品は本当にアートなのだろうか。たいていの人はアートを美と結びつける。アートと対峙したときには、快感を期待するのがふつうだ。あれらのコンテンポラリーアートの作品と、アートは美しく快感をもたらすものという多くの人が抱く考えを、どうしたら折り合わせられるだろう。今は両者のあいだに大きな隔たりがあって、そこでアーティストや批評家、学芸員らが文化の権威者として、他の者たちにアートの謎を解き明かさなくてはならないのだろうか。

長年にわたり『ワシントンポスト』紙で美術評論家として執筆したブレイク・ゴプニックは、アートの大部分は進展中の文化的対話であり、そこでは作品が伝えることのできるさまざまなメッセージ、すなわち意味が何よりも重要だと訴えている。これらのメッセージが美や快感と関係していることはまれだ。複雑な会話と同様に、その流れのさなかへ無邪気に立ち入って、そこで起きていることを理解できると期待するのは無理だ。ゴプニックの考えでは、アートを研究する科学者は18世紀の美学理論にとらわれている。神経美学や進化美学は最先端の学問かもしれないが、発想は旧弊で、今日実践されているアートからはかけ離れているのだ。

科学的な美学をアートに結びつけることをめぐるこうした懸念に対して、私はおおむね、われわれが目指すのはコンテンポラリーアートであれ他のどの時代のアートであれ、すべてのアートを扱うのに十分な幅をもつ枠組みを与えることだと考える。この枠組みは、今から50年後あるいは200年後に生み出されるアートさえも受け入れられるほど、幅広いものであるべきだ。アートとの遭遇や審美的経験の中核に、この目標の達成に不可欠な3つの要素をわれわれは見出している。心理学者のアーサー・シマムラ[1]が指摘しているとおり、この3要素とは、感覚、感情、意味である。アートにおける感覚とは、絵画なら鮮やかな色彩や大胆な描線かもしれないし、音楽ならリズムや旋律かもしれない。アートに喚起される感情は快感であることが多いが、嫌悪やその他の多岐にわたる微妙な感情もあり得る。アートにおける意味とは、政治的、知的、宗教的、儀礼的、反体制的などといったものが考えられる。文化的対話によって、アーティストが鑑賞者を引き込む場合もある。われわれには、感覚の細部まで取り込み、さまざまな感情を網羅し、存在し得る多様な意味に触れることのできる枠組みが必要だ。芸術批評家や芸術史家や芸術哲学者など、アートにかかわるさまざまな人がこれらの3要素のいずれか1つを特に重視する可能性は大いにあり得る。作品にとって、あるいは権威ある理論家にとって、どの要素が重要であるにせよ、われわれにはアイデアを検証できる科学的な枠組みがある。しかしこれから見ていくとおり、コンテンポラリーアートは科学者に特別な難題を突きつける。科学がアートにおける意味を扱えるのか、そして意味を扱う難しさゆえに科学にできることにはおのずから限界があるのか、それを明らかにするのは相当に難しい。

美の神経、美の本能はあるのか?

脳には美学に特化した神経回路網《ニューラルネットワーク》があるのだろうか。脳研究から得られたエビデンスによれば、特に美学だけを扱うニューラルネットワークはない。さらに美学の構成要素ごとに見ても、審美的感覚、審美的感情、審美的意味に特化したニューラルネットワークがないのは明らかだ。これから見ていくとおり、アートは柔軟なアンサンブルとして成り立っている。柔軟なアンサンブルという考え方は、脳のメカニズムと進化のメカニズムの両方にあてはまる。われわれには神経サブシステムのアンサンブルがあって、これが柔軟に組み合わさって審美的経験をもたらす。この審美的アンサンブルを構成するサブシステムは、経験と文化に誘導される。このアンサンブルの構成要素は柔軟に機能し得るので、どんなものをアートと見なすか、あるいはどんなものが審美的経験を惹起するかは時とともに変化し、場所によって異なる場合もある。たとえば印象派の絵画は今では一般の人に愛好されているが、誕生した当初は軽侮されていた。もちろん、人間の脳が19世紀末から21世紀初頭のあいだに変化したわけではない。神経の知覚機構や報酬系は変わっていない。変わったのは、知識や経験を基盤とする、特定の知覚対象と報酬系との結びつきだ。審美的アンサンブルの構成要素が組み合わさる際の柔軟性は、アートと審美的経験を豊かでさらには予想不可能なものにする一因となる。

本書の終盤では、アートの本能というものがあるのかという問いを取り上げる。本能とは、環境への対処に役立つという理由でわれわれの祖先が進化させた行動上の適応である。アートの本能に関するエビデンスを検討していくなかで、適応的行動を構成する要素を特定するのは、とりわけアートのように複雑なものについては、簡単な作業ではないことが明らかになるだろう。さまざまな時代に多様な環境で生きたわれわれの祖先にとってアートとはどんなものだったのか、われわれは想像するしかない。現在のわれわれの生活環境、われわれを取り巻く制度、そして現代社会で人に成功をもたらす物事は、人類が現在のような人類へと進化した理由とはおおむね無関係だ。われわれ人間は、過去から生まれた生き物なのだ。

過去にわれわれの生存を助けるように進化した要素は、ただの要素にすぎない。われわれの心を構成する要素がすべて適応というわけではない。たまたま付随的に生じたものもある。古生物学者のスティーヴン・ジェイ・グールドは、進化の副産物を「スパンドレル」と呼んだ。スパンドレルとは、室内の壁で柱とアーチに囲まれた三角形の部分だ。これは建築物の設計において、機能上の目的をもたない。単に、柱やアーチ、壁といった設計上の意味をもつ別の構造物から生じる副産物にすぎない。しかしこの部分は背景にとどまらず、逆に強調されることもある。たとえば教会などの古典的な建造物では、この部分を装飾することがよくある。部屋の構造設計の一部でないという意味で、スパンドレルは意図せぬ産物だ。それでも興味深い用途があり、室内で注目の集まる焦点となることさえある。

アートの進化について語る研究者は、たいてい2つの立場のいずれかをとる。アートを本能ととらえるか、あるいは進化の副産物ととらえるかのいずれかだ。アートは本能だとする説の支持者は、アートがいたるところに存在するという事実を指摘する。古代の文化を振り返るにせよ、多様性に富む現代の文化を見渡すにせよ、アートの例はどこにでも見つかる。これほどいたるところに存在するのだから、アートは本能であるに違いない、というのがこの説の支持者の見方だ。哲学者の故デニス・ダットンは自著に『アートの本能』(*The Art Instinct*)と題名をつけ、これが大人気となった。他方、アートは進化の副産物だとする説の支持者は、「アートのためのアート」という考え方を重視し、アートの実践は信じがたいほど多様で文化によって形づくられるということを強調する。アートはアートのためにあるという考え方は、アートがいかなる実用性ももたないことを意味する。それならばアートとは、われわれの祖先にとって有用だった別の能力から生じた副産物であるに違いない。アートは多様性に富む。このことから、そもそもアートとは1つのものであるという見方に疑念が生じる。これほど多様性に富むものが、1つの本能の発現などということはあり得ない。アートは本能だとする考え方も、アートは進化の副産物だとする考え方も、どちらもあまり満足のいくものでないことを、本書で示していく。そしてアートの普遍性と多様性の両方を理解するには、アートについて別のとらえ方が必要となる。250年前から日本で繁殖させられてきた小さな鳥が、アートをめぐるこの第3の考え方を示してくれるかもしれない。

私の散策は、美しいパルマ湾を見渡したところから始まった。それからピカソとミロの巧みな技に感嘆しながら自分の感情反応について考え、最後に「愛と死」の展示に戸惑いながら行程を終えた。本書では、この歩みをもう一度、ただしもっとゆっくりとたどる。まずは美のもたらす興奮から始めたい。それから快感を味わう喜びをくぐり抜け、最後にアートの驚異に至る。われわれの祖先が本能に駆られて美を求め、その後われわれが本能の要求から解放されてアートを楽しむようになった、その経緯を示したい。

第一部

美

第1章 美とは何か

この世で最も美しいものは、最も役に立たないもの、たとえばクジャクやユリの花のようなものだということを覚えておいてほしい。
——ジョン・ラスキン

有り金が2銭しかないときには、1銭でパンを1斤買い、1銭でユリの花を1輪買え。
——中国の諺

美はわれわれを支配する。われわれは美に惹かれる。美のためなら労をいとわない。美に夢中になる。美はわれわれを喜ばせる。インスピレーションを与える。痛みも与える。絶望に陥れる。神話が真実なら、美は1000艘の船を戦に送り出すこともできる。だが、この「美」と呼ばれるものは、厳密にはどんなものなのだろう。

美とは、この世に実在するものの特性なのか。それとも頭の中にあるものなのか。文化によって生み出された虚構なのか。おそらく美は、影響力をもつ者によって作り出される。その者は美を利用して、自らの権力を保持し、品物を売って金を儲ける。美に関するこのような考え方は、美とは基本的に実用性をもたないものだとする一般的な見方と相いれない。また、美とは真や善と並んでわれわれの人間性の基盤となる中核的な価値の1つだとする、古代ギリシャ時代から続く信念もある。思慮深い人は、美をこうしたさまざまなとらえ方のいずれかにあてはまるものと見なしている。つまり美とは、われわれが求めてやまない力強く謎めいたものなのだ。しかし、それがどこにあるのか、何のためにあるのか、われわれにはわからない。

美は存在するものなのか?

最初の問いに戻ろう。美はこの世に実在しているのか。もの自体が美しいということはあるのだろうか。こんな問いを投げかけること自体、ばかげていると感じられる。恋にのぼせた若者なら、この問いを愚の骨頂と思うだろう。言うまでもなく、美しいものは存在する。顔や体、風景が美しいということはあり得る。昔から、それらの美しさはアーティストによって作品に刻まれてきた。美しい音楽や詩が存在する。香水やごちそうも美しい。数学的証明さえ美しい場合がある。これらの例から、この世に存在するさまざまなものが大いなる美を宿していることは明白だと感じられるのではないだろうか。

美しいものが存在するということを確固として示すように思われるこれらの美の例から、問題も浮かび上がる。美しいものどうしが互いにあまりにも異なっていて、それらすべてに美をもたらす要因が容易にはわからないのだ。イングリッド・バーグマンの顔や、夜明けのブライスキャニオン、それにオイラーの等式と呼ばれる数学の定理など、並外れて美しいものに共通するのはどんな要素だろう。われわれがこれらを美しいと言うのは、言葉の綾だろうか。美が対象の中に閉じ込められていて、われわれが一般に自らの感覚を通じて対象を理解するのだとしたら、共通の感覚を喚起しない対象を美しいと見なすことはできないのではないだろうか。数学の美しさは感覚から生じさえしない。おそらく美とは対象そのものにあるのではなく、われわれの中で起きる何かに存在するのだろう。これらの対象は頭の中でのみ美しく、脳内の美の受容体を刺激することによって作用するのかもしれない。美に対して洗練された感覚をもつ特別な人だけがそのような受容体をもち、それ以外の人はこうした特別な人から美について説明してもらう必要があるのかもしれない。

美が外界に存在するのか、それともわれわれの中に存在するのかという問いは、長年にわたり議論を招いてきた。これは究極的に自ら破綻する問いだ。この問いでは、対象の存在する世界と対象を知覚する者が別個の存在であることが前提とされる。われわれは美がそのどちらに存在するかを決めなくてはならない。あとで詳しく見るが、進化心理学が教えてくれることの1つは、われわれが自然界と深く結びついているという事実だ。われわれの心は自然によって形づくられ、環境と密接に結びついている。心の構造について考えようとすれば、必ず世界のさまざまな特性にぶつかる。美は外界と頭の中のどちらに存在するのかという問いは、次のように言い換えられる。心と世界の結びつきの何がわれわれに美の経験をもたらすのか？

まず顔から始めよう

心と世界のこの特別な結びつきを考察するにあたり、美しいと見なされ得るさまざまな対象について考えていく。まずは顔に関する議論から始めよう。科学者は、顔認識の心理学や神経学についてよく知っている。美しい体というものも存在する。顔の美しさを考察することで引き出される原理の多くは、体の美しさにもあてはまるはずだ。体の次は、風景に進む。風景は明らかに人の顔や体とは異なる。美しい人を見るという審美的経験は、なんらかの点で美しい環境の中にいる経験と似ているだろうか。何世紀にもわたってあまたのアーティストの心をとらえてきたこれらの対象について考察したら、美学についてどんなことがわかるだろうか。

顔、体、風景は、いずれも感覚に訴える美の例だ。美しい曲線や柔らかな光、あるいは鮮やかな色彩といった美に触れたら、われわれはそれを堪能することができる。一方、抽象概念の美のように明確な感覚をもたらさない美に対して、われわれはどう対処するだろう。こうした深遠な美を探究するために、本書では数学に目を向ける。数学が美しいと見なされ得るのなら、その美しさはセクシーな体の美しさとはかなり違うはずだ。さらに、美に関する考え方や経験に対して文化が与える影響にも目を向けていく。

強い力をもちながら無益でもあるこの「美」と呼ばれるものについて考えることにより、あとで快感とアートについて論じるための準備が整うだろう。多くの人にとって、美はアートにおいて不可欠な要素だ。では、美と快感はどんな関係にあるのだろう。美とアートの関係はどうだろう。これらの問いに取りかかる前に、人、場所、数学的証明における美を探究することで何が発見できるのか見てみよう。

第2章　魅惑的な顔

『モナ・リザ』は世界で最も有名な絵画だ。その顔は見る者の心をとらえ、果てしない議論を生み出してきた。その顔は謎めいている。何かを表現しているが、それが何なのかは定かでない。その顔は、われわれは人の顔に引きつけられるという一般的な事実を伝える鮮烈な一例だ。美しい顔を見れば、われわれは心を奪われる。2010年の調査で、オードリー・ヘップバーンは20世紀で最も美しい顔の持ち主とされた。[2] ハリウッドのアイコンと言えば、私は個人的にイングリッド・バーグマン（トップテンに入らなかった）やグレース・ケリー（5位に入った）が好みだ。さまざまなウェブサイトで、20世紀で最も美しい男性はケーリー・グラントかポール・ニューマンかと議論が繰り広げられている。これらの顔が美しいと信じさせようとするハリウッドという装置に、われわれはうまくあしらわれているのだろうか。

メディアによる操作、あるいは文化によるその他の企みがわれわれを洗脳し、ときとして現実にはあり得ない美の基準を受け入れさせているのかどうか、どうしたら判断できるだろう。美への反応を、メディアや文化がもっと全般的にわれわれの好みを形づくる方法から切り離すことはできるのだろうか。これらの問いに取り組むのに役立つ研究手法が2つある。1つは、人が美について同じ意見をもつかどうか調べることだ。異なる文化の人を比べられるとなおよい。もう1つは、文化によって意識が形成される前の赤ん坊が、美に対して成人と同じように反応するか調べることだ。

美しいと見なされる顔の基盤は存在する

これらの方法で得られたエビデンスは、特定の顔を他の顔よりも美しいと見なす性向がかなり強く人間に備わっていることを示している。成人は美しいものや美しくないものについてメディアが作り出すイメージにさらされているが、多くの研究の結果から、誰もが美しいと見なすものの中核は、文化による押しつけとは無関係に存在することがわかる。ある文化の中で同じ民族集団に属する人たちは、顔の魅力の度合いについて互いにきわめて類似した評価を下す。別の民族集団の人の顔について評価する場合でもそうなのだ。たとえば男性は、アジア系、ヒスパニック系、ヨーロッパ系、アフリカ系の女性について、誰が魅力的に見えるかについて同じ意見をもつ。[3] この発見自体は想定内かもしれず、顔の美しさについて抱く印象は共通の文化的影響に誘導されるという考え方に合致するかもしれない。しかし同じ民族集団に属する人たちの下す評価にとどまらず、異なる民族集団の人たちが顔の美しさについて抱く意見もかなり一致する。この観察は、民族が違っていても同じ文化から受ける共通の影響の結果かもしれない。しかしさまざまな文化の人が顔に関して下す評価を調べた研究でも、顔の美は同じ文化内の異なる集団に属する人の下す評価と少なくとも同程度に高い相関性を示している。[4] 以上をまとめると、異なる民族集団や文化をまたいで顔の魅力に関する評価が一貫性を示すことから、成人が反応する顔には特定の文化に固有な要素だけでなく文化を超えて共通の要素があることが示唆される。文化内の流行は、われわれのほとんどの中にもともと埋め込まれている美に関するバイアスをしばしば誇張して利用する可能性が高い。

顔の美しさには普遍的な基盤があるという考え方は、どんな顔が魅力的と見なされるかについて文化は影響しないとか、人が自らの個人的な経験によって偏った見方をすることはないということを意味するわけではない。たとえばアフリカや南米の部族で見られる顔の装飾は、西洋の都会的な好みをもつ多くの人の目には美しく感じられない。もっと身近な例として、髪型や、眼鏡やピアスといった顔まわりのアクセサリーや、化粧に関する好みは、人によって大きく異なる場合がある。

魅力の度合いに関する評価の差異が文化間で異なる場合でも、その差異の理由は普遍的かもしれない。ある研究で、[5]アチェ族（パラグアイ）とヒウィ族（ベネズエラ）の部族民とアメリカ人とロシア人に、ブラジル、アメリカ、アチェ族の人の顔を見せた。この実験をしたとき、これらの部族は文化的に世界からかなり孤立していた。しかし実験に参加したすべての人が、大きな眼と華奢な顎をもつ女性の顔を高く評価した。のちほど見ていくが、これらの特徴は若さと結びついている。この共通した傾向以外、アチェ族とヒウィ族の部族民はアメリカ人やロシア人と一致する点があまりなかった。人が魅力を覚える対象に文化が影響するのは間違いなく、だからこそ魅力の評価に差が生じたのだと考える人がいるかもしれない。だが、アチェ族とヒウィ族のあいだに交流はなかった。部族間で接触がなかったにもかかわらず、アチェ族とヒウィ族の部族民は美しさの評価において一致していた。アチェ族とヒウィ族の部族民は、顔立ちが全体的に似通っている。この実験で得られた結果については、顔の特徴に接するという環境的な経験が、魅力の度合いに関する評価における違いの一因となったという見方で説明できる。アチェ族とヒウィ族の部族民のあいだで評価が一致したのは、顔のタイプに関する経験が類似していたからなのだ。

赤ん坊も「美しい顔」がわかる

赤ん坊はどうだろう。赤ん坊は顔に心を奪われる。生まれて1時間も経たぬうちに、顔のように見える像に目を向け始める。[6]生後1週間で母親の顔を他の人の顔から区別し、人の顔の表情を見て真似するようになる。[7] 見つめられると見つめ返し、しばしば顔に反応して笑顔を見せる。赤ん坊が顔に注意を向けるのは明らかなようだが、ある顔に別の顔より魅力を覚えるかどうかは、どうしたらわかるだろう。赤ん坊がわれわれの望むとおりに話してくれることはないが、好きなものについてはそのふるまいからかなりわかる。

発達心理学では、赤ん坊の注意を引きつけるものを特定するのに「選好注視法」という手法を用いる。2つの顔を並べて示し、赤ん坊がそれぞれの顔に目を向ける時間を計る。この測定結果から、どちらの顔が赤ん坊にとってより魅力的かがわかる。[8] ジュディス・ラングロワと共同研究者らは、赤ん坊が場合によっては生後わずか数日で成人にとって魅力的な顔を長く見つめるようになり、生後3カ月には確実にそうしているということを示した。この魅力的な顔というのは、成人男女の顔でもよいし、他の赤ん坊の顔でもよいし、あるいは人種の異なる人の顔でもよい。[9] 魅力的な顔に対する赤ん坊の好みは、別の形でも表れる。ある実験で、1歳児に2体の人形を渡した。一方は顔が魅力的で他方は顔が魅力的でないという点を除き、2体は同一である。赤ん坊は顔が魅力的でない人形と比べてほぼ2倍の時間にわたって魅力的な顔の人形で遊んだ。[10] 赤ん坊は年齢、人種、性別にかかわらず、顔の魅力に反応するらしい。注目すべきは、赤ん坊がハリウッドやボリウッド、エスティ・ローダー、『ピープル』誌などに影響されないうちからこうした反応を示す点だ。

顔の魅力と言えば、ふつうは性的魅力を意味する。しかし「魅力」、すなわち人の注意を引きつける力は、その対象を見るコンテクストに影響される。認知心理学者のヘルムート・レーダーと共同研究者らは、ウィーンの街にいる人の写真を学生に見せ、2つのストーリーを提示した。[11] 1つのストーリーでは、若い独身者にとってウィーンはすばらしい街だと伝えた。活発な社交の場があり、未来のパートナーに出会うのも簡単だとした。もう1つのストーリーでは、ウィーンが大都市であることを強調し、大都市にありがちで犯罪が多いと伝えた。活発な社交の場のストーリーを提示された場合、学生は性的な魅力に満ちた男女の顔を見る時間が長かった。危険な大都市のストーリーでは、魅力的な女性の顔を長く見る傾向に変わりはなかったが、魅力的な男性の顔は学生の注目を引きつけなかった。路上での暴力行為は女性より男性と結びつくので、危険な都市というコンテクストでは、男性は性的なパートナーの候補というより脅威になり得る存在としてとらえられる。見た目の美しさは、もはや男性を見る経験にとって意味がない。私の考えでは、顔に対するわれわれの反応は、その顔に出会うコンテクストに影響される。あとで見るとおり、コンテクストはたいていの対象に関する経験に強く影響し、とりわけ重要な点として、快感やアートに関する経験に影響する。

以上をまとめると、これまでに得られたエビデンスによれば、魅力があると普遍的に評価される顔が存在する。この見解は、文化やコンテクストが魅力の度合いに影響することを否定するわけではなく、人がそれぞれ異なる好みをもつ可能性を否定するわけでもない。しかしこうした相対的な影響は通常、魅力の根底にある普遍的な基盤の上に生じる。このように顔の美しさには普遍的な特徴があるとする考え方から、３つの疑問が生じる。それらについてこれから探究していく。第１に、美しい顔に普遍的な特徴があるのなら、それを測定することはできるのか。いかなる科学においても測定は不可欠なのだ。第２に、そうした特徴が普遍的だとしたら、その嗜好は「生得的」なのだろうか。「生得的」とは、平たく言えば、その特徴に対する反応が誰の脳にも同じように組み込まれていることを意味する。第３に、これらの特徴が普遍的であるなら、われわれはなぜそれらに魅力を感じるように進化したのだろうか。

第3章 顔の美の尺度

インドで過ごした子ども時代、私はこんな物語を聞いたのを覚えている。神が人間を作ろうと決め、生地を人間の形にして窯に入れた。窯から取り出してみると、白っぽくだらりとしたものができていたので、神は満足しなかった。そこでこれを捨てて、最初からやり直した。すると今度は焼きすぎて、真っ黒に焦げてしまった。神はこれも捨てて、さらにやり直した。ようやく満足のいくものができあがった。人間にぴったりな、きつね色に焼きあがった。この物語からわかるとおり、たいていの集団が自分たちは特別な存在だと主張するために物語を作る。美しさを測る初期の試み、とりわけ顔の美しさを測る初期の試みは、「客観的」であることをうたいながらも、こうしたバイアスで歪められていた。

「美しい顔研究」の試み

美しい顔を構成する形態的特徴を見出そうとヨーロッパで長く続いた試みの歴史は、当然ながら、ヨーロッパの白人の顔立ちが最も魅力的だと結論するに至った。たとえば紀元前320年に作られて1496年ごろにローマ近郊で発見されたベルヴェデーレのアポロン像は、美の典型と見なされた。発見から400年にわたり、この像は西洋世界で最も有名な彫像となった。こうした古代の美を体現する像にどれほど合致するかによって、顔立ちの美しさが決まった。18世紀のオランダの画家で解剖学者でもあったペトルス・カンパーは、横顔の顔面角を調べた。耳から唇に直線を引き、額から上下顎の最も前に突き出た部分（たいていは上唇）にも直線を引き、この2直線の交わる角度が顔面角となる。カンパーは、古代ギリシャの彫像の顔面角はおよそ100度であることを見出した。たいていの人間では、顔面角は90度から70度のあいだになる。カンパーはこの数値を使い、各人種はアフリカ系から東アジア系、白人ヨーロッパ系という順番で顔立ちの美しさが高まり、古代ギリシャの彫像によって確立した理想に最も近いのはヨーロッパ人の顔面角だと主張した。[12]

われわれはみな、顔立ちを性格と結びつけようとする傾向をもつ。スイスの牧師のヨハン・カスパー・ラヴァーターは1772年の著書『観相学断片』において、男性の下顎は強さを表すと自信たっぷりに記し、[13]「思慮深く親切で揺るぎない男性」が引っ込んだ顎の持ち主であることはめったにないと述べている。彼はまた、「豊かでくっきりした」水平な眉は「理解力、冷静な心、計画性を確実に表す」と主張した。おそらく当然ながら、彼はヨーロッパ人の顔立ちが最もすぐれていると信じていた。妙なつながりだが、ビーグル号の艦長を務めたロバート・フィッツロイはラヴァーターを信奉していた。ビーグル号はダーウィンを乗せた船で、彼はこの船で世界を巡って資料を集め、それを根拠としてのちに進化論を構築した。ダーウィンは自伝の中で、艦長がダーウィンのような鼻をもつ者に「航海に必要な体力と意志の力が十分にあるとは思っていなかった」と記している。もちろんこの鼻こそ、ダーウィンに5年間の苦難の旅を完遂させて進化論の着想に至らしめたものだ。

顔などの形態的特徴が性格を表すという考えは、20世紀の初頭まで続いた。医師のキャサリン・ブラックフォードは、形態的特徴にもとづく性格分析という「科学」を宣伝した。彼女の著書[14]は版を重ね、「ブラックフォードプラン」なる施策においてこの科学の利用をアメリカの企業に促した。肌の色については「いつでもどこでも、ノーマルな白い肌の人はポジティブで、ダイナミックで、精力的で、積極的で、支配的で、せっかちで、活動的で、機敏で、楽観的で、投機好きで、移り気で、変化を愛する性格を有する。一方、ノーマルな浅黒い肌の人はネガティブで、活気がなく、保守的で、模倣好きで、服従を好み、警戒心が強く、労を惜しまず、着実で、鈍重で、周到で、まじめで、情け深く、限られたことに打ち込む性格を有する」と主張した。これらの例からわかるのは、形態的特徴から美を客観化して性格の特徴を明らかにしようとした初期の試みが、しばしば科学を装った偏見の実践であったということだ。

3つの美しい顔の要素

狭量な偏見は別にして、顔の魅力を測定するのに信頼できる方法はあるだろうか。顔の魅力にかかわるパラメーターは3つあるが、いずれも民族の壁を超えた普遍性をもつ。第1のパラメーターは平均性で、第2のパラメーターは対称性である。いずれも男女ともにあてはまる。一方、第3のパラメーターは男女を外見的に区別する特徴、すなわち性的二型だ。

魅力の尺度として平均性が発見されたのは偶然だった。キャサリン・ブラックフォードが白い肌をポジティブと見なすより早く、フランシス・ゴールトンは特定の顔の特徴が特定の性格特性を表すかどうかに関心を抱いた。ゴールトンはダーウィンのいとこで、優秀な統計学者、人類学者、探検家だった。統計的相関性や指紋法を発明したのは彼である。優生学も唱導し、犯罪者の顔に共通する特徴を見出せないかどうかに関心をもった。「謀殺、故殺、暴力行為を伴う強盗で有罪判決を受けた」多数の犯罪者の顔を1枚の写真乾板の上に重ね、合成された顔から犯罪者の典型的な容貌を明らかにしようとした。ところがゴールトンが見出したのは犯罪の黒幕の顔ではなく、合成の素材とした個々の顔よりも合成された顔のほうが魅力的になるという事実だった。[15]

ゴールトンは、平均した顔立ちが魅力的であることを発見した。現代の研究方法により、この予期せぬ発見の正しさが証明されている。[16]「平均した」顔は平凡な顔とは違うということをはっきりさせておく必要がある。平均した顔は、鼻の幅や両目の距離といった特徴が統計的に平均されたものとなっている。かつては平均化実験の妥当性について疑念の声があった。合成した顔は個々の顔の線がぼやけ、若く見えるという点が問題視された。ファッション写真家がしばしば用いるソフトフォーカスのぼかしと同じ効果が生じていたのだ。しかし最近のコンピューター技術により、この方法に伴う問題が回避され、集団の中心的な傾向を表す顔が個々の顔よりも魅力的に感じられることがはっきりした。赤ん坊でさえ、こうした「平均した」顔を見せられると、そうでない顔のときよりも長くその顔に目を向ける。[17]

顔の魅力の定量的なパラメーターとしてはもう1つ、対称性もある。人類学者のカール・グラマーと生物学者のランディー・ソーンヒルは、顔の幾何学的中心の左右両側にあるさまざまな顔のパーツ間の距離を測ることで顔の対称性を調べた。その結果、この対称性指数は男女の顔の魅力に関する評価と相関することが明らかになった。[18]これ以降に行われた数々の実験でも、この結果が裏づけられている。一卵性双生児の写真を使って、対称性の効果に焦点を当てるというおもしろい実験も行われた。[19]当然ながら一卵性双生児はそっくりに見えるが、その顔にはじつは微妙な違いがある。遺伝子が完全に同一であっても、環境への曝露は同一ではないのだ。研究者らはまず、双生児の顔を比べて、対称性が高いのはどちらかを判断した。そして対称性が高いほど、魅力的と思われる度合いが高いことが判明した。つまり双生児の顔においては、多くの点で似ているにもかかわらず、対称性が魅力の度合いに影響していた。
　性的二型とは、性別によって生じる形態的特徴の違いを指す。すでに見たとおり、平均性と対称性は男女どちらの顔についても魅力の度合いに影響する。一方、男女の魅力のあり方に違いをもたらすものは何なのか。性的二型の形態的特徴をもたらすのは、性ホルモンのエストロゲンとテストステロンだ。エストロゲンが女性的な特徴をもたらすのに対し、テストステロンは男性的な特徴をもたらす。文化を問わず、異性愛者の男性は女性の女性的な特徴に魅力を覚える。[20]
　エストロゲンの作用で生じる形態的特徴は、赤ん坊の顔の特徴と似ている。赤ん坊のように感じられる顔は眼が大きく、眉が薄く、額が広く、頬が丸く、唇がふっくらし、鼻が小さく、顎も小さい。これらの「愛らしい」特徴は人に好まれる。ウォルト・ディズニーもこの事実を利用した。１９２８年、ミッキーマウスが映画『蒸気船ウィリー』でアニメーションとしてのデビューを果たした。このときのミッキーは、細長くしなやかな体つきだった。しかし１９３５年には、アニメーターがミッキーマウスに洋梨型の胴体を与え、眼に瞳孔を加え、鼻を低くした。ミッキーマウスをめぐって興味深いのは、彼がどんどん赤ん坊のようになっていることだ。頭と眼が大きくなり、手足は短くなり、80年間に歳を重ねてもなお、その変化は止まらない。
　成人男女の顔の写真を加工して、もっと赤ん坊のように見せたり、逆に赤ん坊らしさを弱めたりすることができる。この操作は魅力の度合いに影響するだろうか。男性は、実年齢より若く見えて赤ん坊のような特質を備えた女性をより魅力だと感じる傾向がある。広い額、大きな眼、小さな鼻、ぷっくりした唇、小さな顎をもつ女性を好む。これらの特徴はエストロゲンの豊富な状態と関連し、女性の生殖能力を表す。ただし男性は、赤ん坊の特徴の1つであるふっくらした頬を成人女性が備えていても魅力を覚えない。むしろ成熟のしるしである突き出た頬骨を好む。どうやら男性は、若さと生殖能力を表す特徴を好むが、そこにいくらかの性的成熟も求めるらしい。[21]

平均的であればよいというわけでもない

女性の特徴の平均性について語る場合、はっきりさせるべき点が1つある。平均した顔は非常に魅力的だが、際立って魅力的というほどではないのだ。平均した顔はしばしば美人コンテストでは優勝できるが、たいていのファッション雑誌の表紙を飾るスーパーモデルの顔とは違う。心理学者のデイヴィッド・ペレットは、集団全体を合成した女性よりも集団内で上位の容姿をもつ女性たちを合成した女性のほうが魅力的であることを示している。[22] スーパーモデル級の魅力的な女性は、平均的な顔立ちではなく特徴の誇張された顔立ちをしている。平均よりも眼は大きく、顎は細く、口から顎先までの距離が短い。これらは女性の顔を男性の顔から区別する特徴を誇張したものだ。スーパーモデルの顔はしばしば少女に典型的な顔立ちで、ときには10歳にも満たない少女のような顔立ちの場合もある。

異性愛者の女性が男性のどこに魅力を覚えるかとなると、話はさらにややこしい。どの文化でも、魅力を覚える要素を挙げてもらうと、女性は男性ほど身体的な魅力を重視しない。男性ほど視覚的な要素に動かされないのだ。計算論的神経科学者のオギ・オーガスとサイ・ガダムは愉快な著書『性欲の科学』（坂東智子訳、阪急コミュニケーションズ）において、大量のエビデンスを集めてこの点を明らかにしている。2人の利用するデータは、「何よりも大事で私的な行動の1つである〝性的欲求〞を再検証するための世界最大の行動実験」で集めたものだ。インターネット検索を分析し、ウェブ上で男性と女性がどんなことを検索しているのかを調べた。仮想世界での欲望については、驚くほど明確な性差が見られる。男性は圧倒的にポルノを検索する。動画は視覚的に生々しいが、プロットや感情を喚起する要素はあまり含まれない。対照的に、女性は圧倒的にEロマンスサイトを検索する。Eロマンスサイトとは、ヒーローの男性を中心に展開するロマンスの物語を紹介するサイトだ。男性に対する女性の欲望は、容姿以外にもさまざまなシグナルから形成される。女性は男性よりも地位、権力、富、守り与える力を重要視する。ヘンリー・キッシンジャーは、外見的な美しさで知られる男性ではなかったが、しばしば若く非常に魅力的な女性を連れていた。「権力は究極の媚薬だ」というのが彼の言い分だった。

どんな人に魅力を覚えるかという点で、女性は男性より複雑だが、それでも男性のもつ特定の形態的特徴に反応する。テストステロンは、大きく角張った顎、こけた頬、濃い眉をもたらす。女性は一般にこれらを備えた「男性的」な顔を好み、この嗜好は文化を問わず広く見られる。僻地の森林で暮らすクン・サン族でも、がっしりした顎や強靭な体に恵まれた男性のほうが多数の性的パートナーをもつ。[23]

しかし、女性が男性的な特徴に魅力を覚えるのは、あるレベルまでだ。男性の顔があまりにも男性的だと、女性は傲慢さを感じる。がっしりした顎をもつ男性は傲慢だという印象は多くの文化で観察され、事実から隔たってもいないかもしれない。ウエストポイント陸軍士官学校の生徒は、在学中にも勤務を始めてからも、顔立ちが男性的である者のほうが女性的な容貌の同級生よりも軍人としてのヒエラルキーで上位に立てる。[24] 子育てを手伝ってくれる安定したパートナーを求める女性には、あまりにも傲慢な男性は長期的なパートナーとして最善の選択ではないかもしれない。そのような男性は、人間関係や家族に関心を寄せないかもしれない。そのため、女性は男性的な特徴にいくらかの女性的な要素を併せもつ顔を好む。[25] 男性的な顔にやや女性的な要素が加わると傲慢さがやわらぎ、そのような顔の男性は温かく、気持ちのうえで頼りになり、人間関係を大事にする人物であるように感じられる。

女性が男性に魅力を覚える要素をめぐって興味深い微妙な特性として、月経周期によって好みが変わるという点もある。この変化は「排卵シフト仮説」と呼ばれ、人間における魅力研究で得られた確固たる発見の1つとなっている。[26] 若い女性は短期のパートナーと長期のパートナーのどちらを求めているかによって、異なるタイプの男性に魅力を覚える。短期のパートナーを考えている場合、女性は男性的な外見の男性を求める。この傾向は、排卵の直前で妊娠する可能性が最も高い時期になると特に強まる。これに対し、長期のパートナーに関する好みには、月経周期による変動は生じない。短期のパートナーへの好みが排卵に伴って変動することの意味については、魅力に関する好みを動かす進化上の理由について詳しく論じるときに改めて触れたい。

顔の美しさに関する知見をまとめるなら、子どもも成人も、文化を問わず、同じ評価パラメーターに対して同じように反応する。男性でも女性でも子どもでも、平均的で対称的な顔におそらく魅力を覚える。男性と女性で異なる特徴も、その違いが強調されたときに魅力的に感じられる。人を見るコンテクストによって、その人に感じる魅力の度合いが変わる。のちほど見るが、コンテクストは快感に強く影響する。女性にとって、男性が魅力的に感じられるかどうかに影響するコンテクストは、権力や地位かもしれない。女性が男性の形態的特徴に目を向ける場合、一時的な情事の相手を求めているのか、それとも人生をともに歩む相手を探しているのかがコンテクストを形成するかもしれない。女性が排卵期に近いかどうかによっても、コンテクストは変化する。

われわれが人に魅力を覚える場合、その人の体についても考える。たいていの文化では、露出した顔ほど頻繁に裸体を見る機会はない。しかし顔の魅力にまつわる原理に生物学や進化のかかわる基盤があるのなら、のちほど見るとおり、同様の原理が人の体に魅力を与えるパラメーターにもあてはまることが期待できる。

第4章 美しい体

ケネス・クラークは著書『ザ・ヌード』（高階秀爾・佐々木英也訳、筑摩書房）において、われわれが人の体形を批判するとき、たとえば首が短すぎるとか足が大きすぎるなどと言うとき、われわれは身体的な美しさについて理想を抱いていることが明らかになると指摘している。クラークの見解から、体の美しさが測定可能であることが示唆される。人間には、まさにこれをしようと試みてきた長い歴史がある。

2世紀には古代ギリシャの医師ガレノスが、腕の長さは手の長さの2・5倍や3・5倍よりも3倍が美しいと主張した。人体の美しさは適正な比率の問題であるとする考え方が本格的に受け入れられるようになったのは、ヨーロッパのルネサンスの時代だった。ドイツの画家で数学者のアルブレヒト・デューラーはイタリアで学んだあと、均整の法則を北ヨーロッパに持ち込んだ。1528年の著書『人体均衡論』において、彼は理想的な身体的比率の体系を記述した。この体系は身体を円柱、球、円錐、立方体、角錐といった単純な形に還元し、測定を容易にした。デューラーの構築した比率系は、じつは彼自身の手をもとにしていた。中指の長さは手のひらの幅に等しいとされ、手の幅は前腕の長さに比例するとされた。彼は指と手、手と前腕、前腕と腕全体、手足と身長を関連づけて、全身の基準を確立した。体のパーツを身長と関連づけたこの体系は、身体に調和のとれた有機的な統一性を与えると彼は考えた。

体の美と顔の美の共通点

体の美しさを測定しようとする科学的な試みは、顔の美しさに関する研究ほど広範には行われていない。しかし顔の美しさにかかわる原理のなかには、体にもあてはまるものがある。男女を問わず、対称性は体の美しさにかかわる重要な特徴だ。体の性的二型の特徴も、強調されると魅力につながる。前章で述べたとおり、体は顔と比べて露出される機会が少ない。身体を平均したら顔と同じように魅力が高まるのかはわからない。平均とは多くの例を調べて得られるものであること、そして現代のたいていの文化では多数の裸体を見る機会はない（顔と比べて）ことから考えて、顔と同様に平均された身体という典型が作られることはおそらくない。都会で小型犬が散歩中に愛らしい上着を着せられているのを除き、動物は通常、体をむき出しにしている。動物は、じつは他の動物の体を強く意識する。驚くべきことに、動物は身体パーツの対称性に魅力を覚える。[27] たとえば雄のトナカイは、巨大な枝角が左右対称だと配偶の市場で人気が得られる。[28] 雌のツバメは、大きくて左右対称な尾を誇示する雄とつがうことのほうが多い。[29] 身体の対称性は、人間という動物の美しさにも影響する。足、足首、手、肘、手首、耳たぶが左右対称な男性は、左右対称でない男性よりも魅力的だと見なされる。[30] 大事なのは、女性が男性のこれらの身体パーツに必ずしも固執するわけではなく、単にこれらのパーツは測定が容易で、全身の対称性を表すすぐれた指標になるという点だ。人間の場合も、対称的な身体をもつ男性はやはりセックスの市場で人気が高い。このような男性は、そうでない男性と比べて数年早くセックスを経験する。特定の女性と交際する場合も対称性が低い男性より早くセックスに至り、パートナーの数も2、3倍だ。さらに、このような男性のパートナーはベッドで相手からより多くの快感を得る。男性の身体の対称性は、収入、2人の関係への熱意、セックスの頻度よりも高い精度で、恋人の女性がオルガスムに達する可能性を予測する因子となる。[31]

異性愛者の男性も、対称性の高い女性を好む。この好みは、行動観察のみならず、実験室での実験でもはっきりと見て取れる。体の左右対称性が高い女性は、対称性の低い女性よりも性的パートナーが多い。バストが左右対称で大きい女性は、対称性の低いバストをもつ女性よりも子をたくさん産む。女性は排卵期に対称性が高まる。耳たぶ、中指、薬指、小指の軟部組織を調べると、排卵期に対称性が最大30パーセント高まる。[32]

すでに見たとおり、性的二型の特徴は男女の顔の魅力に影響する。性的二型の特徴はまた、動物や人間が体に対して示す反応にも影響する。[21、27] 動物界では、雄がしばしば派手なディスプレイをもつ。たとえば鳥では、クジャクに見られるように派手な羽が一般的である。メカジキの雌は吻《ふん》の長い雄を好み、ツバメの雌は尾の長い雄を好み、シュモクバエ科の雌は眼柄の長い雄を好み、発情期のトナカイの雌は枝角の大きな雄を好む。サイズが大事なのだ。

男女間の身体的な違いは、ほとんどがテストステロンやエストロゲンというホルモンによって生じる。特にテストステロンは、体のサイズを大きくする。たいていの人は長身の男性を好む。[33] アメリカの大統領選挙では、たいてい背の高いほうの候補者が当選する。好調な企業のCEOは、長身である確率が高い。身長は初任給にも影響する場合がある。逆に、地位が身長に影響する場合もある。有力者だと思われた人は、比較的有力でないと思われた場合よりも5～10センチほど背が高い印象をもたれる。女性は長身の男性に魅力を覚える。ほぼ例外なく、女性は身長が平均未満の男性よりも平均以上の男性を好む。長身の男性のほうが、恋人募集広告を出すと多くの反応をもらえる。性選択に関してきわめて具体的な例を挙げれば、不妊治療クリニックで精子ドナーを選ぶ場合、女性は長身の男性の精子をほしがることのほうが多い。[34]

たいていの人は、男性の胴体の理想は肩幅が広く腰が引き締まった逆三角形だと思っている。[35] 男性も女性も、肩幅が狭くウエストが太い洋ナシ形体型の男性は好まない。男女間で力の差が特に大きいのは、腕、胸部、肩である。これらの部位では、筋肉の発達にテストステロンが強く影響する。当然ながら、昔から男性のファッションは、階級を示す肩章や、ウォール街のパワースーツに仕込まれた肩パッドなどで肩を強調し、大きく見せてきた。古代ローマ人は胸部のサイズを強調する胸当てを着用した。現代では、男性は胸筋を移植したり、ウエストや胸部から脂肪を除去する脂肪吸引術を受けたりする。男性モデルは男性の体つきの理想形だ。身長180センチ以上、胸囲は100センチから110センチほど、ウエストは75センチから80センチほどである。男性ボディービルダーの場合はこれらの比率が極端で、胸囲がウエストのほぼ2倍となっている。

女性は脂肪のつき方が男性と違う。エストロゲンの作用で、脂肪が乳房、臀部、大腿部に蓄積する。これらの女性の身体パーツに男性は心を奪われる。私の研究室で顔の魅力に関する実験を設計していたとき、われわれはまず「ホット・オア・ノット」（イケてるか否か）というウェブサイトを閲覧し、このサイトに掲載されている写真を実験に使えるか調べた。すでに何百人もの人が評価しているのだから、さまざまな魅力の度合いの顔をもつ人の写真を効率的に選べると考えたのだ。しかしウェブサイトを数分間見て、われわれの研究で扱う女性の顔についてはこの作戦がうまくいかないことを悟った。統計解析を行うまでもなく、バストや胸の谷間を見せている女性の写真が男性による評価に大きく影響することが明らかだったのだ。男性がこれほどバストに心を乱されるのなら、これらの写真を顔の美しさの研究に使うことはできない。男性は、サイズの好みはさまざまだが、張りがあって上を向いたバストを好む。これは出産経験のない若い女性のバストの形だが、生殖能力を示す身体的な指標でもある。

文化による好みへの影響

男性が女性の体に対して示す反応に、文化が影響するのは間違いない。しかし、文化の影響が普遍的な要因と相互作用する可能性もある。男性が太った女性を好む文化もあれば、痩せた女性を好む文化もある。どの文化でも、あまりにも極端な体型は好まれない。こうした文化による好みは、食料やその他の資源の入手しやすさと関係している。食料が確実かつ豊富に入手できるほとんどの先進国では、痩せていることが女性の社会的および経済的な地位の高さと結びつけられる。肥満した国は細身の女性を好むというわけだ。食料が不十分な貧困国では、この関係が逆になる。この現象は「環境安全性仮説」と呼ばれる。これは食料が乏しい場合、女性の体脂肪量は出産に必要なエネルギーの蓄えを表す指標になるという考え方だ。魅力に関するこの仮説の裏づけを、いくつかの顕著な例に見ることができる。1960年から2000年にかけて『プレイボーイ』誌で選ばれた「今年のプレイメイト」の形態的特徴は、アメリカの経済指標をなぞっている。経済情勢が厳しい時期には、比較的年長で肉づきがよく長身のプレイメイトが選ばれる。ウエストが太目で、眼が小さく、ウエスト対ヒップ比が大きく、バスト対ウエスト比が小さく、体格指数が大きいのだ。[36] 同様に、1932年から1995年にかけて人気のあったアメリカの映画女優を見てみると、厳しい時期には小さな眼、痩せた頬、広い顎といった成熟を表す特徴をもつ女優が人気だったのに対し、豊かな時期には大きな眼、丸い頬、小さな顎をもつベビーフェイスの女優が好まれた。[37] 情勢が厳しくなると、好色な男性の目には大柄な女性が魅力的に映るらしい。

体重に関する全体的な好みや、社会的および文化的な条件によって女性に与えられる地位とは無関係に、不変の要因が1つある。男性は砂時計型の体型の女性を好むのだ。ウエストが細くバストとヒップが大きいというこの体型は、思春期に現れる。つまり、男性は生殖能力を誇示する身体をもつ女性を好むのだ。男性のウエスト対ヒップ比は0・85から0・95のあいだだが、たいていの出産可能な女性はこの比が0・67から0・80のあいだとなる。実際、この比が0・80より小さい女性は、これより大きい女性と比べて出産する確率が2倍なのだ。心理学者の故デヴェンドラ・シン[38]は、多くの文化で男性はウエスト対ヒップ比が0・70前後の女性を好むことを発見した。女性のトップモデルはこの比が0・70前後であることが多い。痩せた女性とがっしりした女性のどちらを好む文化かを問わず、この比を好む傾向が見られる。アメリカでは、オードリー・ヘップバーンとマリリン・モンローは体のサイズはかなり違っているものの、どちらも美のアイコンだ。そしてじつは2人とも、ウエスト対ヒップ比が0・70だった。

顔と体、どちらがより重要か？

われわれは顔と体の両方に魅力を覚えるが、どちらか一方を他方より重視するのだろうか。一般に、人は体より顔を重視する。しかし男性の場合、手っ取り早い情事を望んでいるのか真剣な関係に深入りしたいのかによって、女性の顔と体のどちらを見るかが変わってくる。ある実験室実験[39]で、若い男性に女性の写真を見せた。最初は女性の顔と体が隠されていた。写真の女性たちからパートナーを選ぶと仮定し、男性は女性の顔か体のいずれか一方だけを見ることが許された。情事を求める場合、男性は女性の顔より体を見た。これに対して真剣な関係を望む場合には、体より顔を見た。この実験のきっかけとなったのは、女性の出産可能性と生殖能力が必ずしも両立するわけではないという洞察だった。たとえば妊娠中の女性は、不幸な出来事が起きない限り、出産することはほぼ確実だ。しかし妊娠中に受胎することはできない。ウエスト対ヒップ比が小さい女性は受胎が可能だ。つまり顔より体のほうが生殖能力を表すすぐれた指標であり、短期のパートナーを求める男性の欲望は女性の生殖能力に突き動かされる。一方、男性の体はこのような情報を伝えないので、この実験で女性の求めているのが短期のパートナーか長期のパートナーかによって、男性の顔と体のどちらを見るかが変化することはなかった。

じつは体の「動き」が重要

体は動く。1872年、ダーウィンは、われわれが他の人の行動を推測するために動的な手がかりを使うことに気づいた。人の動作は有用な情報をたくさん与えてくれる。神経科医は特に人の歩行を観察する訓練を受けている。神経系の健康状態を知るのに手っ取り早く最良の指標となるのが歩き方だからだ。次章で見るとおり、脳内には人の動作を知覚するのに特化した領域がある。われわれは人の体の形や色や輪郭に関する情報がまったくなくても、その動きを認識できる。10個から12個ほどの関節に光の点を装着して暗闇を歩く人を動画で撮影し、「ポイントライトウォーカー」と呼ばれる映像を作成すると、これを見た人は光の点が人の体の動きだとただちに認識する。この動く光の点だけから、その人の性別や年齢、さらには不安かリラックスしているか、あるいは喜んでいるか悲しんでいるかまでわかる。

ダーウィンは、ダンスとは踊り手の質を示す求愛の儀式だと考えた。鳥や昆虫も踊る。雌のショウジョウバエはダンスのうまさで配偶相手を選ぶ[40]。雄のクモの多くは、巧妙なダンスで雌を引きつける。ジョウゴグモのあいだでは、腹部を最もすばやく揺らせる雄が雌を引きつけるのに最も成功する[41]。巡航船で遠隔地に赴いて異国の動物や見慣れぬ昆虫を観察する天才でなくても、ダンスが求愛の儀式だということはわかる。近所のナイトクラブに行けば、そんな交配の儀式が見られる。ダンスフロアにたどり着きさえしないうちに、気になる男性を見つけた女性は相手の視野に入り込み、頻繁だがゆっくりと体を動かす。男性はこうした誘惑的な動作に引きつけられる。

静止した状態で見て魅力的な身体パラメーターが、動作によって強調されることもある。動作というのはじつは、対称的な体の効率的な使い方を誇示することができるのだ。中距離ランナーは、身体の対称性が高いほうが対称性の低いライバルよりすぐれたパフォーマンスができる。[42] 砂時計型の体型をした女性のヒップ対ウエスト比は、歩きながら腰を左右に振ることで強調される。女性は、対称的な身体をもつ男性のポイントトライトウォーカーに魅力を覚える。短期のパートナーを求めているときには、非常に男性的なポイントトライトウォーカーを最も魅力的だと評価する。男性的な動きを示すポイントトライトウォーカーへの好みは、排卵期に強まる。[43] 排卵期の女性は、男性からダンスに誘われたときに応じる確率も最も高い。

奇妙なことに、踊っている男性の魅力の度合いを女性が評価する際、男性の指が評価に影響する。薬指と人差し指の長さの比は、胎児期のテストステロン曝露に影響される。テストステロンの曝露量が多いと、人差し指に対する薬指の長さの比が大きくなる。薬指対人差し指の長さの比が大きい男性は、この比が小さい男性と比べて体力があり、スキーやサッカーや短距離走が得意だ。どうやらダンスもうまいらしい。ある研究で、この比が大きい男性ダンサーと小さい男性ダンサーの動画を女性に見せた。動画にもとづいて魅力的で、支配力があり、男性らしいと評価されたのは、薬指対人差し指の長さの比が大きい男性だった。[19]

つまり、体の美しさのパラメーターは、顔の美しさのパラメーターと類似しているのだ。顔と同じく体も対称的なほうが好まれる。さらに顔と同じく体についても、性的二型の特徴が誇張されると美しいと感じられる。男性は女性の生殖能力のしるしに目を向ける。女性は男性の男性らしさのしるしに目を向ける。のちほど見るとおり、これは男性のもつ遺伝子の質を表している可能性がある。平均された体が美しいかどうかはわからない。ボディービルの大会、衣服のスタイル、ダンスといった文化的現象は、われわれにとって美しく感じられるものの根底にあるのと同じパラメーターをしばしば誇張する。さらに、体を見るときのコンテクストも影響する。短期と長期のどちらのパートナーを求めているか、あるいは女性が排卵中かどうかによって、どんな体を美しく感じるかが変わる。

次の2章で、脳の探索に乗り出す。まず、脳の働き全般を見る。美への旅路から脇道に逸れるように感じられるだろうが、脳についての基礎知識を確立しておく必要がある。そして本書の後半で、探索を進めながら神経科学に関する情報をまとめていく。

第5章 脳の働き

脳というのは驚異的な臓器だ。機械として、わずか25ワットほどの電力で稼働するが、人間のする途方もないことをすべて実行できる。どんな思考も空想もアイデアも、すべて脳内で展開される。脳には1000億個近い神経細胞があって、これらがおよそ100兆個の連絡を形成している。体内で群を抜いて最も複雑な臓器が脳だ。そんなに複雑なものを、いったいどうしたら理解できるだろうか。実際、脳についてはまだわからないことがたくさんある。しかし19世紀末以降、脳を損傷した患者や脳細胞の電気的記録から、そしてもっと最近では脳を画像化する新技術により、脳に関する知見が蓄積されてきた。

脳はその解剖学的構造と結びついた論理に従って機能する。この解剖学的構造を理解し、脳の各領域が互いにどう結びついているかを明らかにすることにより、その働きについてさらに知ることができる。本書の目的に関して言えば、脳の構造と機能が、審美的遭遇の際に起きることを覗き込む窓を開けてくれる。

基本的な用語と原理

まずは脳に関する基本的な用語から始めよう。脳の表面は皮質と呼ばれる。溝《こう》と呼ばれる溝状の筋と、回《かい》と呼ばれる畝状の部分がある。皮質の主要部分は葉《よう》と呼ばれ、後頭葉、頭頂葉、側頭葉、前頭葉がある。各脳葉および脳半球は、大きな裂溝で分かれている。大脳縦裂は脳の左半球と右半球を隔て、シルビウス溝（外側溝）は側頭葉と頭頂葉を隔てる。脳の奥深くでは、神経の集塊が「皮質下」構造を形成する。基底核はそのような集塊の1つで、これからの議論で重要になる。小脳は系統発生学的に古く独立した領域で、後頭皮質の下に位置する。

脳について考えるにあたり、覚えておくべき大事な原理が2つある。1つは、脳は「モジュール」的に構成されていることだ。これは、脳の各パーツがそれぞれ固有の役割に特化しているという意味である。自動車の組み立てラインで作業員のグループが訓練を受けた特定の作業を行い、それから部品を次の工程へ送り、別の作業員のグループが「処理」を続けるという仕組みを思い浮かべるとよい。2つ目の大事な原理は、脳は「並行分散」方式で情報を処理するということだ。ここで自動車工場の比喩は破綻する。というのは、脳という工場では離れたパーツが協調して働くからだ。この原理が意味するのは、脳のモジュールを構成するさまざまな領域が、われわれの思考、感情、経験の大半を生み出すように指揮されるネットワークの一部として協調するということである。つまり、われわれが浜辺をのんびりと歩きながら夕日を眺めているときにこの複雑な臓器が曖昧な心地よさを与えてくれる仕組みを理解するには、脳のモジュール方式の構成と並行分散処理についてある程度の知識が必要なのだ。

最も基本的なレベルで、脳には入力系と出力系があり、さらに脳に取り込まれたあらゆるものを修飾したうえで脳から送り出す作業をするパーツがある。外界からの情報は、さまざまな感覚を通じて脳に入る。視覚、聴覚、触覚、味覚、嗅覚が、情報を脳のさまざまな部分に届ける。眼は頭部の前面にあるが、視覚情報は脳の後方の後頭葉に入る。脳の後方には、色、形、コントラストといった視覚世界のさまざまな要素を処理するためのさまざまなパーツがある。これらの視覚要素が組み合わさって、顔や体や風景といったもっと複雑な対象を構成する。これらの対象について、脳にはそれぞれに特化した領域がある。これらの特化した領域は、脳のモジュール形式の例である。神経学で最も顕著な臨床症候群の1つとして、相貌失認がある。これは脳がモジュール形式となっているために生じる異常で、顔を扱う脳領域が損傷すると起きる。患者は本を読んだり、対象を認識したり、動き回ったりすることはできるが、人の顔は認識できない。家族や親しい友人の顔すら認識できないのだ。

感覚を通じて入ってくる情報を処理する際に、感情は大きな影響を与える。上機嫌なときには晴れた空や鳥のさえずりに気づき、不機嫌なときには灰色の雲や辺り一面に落ちているハトの糞が目につくという経験は誰にでもあるはずだ。感情は、どんなものに気づき、それをどのように経験するかに影響するのだ。感情は、脳の表面から奥深くに入った大脳辺縁系と呼ばれる場所で生じる。辺縁脳は、楽しさや恐怖、幸福感や悲しみ、喜びや嫌悪感をつかさどり、自律神経系と密接に結びついている。脳のこの部分が「自律」していると言われるのは、舞台裏で不断に働いているが、われわれはそのことに気づきもしないからだ。自律神経系は、心拍や血圧や発汗反応を制御し、感情経験において脳と体を結びつける。だから、興奮すると瞳孔が広がり、緊張すると手のひらに汗をかき、怒りを覚えると血圧が上がるのだ。

意味というのも、われわれが世界をどのように見て経験するかに大きく影響する重要な要素だ。自分の知らない言語で書かれた文書を見たときのことを考えれば、この点は明らかだ。たとえばアラビア書道を見て、その意味がわからなくても絵画的な美しさを味わうことはできる。しかしアラビア語を読めて、そこに記されているのが『千夜一夜物語』のシェヘラザードの物語だったなら、この視覚形態に関する経験はまったく違ったものになる。これはとりわけ顕著な例だが、似たようなことは何かを見たときにたいてい起きる。見ているものに知識をあてはめると、見るという経験に大きな影響が生じる。意味の大半をつかさどるのは、脳の両側の側頭葉だ。ここには世界に関する事実が蓄積された一般知識が保存されている。一般知識のほかに、われわれは各自の歴史にかかわる個人的な事実も知っている。たとえばシェヘラザードの物語が古典的なラブストーリーだと知っているのと、私が少年時代にインドの学校でその物語を初めて聞いたということを知っているのとでは、知識の種類が異なる。個人的な記憶をつかさどるのは側頭葉の別の場所で、奥深くにあって感情を制御する領域に近い部分だ。

最後になったが、脳には前頭葉と頭頂葉という2つの大きなパーツがある。人間のこれらのパーツは、われわれに最も近縁な霊長類と比べて大きい。前頭葉と頭頂葉はしばしば協調して働くが、頭頂葉は注意を向ける対象を選ぶ際に重要な役割を果たし、前頭葉は実行機能をつかさどるのに重要な働きをする。実行機能《エグゼクティブ》がこう呼ばれるのは、前頭葉が大企業の執行役員《エグゼクティブ》のようなものだからだ。脳の各パーツに仕事を命じ、計画を立てるが、その計画について前頭葉以外のパーツは知らない場合もある。

もう一歩踏み込んだ脳のシステム

ここからは今までに述べたすべての情報を繰り返すが、いずれも前のときより詳しく述べていく。詳細バージョンでは、脳のパーツの長く複雑な名称が出てくる。さまざまな脳領域の名称を覚える作業には、医学や神経科学を専攻する大学院生さえ常に苦心してきた。しかしタイトルに「脳」が入っている本で、脳についてある程度詳しく論じないのでは話にならない。神経解剖学用語の多くは、神経科学の実験に触れるときにまた登場することになる。

視覚処理は眼の網膜から始まる。ここではさまざまな神経細胞がそれぞれの特化した役割を果たす。杆体《かんたい》という細胞が輝度を処理し、錐体《すいたい》という細胞が色を処理する。美は見る者の目に宿ると言われるが、正しくは見る者の脳に宿る。つまり、このプロセスは脳の後頭葉から始まる。視覚情報は後頭葉のさまざまな領域で分別され、それから隣接する側頭葉で分別される。たとえば、対象の形、動き、色は、すべて異なる領域で処理される。このように視覚世界をばらばらに分解すると、ハンプティー・ダンプティーの問題にぶつかる。ばらばらになった破片をもとどおりにまとめて、世界について滑らかな視覚的経験を得るにはどうしたよいのか。ハンプティー・ダンプティーの場合は王の馬と家来が駆けつけてもなす術がないが、脳は破片をもとの状態に戻す。正確なやり方については大勢の神経科学者が熱心に取り組んでいる最中だが、明らかになんらかの並行処理が関与する。とりあえず、視覚脳の各パーツがおのおの仕事をこなすということを念頭に置いておこう。顔を処理する領域（紡錘状回顔領域、FFA）や、自然環境や人工環境を含めて場所を処理する領域（海馬傍回場所領域、PPA）がある。その近くには、後頭葉の側面に対象全般を処理する領域（外側後頭複合体、LOC）が位置する。その隣には、人の体の形に反応する領域（線条体外身体領域、EBA）がある。この周囲には、視覚的運動に特化した領域（中側頭領域および内側上側頭領域、MT／MST）がある。さらにMT／MST領域の横でもっと上の位置には、動く体や生体運動を処理する領域（上側頭溝、STS）がある。つまり視覚野には、場所、顔、体、さまざまな対象の処理にそれぞれ特化したモジュールがある。視覚アートの多くが風景画、肖像画、裸体画、静物画なのは、偶然だろうか。脳には生体運動に特化した領域があり、ダンスがアートとして人気があるのも、やはり偶然だろうか。

前にも述べたが、感情を処理する大脳辺縁系は、脳の奥深くに隔離されている。この領域を容易に「顔」領域や「場所」領域などと呼ぶことはできない。審美的遭遇について考える際に知っておくべき主要なパーツとしては、次のようなものがある。扁桃体は、恐怖や不安などの感情を扱う重要なパーツだ。たとえば校長室に入るときに感じた不安を思い出すといったように、われわれの記憶に感情で彩りを与える役割を果たす。基底核を構成する皮質下のニューロンの集塊には、大きな役割が2つある。1つは小脳および運動野と協力して運動の協調を助けることだ。基底核のこの働きが障害されると、パーキンソン病では動作がぎこちなく緩慢になり、ハンチントン病では運動が制御できなくなる。基底核の2つ目の役割は、われわれの議論にもっと関係が深い。基底核は快感や報酬の経験に寄与する。基底核の重要なパーツは、腹側線条体と、その主要な構成要素の1つである側坐核だ。これらのパーツには、ドーパミン、オピオイド、カンナビノイドなど、快感を引き起こす神経伝達物質の信号が押し寄せる。コカイン、ヘロイン、マリファナで経験する「ハイ」というのは、これらの神経伝達物質の受容体があふれかえった結果である。

脳の正面の下部には、眼窩前頭皮質がある。この領域がこう呼ばれるのは、頭蓋内で眼球のすぐ上に位置するからだ。この皮質パーツも報酬の経験と結びつく。ほかにわれわれの議論で重要なパーツとしては、島《とう》と前帯状回がある。島には視床下部への連絡があり、これらのパーツが合わさってホルモンや自律神経系を調節する。前帯状回は、痛みを伝えたり、葛藤を解決したりといったさまざまな仕事をする。これらのパーツについては、快感について考えるときにもっと詳しく論じる。

意味はしばしば言語と結びついている。たいていの人において、言語をつかさどるのは脳の左半球だ。シルビウス溝の周囲の領域が言語を扱う。１８７４年、ドイツの有名な神経学者カール・ウェルニッケは、側頭葉と頭頂葉の境目であるシルビウス溝の後端を損傷した患者は自分に対して言われたことをまったく理解できないということを初めて報告した。現在では彼の発見を称えて、この領域を「ウェルニッケ野」と呼ぶ。この領域を損傷した人は、言葉を理解することができない。

側頭葉の一部は意味の貯蔵庫として重要な役割を果たす。見るもの、聞くもの、触れるものなど、さまざまな感覚を通じて得られる世界に関するすべての情報が側頭葉の端に送り込まれ、世界に関する知識へとまとめられるかのようだ。意味性認知症と呼ばれる神経変性疾患では、左側頭葉のニューロンが死滅するのだが、その理由は不明である。この疾患の患者は対象に関する知識を徐々に失う。

側頭葉の内部にある海馬《かいば》という小さな領域は、時間と結びついた意味を扱うのにきわめて重要な役割を果たす。神経学の領域でおそらく最もよく知られた症例は、ヘンリー・グスタフ・モレゾンという男性だ。彼は医学文献では「ＨＭ」と呼ばれる。１９５０年代、ＨＭはてんかんを治療するために両海馬の摘出手術を受けた。手術後、彼は何も記憶できなくなったが、それ以外の点では明らかにきわめて聡明だった。HMに関する観察から、脳が一般的な意味や個人的な意味をつかさどる仕組みを解明する道が開けた。

すでに述べたとおり、人間の脳の頭頂葉と前頭葉は、人間に最も近縁の霊長類より大きい。頭頂葉皮質は空間に関する思考をつかさどることでよく知られている。これは外界のさまざまな部分に注目の光を当てて、われわれがものに手を伸ばしたり空間を移動したりするのを助けてくれるスポットライトのようなものだ。前頭葉は脳で大きな部分を占める。脳全体から届く情報をまとめて、われわれが世界の中で行動する態勢を整える。前頭葉は感情中枢とともに、性格特性に影響する。人が神経質であるか、外向的であるか、おおらかであるかという違いは、前頭葉の違いおよび前頭葉と大脳辺縁系との連絡の違いと結びついている。一般に前頭葉は、背外側《はいがいそく》（左右両側）、内側《ないそく》（中央）、腹側《ふくそく》（下部）という3つの領域に大きく分けられる。背外側前頭前野には、実行機能が存在する。この領域は、意思決定や計画策定に関与する。内側前頭野はもっと直接的に運動系を協調させ、自己感覚に関与する。この領域を損傷すると、覚醒しているように見えるが外界にまったく応答しない「無動性無言症」という顕著な臨床症候群が生じることがある。前頭皮質の腹側領域は、行動の調節を可能にする。この領域の一部は報酬系と結びついている。眼窩前頭皮質はここで最も重要だ。あとで触れるが、眼窩前頭皮質で脳の正中線《せいちゅうせん》に近い部分は報酬に関して重要な役割を果たし、もっと外側の部分はわれわれが快感を与えてくれたものに満足しているときに重要となる。

次章の予告になるが、これはわれわれが審美的に快感をもたらす対象を見るときに起きることだ。眼から入ってきた情報が後頭葉に届く。この情報が、大脳辺縁系で感情と相互作用する後頭葉のさまざまな部分で処理される。われわれが自分の見たものを気に入った場合には、大脳辺縁系にある快中枢または報酬中枢が始動する。見ているものの意味を考えるときには、側頭葉が関与する。審美的遭遇において個人的な記憶や経験を引き出すときには、側頭葉の内側が作動する。美しい対象が心をとらえて注意を引きつけ、われわれがそれに反応するとき、頭頂葉と前頭葉の活動が活発になる。

第6章 美の背後の脳

私は友人のマルコス・ナダル、オシン・ヴァルタニアン、オシンのパートナーのアレクサンドラ・Oとともに夕食をとっていた。神経美学について講演してほしいというマルコスの招きで、私たちはスペインのパルマにいた。認知神経科学者のオシンは、推論、意思決定、創造性の根底にある脳の基盤を研究している。カナダの国防省に勤務するとともに、『エンピリカル・スタディーズ・オブ・ジ・アーツ』（アートの実証研究）というジャーナルの編集者も務めている。私たちはSFについて語り、どういうわけだか映画の『エイリアン』シリーズについて話していた。私はシガニー・ウィーヴァーが特に魅力的だと言った。すると私より何歳か年下のオシンは、ウィーヴァーよりウィノナ・ライダーのほうがいいと言う。話しているうちに、オシンの眼が熱を帯びてくる。アレクサンドラは眼を白黒させて、ライダーは万引き犯よと言う。オシンにとって、そんなことはどうでもいい。とにかく「彼女はウィノナ・ライダーなんだ！」と言い、「あんなこと」をわざとやったはずがないと言い張る。国防省に勤務する神経科学者で、人間の推論のエキスパートでありながら、ウィノナ・ライダーがとうてい褒められたものではない行為を犯した可能性を認めようとしないのだ。もちろんオシンはふざけている。だが、完全にふざけているわけではない。じつは、魅力的な人が善良ではないかもしれないという考えに抗うのは、オシンだけではない。

「真、善、美」は、プラトンにとって究極の3つの価値だった。これらの価値は誤解されて、「美」は「善」や「真」と結びつくという勘違いにつながりやすい。オシンと同じように、たいていの人は魅力的な人には人としての魅力がことごとく備わっていると思い込んでいるが、考えてみたらそれはまったくおかしな話だ。魅力的な子どもはそうでない子どもよりも賢く、正直で、感じがいいと思われ、生まれついてのリーダーだと思われてしまう。ある研究で[44]、小学校5年生の成績、学習態度、出席状況を記載した通知表と顔写真を教師に渡した。すると教師は、容姿のすぐれた生徒をより聡明で、社交的で、人気があると推測した。客観テストでない試験を行うと、教師はしばしば魅力の度合いが高い生徒によい成績をつける。成人の場合、魅力的な人はさほど魅力的でない人よりも有能でリーダーの資質に富んでいると思い込まれる。そのような人はたくましく鋭敏で、政治家や大学教授やカウンセラーとしてすぐれていると期待される。就職も容易にでき、収入は多い。万引き現場をはっきりと目撃されても、魅力的な人のほうが通報される可能性が低い。オシンはこのことを知っても驚かないだろう。捕まった場合も、軽い罰で済む。人は魅力的な人に対して進んで協力や手助けをする。こうした傾向は、計画的な実験で明らかになっている。電話ボックス（こんなものがまだ存在していた時代の実験だ）でお金を見つけた人は、お金の持ち主が魅力的な女性だと、魅力的でない女性の場合よりもお金を返す確率が高かった。[45] 別の研究で、大学の願書を空港に放置する実験が行われた。志願者の父親が投函するはずだったのにうっかり落としてしまったという状況がわかるメモを願書に添え、志願者の写真だけを変えた同一の願書を用意した。願書を見つけた人は、写真の人物が魅力的だと願書を投函してあげる確率が高かった。[46]

なぜ人は美しい顔に反応するのか?

人の魅力にはいわゆる後光効果《ハロー》があり、それを見た人は相手を高く評価する。しかし、われわれはふつうこのことに気づいていない。われわれが自覚していないときでも、脳は魅力を感知するということなのだろうか。ジェフリー・アギーレ、サブリナ・スミス、エイミー・トマス、そして私はこの問いに答えるべく、機能的磁気共鳴画像法（ｆＭＲＩ）を用いて実験を行った。[47] ｆＭＲＩ技術を使うと、人が特定の心理状態にあるときに脳内で血流の変化している箇所がわかる。血流の変化は、根底にある神経活動の変化への反応である。科学者は、人がさまざまなタスクに取り組んでいるときに活発化する脳のパーツを特定する実験を設計する。われわれの実験では、参加者に顔のペアを見せて、顔の魅力の度合いに対する脳の反応を観察した。ここで見せる顔はコンピュータープログラムで作成し、2つの顔の類似度をさまざまにし、またそれぞれの魅力の度合いもさまざまにした。あるセッションでは参加者に顔の類似度を判定させ、別のセッションでは顔の魅力度を判定させた。実験をこのように設計することにより、人が美しさについて考えていないときでも、脳が魅力的な顔に反応することが明らかになった。

つまりどういうことなのか。美しさについて考えているとき、脳の一部の領域はより魅力的な顔に反応した。この領域には、顔を処理する「紡錘状回顔領域」（FFA）や、その隣にあって対象全般を処理する「外側後頭皮質」（LOC）が含まれていた。懐疑的な人は、視覚脳全体が活発になるのなら、そこからどんなことがわかったのかと問うかもしれない。しかしわれわれの実験では、視覚野全体が顔の美しさに反応したわけではない。顔の魅力の度合いが高まっても、場所に反応する海馬傍回場所領域（PPA）は変化を示さなかった。このことから、われわれが観察した活動は視覚野全般の反応ではなく、脳の特定領域に限られていたことがわかる。われわれ以外にも、より魅力的な顔に対してやはりこれらの視覚領域の神経活動が活発になることを見出した研究者がいる。人が美を評価するときにはこれらの視覚領域に加えて、頭頂領域、内側領域、外側前頭領域の活動も高まることをわれわれは見出している。これらの領域が関与するのは、人が顔を見るときには顔に注意を向けながら、どの顔が魅力的かを判断する必要に迫られるからだとわれわれは考えている。技術的な理由で、われわれのスキャン方法は報酬に関して重要な役割を果たす脳領域の神経活動を検出するには感度が足りなかった。しかし他の研究者らが、これらの領域も魅力的な顔に反応することを明らかにしている。魅力的な顔は、眼窩前頭皮質と、基底核にある側坐核という領域の神経活動を活発化する。[48] 扁桃体が顔の美しさに対して示す反応は複雑だ。魅力的な顔と魅力に欠ける顔のどちらにも反応するのだ。[49] 扁桃体が好ましいものと好ましくないものの両極端に反応する理由については、あとで報酬系を扱う際に考えよう。

脳はおのずと顔の美しさに反応する

参加者が顔を見ながら美しさについて考えていなかったときには、何が起きたのだろう。顔の類似性について考えていたときには、視覚野のFFAとLOCが魅力の度合いの低い顔よりも高い顔に対して活発に反応し続けた（PPAは反応しなかった）。美しさとは無関係なことを考えていたにもかかわらず、視覚脳はこれらの領域への血流の変化を示して反応し続けた。視覚脳は顔の美しさに対して自動的に反応する。キムと共同研究者らもまた、脳が美しさに対して自動的に反応するのかに関心を抱いた。彼らの実験では、脳の報酬回路内の反応に着目した。2つの顔を参加者に見せて、どちらのほうが魅力的か、そしてどちらのほうが丸顔かを判断させた。キムらもわれわれと同様、脳が顔の形など、美しさ以外の要素に集中しているときでも、魅力的な顔に反応するかどうかを調べた。その結果、参加者が顔の丸さについて考えているときでも、報酬回路の一部、具体的には側坐核と眼窩前頭皮質は魅力的な顔に反応し続けることが判明した。[50] 以上の研究をまとめると、脳はおのずと顔の美しさに反応するようにできていることがわかる。実際、脳は絶えず周囲にある美に反応しているのかもしれない。別のことに意識を集中していても、美からかすかな快感の揺さぶりを得るのかもしれない。常に自分のまわりを美しい人でいっぱいにしておくのは難しいが、これらの研究結果から私は、美しいもので周囲を満たしたら幸福度が上がるのだろうかと考えている。

第4章で見たとおり、人は体の美しさや動きの優美さに反応する。美しい体に対する脳の反応については、どんなことがわかっているのか。残念ながら、わかっていることはごくわずかだ。体において人が魅力を覚える要素の心理学的研究は行われている（第4章で見た）が、美しい体を見たときの脳を調べる神経科学的研究は、私の知る限り行われていない。顔についてわかっていることから考えて、私の予想では、体が魅力的であればあるほど、線条体外身体領域（ＥＢＡ）とそれに隣接する領域の活動が活発になる。それゆえ体の美しさについて意識的に考えているときには、頭頂領域、前頭領域、帯状回皮質の活動が活発になるはずだ。美しい体は、扁桃体、側坐核、眼窩前頭皮質といった感情や報酬にかかわる領域のニューロンも発火させるだろう。人は美しい顔と同じように美しい体に対しても暗黙裡に反応するのかという問いの答えを予想するのは難しい。おそらくＥＢＡと報酬系の一部は美しい体に反応するだろうが、頭頂葉や前頭葉は反応しないだろう。

静止した美しい体は、雑誌やポスター、コミック本にあふれている。だが、われわれが見る体はたいてい動いている。ダンスなどの美しい動きに対して、脳はどのように反応するのだろうか。ブラウン、マルティネス、パーソンズは陽電子放出断層撮影（PET）スキャンを使って、ダンスの最中に脳内で起きることを調べた。[51]彼らの実験では、アマチュアのダンサーに小さな円を描くタンゴの動きをさせて、その最中に脳をスキャンした。そしてダンサーが自分の動きをどんなふうに音楽と同調させるか、どのようにリズムを追うか、そしてあらかじめ定められた空間的パターンでどのように動くかという、ダンスの特定の構成要素について調べた。その結果、体の動きを音楽と同調させるときに、小脳にある小脳虫部というパーツが発火することが判明した。小脳は古くからある脳パーツで、バランスの保持を助ける。被殻というパーツは音楽のリズムに合わせた運動をするときに活動が高まることも判明した。被殻は基底核の一部で、運動の制御に関与する。一定の空間パターンで脚を動かすときに、頭頂葉の一部が特に活発になることも明らかになった。

この研究から、美学実験について考える際に覚えておくべき一般的な区別がわかる。それは、分類と評価との区別だ。分類か評価のいずれかに焦点を当てて設計された神経美学の研究では、答えようとする問いの種類が異なる。あるものを審美的対象として分類したうえで、その特性を調べることは可能だ。この研究に携わった研究者たちがしたのは、まさにそれだ。たとえば審美的対象と認められるダンスについて、そのさまざまな構成要素に対する脳の反応を調べた。対照的に評価研究では、（あらゆる種類の）動きに対して人がそれを気に入るか気に入らないかを判断する際の脳の反応を調べることができる。評価の対象そのものは、それに対するわれわれの感情反応ほど重要ではない。

ベアトリス・カルボ＝メリノと共同研究者らは、動きに関する評価研究を行った。この研究では、参加者に24個の短いダンスの動きを見せた。動きの半数はクラシックバレエの動作、半数はブラジルの伝統武術カポエイラの動作とした。参加者は、それらの動きを気に入ったか気に入らなかったかを判断した。その結果、一本の手足だけを動かしてその場で行う小さな動作よりも、ジャンプを伴う動作や全身の動作を気に入る傾向が見られた。研究者らは、参加者が気に入る動作を見たときには気に入らない動作を見たときよりも右前運動野と内側後頭皮質の一部の神経活動が活発になることを見出した[52]。この結果から、これらの領域がダンスの根底にある運動の感覚や遂行をつかさどる脳領域であることがわかる。ここで、ダンスの遂行に関与する領域はその評価にも関与するのではないかと思われるかもしれない。このパターンは、顔を分類する領域が顔の魅力の度合いにも活発に反応するという、われわれが顔について行った研究と類似している。対象を分類する方法は、論理的に考えて対象を評価する方法とは異なるが、それでも脳はそのような明確な区別をせずに機能するのかもしれない。対象を分類するのと同じ脳領域が、対象の評価にも関与するのだ。

われわれは、顔と体にかかわる神経美学の解明において前進を遂げている。脳について、そして美に対する脳の反応についてどう考えるべきか、その概要が明らかになりつつある。脳は世界を構成するさまざまな要素を、それぞれの特化した処理を行うさまざまなモジュールに分類する。これらのモジュールの一部は、顔や体や身体運動といった対象を分類する。これと同じモジュールが、これらの対象を評価するとともに、おそらく脳の報酬系と協調して働き、喜びなり嫌悪なり、感情反応を引き起こすらしい。この系全体のさまざまな詳細についてはこれから解明していく必要があるが、われわれは順調に前進している。あとの章で、これらの系について別のコンテクストで改めて触れるつもりだ。今のところは、そもそもなぜわれわれは対象を美しいと感じるのかという問いに目を向けよう。なぜ脳は美しさに反応するのか。人間において対称性や平均性、性的二型の特徴が魅力的なのはなぜなのか。これらの問いについて考え始めるにあたり、次章ではダーウィンの進化論に触れる。

第7章 進化する美

本書の執筆に着手する直前、私はユタ州の砂漠で休暇を過ごした。荒涼とした風景が、そこで流れた長大な時間を物語る。私は砂漠で、進化を語るのに使える比喩を見つけた。ブライスキャニオンは、小さいがとても美しい国立公園だ。無数のフードゥーが谷間に林立している。フードゥーというのは尖塔型の背の高い岩柱で、通常はてっぺんに硬い石がかぶさっている。乾燥した盆地で長い年月をかけて環境が浸食されることによって出現する。柱を形成する石と層状の鉱物によって、柱の太さはさまざまだ。ブライスキャニオンのようにフードゥーが大量にある場合には、静寂で荘厳な人の群れがそびえたっているように見える。一部のネイティブアメリカンの部族は、フードゥーは悪霊が石に閉じ込められたものだと恐れ、この谷間に足を踏み入れようとしなかった。

フードゥーは、進化の働きを思い描く助けとなった。私はフードゥーを眺めながら、それらが地面から現れ出るところを想像することができた。最も力強いフードゥーが地面から突き出て、空を目指して伸びていく。「適者生存」の原理もこう考えたら話は早い。だが、進化はそんなふうに作用するわけではない。ダーウィンの深遠な考察によれば、進化は長い時間をかけて受動的に形質を選択する。フードゥーについて言えば、環境の変化によって軟らかい層が除去され、硬い石が露出する。フードゥーの尖塔形は、浸食の結果として生じる。自然は抵抗力の強い石や鉱物を選択して生き残らせる。フードゥーを造形するためのマスタープランを誰かが能動的に考えたわけではない。同じように人間についても、自然は他と比べて生存や繁殖に適さない形質を受動的に排除することにより、強靭な身体的形質や精神的形質を選択していく。いくつもの世代を経るうちに、健康な子を産むのに少しでも有利な身体的および精神的な形質をもつ個体が、集団の中で増えていく。

ダーウィンは、動物には自然選択で説明できない奇妙な点がたくさんあることにも気づいていた。雄ジカの枝角、アンテロープの角、クジャクの尾、さまざまな鳥や魚の派手な色彩は、自然選択説に反していた。絢爛たる飾りは足手まといになり、捕食者を引きつける。生存の可能性を上げる助けにはなりそうにない。しかし一方で、配偶相手の候補を引きつける効果もある。自然選択だけでなく性選択という力も働いていることにダーウィンは気づいた。性選択とは、魅力的な個体のほうが交尾できる可能性が高く、子孫もたくさん残せるという考え方だ。成熟した雄と雌の個体はより多くのパートナーあるいはよりすぐれたパートナーを獲得できるように、自らの外見を適応させる。動物界の求愛には、（通常は雄による）パートナーをめぐる競争や、（通常は雌による）交尾相手についての選り好みが伴う。

歴史のこぼれ話をすれば、性選択に関するダーウィンの見方が主流の科学者たちに受け入れられるまでには、彼が自然選択の考えを提案したときよりもはるかに時間がかかった。ダーウィンによれば、たいていの種では雄どうしが競争し、雌にアピールする。これを受けて、雌は価値の高い雄を選ぶ。性選択がなかなか受け入れられなかった一因は、ヴィクトリア時代の文化的風潮にあった。われわれの進化の根本をなすのが性であり、このドラマの展開を動かしているのが女性だという考えは、神がわれわれを自らの似姿として創造したのではないという考え以上に受け入れがたかったのだ。

フードゥーで進化をたとえると

ともあれフードゥーのたとえと、それと性選択との関係に話を戻そう。フードゥーが本当に生きていると想像しよう。交尾し、新たに小さなフードゥーが生まれる。硬い冠石に魅力を覚えるフードゥーがいる。そこで硬そうな冠石をもつフードゥーは、そうでないフードゥーよりも頻繁に交尾でき、自らの形質を受け継いだ子孫を残す。その結果、世代が進むにつれて硬い冠石をもつフードゥーが増えていく。硬い冠石は「健康のしるし」として、それをもつフードゥーが環境の試練に耐えられる健康状態にあることを示す。ただし好色なフードゥーが、硬い頭部が生存に関与することに気づいていない可能性はある。大きくて派手な冠石のほうが魅力的かもしれないが、そのような冠石にはコストが伴う。冠石が重くなりすぎて、フードゥー自体が折れて崩れ落ち、がれきの山となる可能性があるのだ。ある形質が常軌を逸してしまい、維持するだけで大きなコストがかかるという、崩壊の寸前の段階に至ると、話がじつにおもしろくなる。進化心理学者のジェフリー・ミラー[53]は、自然選択よりも性選択によって、アートや文化といった人間の「道楽」の多くが説明できると主張している。

そんなわけで、生存の確率を上げる自然選択と、繁殖の確率を上げる性選択という2つの力から、われわれが特定の対象を美しいと思ったり思わなかったりする理由についていくらかの洞察が得られる。人間について言えば、われわれは自分の子の生存確率を最大にする配偶相手を求めるように進化した。しかしはっきりさせておくべきことがある。ほとんどの場合、人がセックスをするのは、遺伝子を無限の未来へ送り込もうとする冷静な計算からではなく、欲求と快感のためなのだ。

好色なフードゥーの初期の時代を想像してみよう。軟らかく曲線的な石灰岩でできたフードゥーに魅力を覚える者がいた。ウエストの引き締まったフードゥーが魅力的だと感じる者もいれば、頭部の硬いフードゥーに惹かれる者もいた。この3つの形態的特徴のいずれかを備えたフードゥーのうち、生存の可能性が最も高いのは頭部の硬い者だ。軟らかく曲線的な者は侵食され、ウエストの引き締まった者は崩壊した。たおやかな曲線や細いウエストを好む者は、子をもうけられなくなった。そこで硬い頭に対する好みと硬い頭の発現が、高い確率で次の世代に受け継がれた。フードゥーは、硬い頭が健康のしるしだということを学習する必要はなかった。世代が改まるたびに、硬い頭の割合が増えていき、やがて「普遍的」に魅力的な特徴となった。この原理を人間にあてはめるなら、健康であることを示す形質と魅力的に感じられる形質が生き延び、集団に占める割合が上がっていく。この好みは、人が他の人に対して外見にもとづいて快感や欲望を抱くという事実の帰結であり、そのような感情を喚起する外見がたまたま健康と結びついているのだ。

前に述べたように、男性はパートナーに求める要素として身体的な美しさを非常に重視する。本人たちは気づいていないが、男性が女性において美しいと感じる特徴は、生殖能力や健康な子を産む可能性と結びついている。女性も男性の身体的な美しさに関心をもつが、それ以外の特徴をもっと重視する。異性に関する好みにおける男女間の違いは、これまでに調査されたほぼすべての文化で見出されている。[20] 世に言う「見目《みめ》より心」で、女性はパートナーを選り好みし、男性の魅力の度合いも気にするが、社会的地位、信望、富も気にかける。

美の3要素は、進化にどう関係するのか？

すでに見たとおり、人間では身体的な魅力に寄与するパラメーターが3つある。平均性、対称性、そして性的二型（男女間で異なる特徴）の誇張だ。これらのパラメーターは進化とどう関係するのだろうか。

平均された特徴は、集団の中心的な傾向である。当然ながら、極端ではない。フードゥーの場合と同じく、極端な形態的特徴は一般にあまり健康的ではない。そのため、平均的であることは一般に健康と適応性を表すしるしとなる。平均的な特徴を備えた配偶相手のほうが、生存する可能性の高い子をなす可能性が高い。近親交配の人が「妙に見える」とか異人種間の子が魅力的に見えるといった一般的な印象から、われわれは暗黙のうちにこのことを理解している。このような印象については、多様な集団の身体的な混交は遺伝的多様性の高さを示すしるしであると説明することができる。遺伝的多様性の高さは、さまざまな環境に適応して生存できる柔軟性の高さを意味する。平均的な特徴をもつ人は、そうでない人より健康なのだろうか。じつはよくわからない。というのは、現代ではたいていの人が生殖可能な年代を通じてかなり健康だからだ。環境に適応した形質は、現代のわれわれが置かれているのとは大きく違ったはるか昔の環境条件に当時の祖先が適応するのに有利だった。この重要な点については、のちほどまた触れる。現代の「健康《フィットネス》」は、祖先にとっての適応性《フィットネス》とは無関係なのだ。

平均的な特徴のもたらす効果については、脳による情報処理のやり方を引き合いに出して説明することもできる。ここでの進化のメカニズムは、性選択ではなく自然選択だ。自然選択では、生存においてわずかな優位性をもたらす能力が作用する。そのような能力の1つが、特定の事物のさまざまな例をたくさん見たときにすばやく分類する力だ。たとえば、ダックスフント、テリア、ハスキー、ラブラドルがいずれもイヌだということを知っていると役に立つ。すばやく分類する際の1つの戦略は、プロトタイプを確立することだ。[54] プロトタイプとは、カテゴリーの典型と考えられる例である。たとえばコマドリは鳥のプロトタイプだが、ダチョウは違う。多くの場合、プロトタイプは同じカテゴリーに属する多くの例を平均したものだ。人はさまざまな種類のプロトタイプを好む。この好みは、人に色や楽曲を評価するように頼むと観察できる。[55] プロトタイプはカテゴリーの典型なので、容易に処理でき、好まれやすい。このようにプロトタイプを好むという一般的な心理的特性は、顔にもあてはまる。平均された顔は集団のプロトタイプなのだ。

われわれが顔（と体）について魅力を覚える2つ目のパラメーターは、対称性だ。進化の観点から対称性が魅力的だとする主張は、平均された特徴に関する主張と同様のロジックをたどる。対称性も健康のしるしだ。発達異常の多くは身体の非対称性につながるので、対称性は神経系が健康であることを表す。対称性はまた、免疫系が健康であることも示す。人間の進化において重大な役割を果たした寄生虫は、ほとんどの植物、動物、人間において非対称性を生じさせる。遺伝的に決まっている免疫系の丈夫さによって、寄生虫に対する脆弱さは人ごとに異なる。そのため、顔や体の対称性は、その人が寄生虫に対して耐性が高いことを表す。どんな文化でも魅力は高く評価されるが、ガンゲスタッドとバスの発見によれば、マラリアや住血吸虫症をはじめとするさまざまな病原性寄生虫による深刻な被害の生じる文化においては、魅力は他の文化よりさらに高く評価される[56]。

対称性の低い体は、感染や発生異常の存在を表すだけでなく、物理的に目標へ向かったり危険を避けたりする能力でも劣る。前に見たように、体の対称性が高い中距離ランナーは対称性が低いランナーよりすぐれたパフォーマンスができる[42]。先史時代のアメリカ先住民の残した骨格の化石では、年長者のほうが年少者より骨格の対称性が高い[57]。これは注目すべき観察だ。というのは、通常は加齢によって対称性が下がっていくからだ。この観察が意味するのはおそらく、身体の対称性の高い人のほうが、対称性の低い親戚よりも健康で長く生き延びたということだ。

特定の形態的特徴を魅力的なものにする第3のパラメーターは、性的二型である。この特徴をもつ者も、性選択で有利になる。女性において、女性的な特徴は生殖能力の高さを表す。男性は、生殖能力の高さを伝える顔の特徴をもつ女性に引きつけられる。この特徴は、若さと成熟を兼ね備えたものとなる。女性の顔があまりにも幼く見える場合、それは女性がまだ生殖能力をもたないか、あるいは子育てができない可能性を意味する。女性は子を産み育てるのにある程度の性的成熟を必要とする。そのため男性は、大きな眼、ふっくらした唇、小さい下顎（以上は若さのしるし）、張り出た頬骨（これは性的成熟のしるし）をもつ女性に魅力を覚える。[58] 若い女性のほうが年長の女性より子を産む時間がたくさんあると考えられるからだ。若く生殖能力の高い女性に引きつけられる男性は、年長の女性に引きつけられる男性より子をたくさんもつ可能性が高い。この好みは子に受け継がれ、世代を追って蓄積していく可能性が高い。

男性の顔とクジャクの尾

男性の顔を魅力的にする形態的特徴についても、進化の観点で説明できる。テストステロンは男性的な特徴をもたらす。その一方で、多くの種においてテストステロンは免疫系を抑制する。ということは、男性的な特徴が健康のしるしだとする考えは理にかなっていない。ここでロジックが覆る。男性的な特徴は健康のしるしだとする「よい遺伝子」仮説の代わりに、科学者は「コストのかかるシグナル」仮説を持ち出す。[59] 非常に丈夫な免疫系をもつ男性だけが、免疫系に対するテストステロンの作用の代償を支払えるというのだ。動物界におけるコストのかかるシグナルの例として最もよく引き合いに出されるのが、クジャクとその尾だ。この邪魔だが美しい尾は、雄が敏捷に動いたり、望ましい雌にすばやく近づいたり、捕食者からうまく逃れたりする助けにはならない。それは確かだ。それなのに、このようなハンディキャップとなる付属器が進化したのはなぜなのか。基本的な理由は、雄が雌に対し、自分はコストのかかる尾を維持するのにエネルギーを費やせるほど丈夫なのだということをアピールするためだ。この考えに合致して、最もカラフルな鳥は寄生虫が最も多い場所で見られる。[60] このことも、特別に健康な鳥が派手な付属器に資源を回すことで自らの健康を誇示していることを示唆する。これらのコストのかかるシグナルに関するロジックから、私にとって大きな謎だったことが説明できる。その謎とは、シンプルなタイメックスの腕時計や、今ではスマートフォンでも時計の役割は果たせるのに、何千ドルも払ってロレックスなどを買う男性がいるのはなぜかということだ。高価な腕時計、自動車、家に大金を費やす行為は、それらの利用価値とはなんら関係がない。これらのアイテムは、選り好みの激しい女性に自分の美しい尾を気に入ってもらいたいと願う男性が自らの健康状態を伝えるために誇示する、コストのかかるシグナルなのだ。

免疫系を弱める男性的な特徴をもつことにより、この顔の持ち主は輪郭のくっきりした顎のために健康という資本をいくらか費やしても大丈夫なほどタフだということがアピールできる。そのような男性はすばらしい遺伝子を分け与えてくれる。だから女性はこのようにテストステロンが満ちあふれる男性らしい顔に強い魅力を覚えるべきであり、実際に魅力を覚える。じつは男女を問わず、病原菌を恐れる人は、感染症への脆弱性について何も考えない人よりもさらに、男性的な顔立ちに魅力を覚える可能性が高い。[61] 異性愛者だった祖先の脳の奥深くで、丈夫な免疫系と男性らしい顔立ちの結びつきが生じたのだ。

前に見たとおり、たいていの女性が非常に男性的な顔に魅力を覚えるのは、ある段階までだ。

顔が表すのは健康状態だけではない。極端に男性的な顔は支配性も表す。女性は自分の子のために力を注ぎ、パートナーにも同じ注力を求める。極端に男性的な顔は、その顔の持ち主がパートナーとして協力的でなく、よい親にもならない可能性を示す。そこで女性はいくぶん女性らしさを帯びた男性的な顔立ち（これは実験室でも実現できる）[62]の男性を好む。なぜならこの組み合わせは、その男性がすぐれた遺伝子をもち、なおかつ長期的な協力をしてくれて、子にとってよい親になるであろうことを示すからだ。概して女性にとって、この組み合わせは極端に男性的または極端に女性的な外見の男性よりも望ましいものとなる。

資源か遺伝子か

排卵シフト仮説[63]で見たとおり、女性の好みは必要に応じて変動する。タンザニア北部で孤立して暮らす狩猟採集民のハヅァ族において、この現象が顕著に観察された。[64]研究者らは、テストステロン濃度が高いと声が低くなることを踏まえて、録音された男女の声を使い、声の高さを操作した。男性は結婚相手として声の高い女性を好んだ。男性も女性も、声の低い異性のほうが狩猟採集にすぐれていると感じた。授乳中の女性は男性の高い声を好むのに対し、授乳中でない女性は男性の低い声を好んだ。育児中でない女性は、出かけて大量の獲物を仕留めることのできる男性を好む。幼児のいる女性は、子育てに力を注いでくれそうな男性を好む。この例は顔や体への反応とは無関係だが、ここで取り上げたのは、女性の好みが男性とのかかわり方によって変化するという一般的な事実を示すからだ。ディック・トレイシーのように大きな顎や、バリー・ホワイトのように低い声といった、テストステロンの影響を強く受けた特徴は、短期のパートナーとしては魅力的だが、結婚相手としては必ずしも望ましくない。

女性の選択や欲求には、最良の遺伝子をもつ子と最大限の資源を求める意図が潜んでいるとする仮説から、先ほど排卵シフト仮説のところで見たような興味深い帰結が生じる。女性は妊娠する可能性が最も高いときに、より男性的な男性を求める。これはおそらく遺伝子の配合の中により丈夫な免疫系を加えるためだろう。また、長期および短期のパートナーとしてどんな相手に魅力を覚えるかと若い女性に質問すると、彼女たちの選択は、短期のパートナーについてはより男性的な容貌の男性を望む方向へシフトする。長期のパートナーとしては、男性らしさと同時にいくらかの温かさや愛情を兼ね備えた男性を望む。これらの観察結果の根底には、女性は一妻多夫を志向するように選択され、さまざまな時期にさまざまな理由でさまざまなパートナーを選ぶという考えがあるのかもしれない。

興味深いことに、男性の精巣のサイズは、女性が選り好みをしていくぶん一妻多夫志向であるという見方の裏づけとなる[65]。霊長類は多様な社会構造をもつ。ゴリラの社会では一般に、雌のハーレムを支配する雄が1頭いる。雄たちはハーレムの支配権をめぐって互いに争うが、勝つのは1頭だけだ。雌はおおむね、この強くて健康な1頭の雄だけと交尾する。チンパンジーは、これとは違った社会構造をもつ。1匹の雌が排卵中に50匹もの雄と交尾する場合もある。

この場合、精子のレベルで雄の競争が起きる。卵子をめぐる競争に勝った精子がこの競争の勝者となる。自分の精子が勝つ可能性を上げる1つの方法は、精子を大量に作って、数が有利に働くのを期待することだ。そのために必要なのが大きな精巣だ。雄ゴリラは大柄でたくましい体と立派な筋肉をもつように選択されるが、彼らの精巣は小さい。精子がかかわるのは、競争が終わってからだ。対照的に雄のチンパンジーは、体はゴリラよりはるかに小さいが巨大な精巣をもつ。彼らの競争は射精後に始まる。人間の男性において、精巣の相対的なサイズはゴリラとチンパンジーの中間にあたる。女性は雌ゴリラのように1人の屈強な男性だけと性交する一夫一婦主義ではないが、一妻多夫主義の雌チンパンジーのように排卵のピーク時に50人もの男性と性交するわけでもない。

サルの恋愛は別として、魅力的な特徴が存続してきたのはそれが健康の指標として比較的すぐれているからだというのが、美しさをめぐる進化のロジックだ。これが正しいなら、そのような指標の多くは互いに相関するはずだ。この考えを検証するためにグラマーと共同研究者ら[58]は、アメリカ人女性96人のもつ32個の魅力的な特徴（唇、眼、バストサイズ、体格指数、ウエスト対ヒップ比、身体の色、皮膚の質感、平均性、対称性など）をリストに挙げた。その結果、男性が魅力を覚える対象に寄与する要素が4つ見つかった。最初の2つは体格指数と赤ん坊的（両性具有的）な外見で、これらは魅力に対して負の相関を示した。あとの2つはセクシーさおよび対称性と皮膚の色であり、これらは魅力に対して正の相関を示した。グラマーらは、これらの要素が同じ方向である場合のほうが判断は容易だと示唆している。どの手がかりに気づくかは重要でない。重要なのは、手がかりの内容よりも強さだ。彼らの数理モデルにおいて、最も相関性の低い特徴は、魅力の予想される度合いを高めた。グラマーらは、われわれがやっているのは魅力的な特徴にアプローチするのではなく、魅力的でない特徴を避けることだと推測している。一般に、たいていの人は人生における決定の多くにおいて、報酬を求めるよりもリスクを避けたがる。つまり、この仮説には確かにメリットがある。とはいえ、ロミオとジュリエットが互いに惹かれ合ったのは、単にモンタギュー家とキャピュレット家の他の人たちがみな魅力的でなかったからだとは想像しがたい。

誇張された刺激

人の美しさに関するこれらのパラメーターに対し、文化はどう影響するのだろうか。文化がかかわる仕組みを少なくとも1つ理解するために、セグロカモメに目を向けよう。ずいぶん前のことだが、動物行動学者のティンバーゲン[66]は、セグロカモメの幼鳥が成鳥の黄色いくちばしにある赤斑をつつくことによって成鳥に餌を吐き出させるようすを観察した。くちばしの代わりに赤い点を1つ記した黄色い棒を見せると、幼鳥はこの赤い点をつつく。棒に赤い点を追加すると、こんな奇妙な物体を自然界で見たことはないにもかかわらず、幼鳥はさらに激しく棒をつつく。このように通常の反応を引き起こす刺激の誇張されたバージョン（シフトバージョン）

に対して誇張された反応（ピーク反応）が示される現象を「ピークシフト」と呼ぶ。

多くの文化的慣習において、性的二型の特徴に対するピークシフト反応が見られる。神経学者のヴィラヤヌル・スブラマニアン・ラマチャンドランによれば、ヒンドゥー教寺院に置かれている彫像はこのピークシフトの原理を利用している。[67]この女神の像は乳房が大きく、ウエスト対ヒップ比は0・3ときわめて小さい。ラマチャンドランの考えでは、このような造形は女神の生殖能力を誇張することを目的としている。性的二型の特徴の誇張は、コミック本の常套手段だ。スーパーマンは角ばった大きな顎、巨大な筋肉、極端な逆三角形の胴体をもつ。スーパーウーマンは大きな眼、大きなバスト、細いウエスト、豊満なヒップをもつ。トップクラスのギャラを稼ぐモデルはスーパーモデルと呼ばれる。スーパーモデルの顔のパーツを測定すると、10歳未満の少女と変わらない。若さの表現におけるピークシフトがここに見られる。

クラシックバレエでも、過去60年間にピークシフトの原理が徐々に出現してきた。定まっていて変化しないと考えられていたポーズが、じつはこの60年間で変化した。体位はどんどん垂直に近づき、脚が極端な角度をとるようになっている。本来の古典的なポーズを著しく誇張した最近のポーズのほうが、知識の乏しい鑑賞者に好まれるのだ。[68]

ファッションや化粧品も、ピークシフトの原理をしばしば利用する。われわれが進化して魅力を覚えるようになった特徴をとらえて、それを今度は誇張して、見る者にピークシフト反応を起こさせるのだ。『なぜ美人ばかりが得をするのか』（木村博江訳、草思社）の著者ナンシー・

エトコフによれば、われわれは読み物に費やす金額の2倍のお金をパーソナルケアの製品やサービスに費やすらしい。こうしたパーソナルケア製品は通常、眼を大きくしたり唇をふっくらさせたり、あるいは張り出た頬骨を強調したりする。つまり、男性が魅力を覚える女性の特徴を強調するのだ。

自分の特徴の魅力を高めようとするこだわりは、はるか昔から存在している。[69] アフリカ南部で、考古学者が数万年前の棒状の代赭石《たいしゃせき》（赤鉄鉱の塊）を発見した。これは身体を装飾するのに使ったものと考えられている。[70] 古代エジプト人は、化粧術を高度に発達させていた。ツタンカーメン王の墓からは、3000年前の皮膚湿潤剤が見つかっている。古代エジプト人は湿潤剤を常備し、しわやしみを防ぐための処方を知っていた。男女ともほとんどの人が体毛を剃っており、紀元前2000年の剃毛セットも見つかっている。彼らは代赭石を使って頬や唇に色をつけ、ヘナで爪を染めた。インダス川流域では、すでに紀元前2500年に化粧品が使われていた。季節ごとにさまざまな肌用パックが使用され、脱毛用品が普及し、口紅や口腔衛生術も広く用いられ、若白髪の予防アイテムも出回っていた。古代ギリシャでは、精油、香水、白粉、アイシャドー、つや出し剤、顔料、美容軟膏、染毛剤が広く使われていた。古代ローマはエジプトやギリシャから美容術を受け継いだ。女性は世界各地から輸入された化粧品を使った。アイメイクや口紅は当たり前だった。植物のさまざまな部位、汁、種子などの材料を用いて、肌の美白を目指した。女性が肌のケミカルピーリング効果をもたらすロバ乳の風呂に入ることさえあった。

古代の人々が自らの外見的な魅力を高めるために実践した方法の現代版をもたらしているのが、美容整形外科業界だ。2010年には、アメリカで1300万件以上の美容整形手術が行われた。この種の手術を求めるのは、ハリウッドで売り出し中の若い白人女優だけではない。男性も外見的な魅力を高める手術を希望する層として急成長している。アフリカ系アメリカ人、ヒスパニック、アジア系アメリカ人も、この流れに加わっている。成熟、賢明、親切、誠実、機知といった属性を外見に与える手術については、マスマーケットは存在しない。手術の目的はひたすら外見を美しくすることだ。実際、美容整形手術ではたいてい、対称性の歪みを正したり、性的二型の特徴を強調したりする施術をする。

以上、進化と美の関係について見てきたことをまとめると、われわれは人の特定の特徴を美しいと感じるように進化したと言える。[71] これらの特徴にたまたま快感を覚えたわれわれの祖先は、自らの遺伝子を将来へ送り込む可能性が他の者よりも高かった。われわれは祖先の快感と美意識を受け継いだ。まさにこれらと同じ特徴がコストのかかるシグナルやピークシフトとして、進化によって誇張される可能性がある。文化は確かにわれわれが美しいと感じるものを変えられるが、とりわけうまく変えられるのは、性的二型の特徴を誇張する場合だ。文化による修飾はピークシフトの原理を用いて、美しいと感じるように脳に刻み込まれたものに対するわれわれの反応を誇張する。

次章では、人ではなく場所に目を向ける。場所に対する好みはどう説明できるだろうか。場所によって魅力の度合いに差があるのはなぜなのか。人の美しさにあてはまる原理のなかで、場所の美しさにもあてはまるものはあるだろうか。

第8章 美しい風景

恐れを知らぬ博物学者のジョン・ミューアは、かつてこう言った。「誰もがパンだけでなく美も必要とする。遊び、祈るための場所が必要だ。自然が体と魂に癒やしと力を与えてくれる場所が」。この考えはずいぶんドラマチックに聞こえるが、荒野が深い安らぎを与えてくれるという見方に、そしてあわただしく苦難に満ちたときはとりわけそうだという見方に私は同感だ。こう考えるのは私だけではない。数々の研究で、人は人工的に作られた風景よりも自然な風景を好むことが明らかにされている。[72] ストレスを感じているとき、森を歩けばたいていの人は心が落ち着く。人工的に作られた環境を歩き回っても、この効果は得られない。

18世紀の美学理論家たちは、自然に着目した。風景には、美しいもの、壮大なもの、精彩に富むものなどがある。美学理論家たちは、現代のわれわれと同じような疑問を抱いた。場所によって気分が高揚したり、畏怖の念に打たれたり、静謐を覚えたりするのはなぜなのか。場所の美しさには人の美しさと類似した部分があるのか。言うまでもないが、場所は人とは違う。人の顔においてきわめて重要な役割を果たす平均性のようなパラメーターが、環境にもあてはまるとは考えにくい。形式の整った庭園や人工的に整備された環境では対称性が重要な場合もあるが、自然の風景に対称性が重要な意味をもつことはほぼあり得ない。ロマンチックな場所はあるが、人に対する欲求を駆り立てるのと同じように場所に対する好みが性選択によって駆り立てられると想像するにはかなりの無理を要する。では、場所を美しくするのはどのような要素なのだろう。

生き延びた場所が美しい

進化の強い力により、ある場所を他の場所よりも美しいと感じる心が選択された。われわれの祖先が生き延びて子孫を残す可能性を上げる行動を導き促すように、強い感情反応が進化した。われわれが美しいと感じる場所は、おそらく祖先の生存可能性を上げた場所にほかならない。この好みが進化したのは、今から180万年前から1万年前くらいまでの長きにわたった更新世だったと考えられる。更新世を狩猟採集で生きたわれわれの祖先は、頻繁に移住した。多様な土地で暮らし、次はどこへ向かうか、どこにとどまるか、いつ移住するかを決定する必要があった。人類学者の見立てでは、彼らの集団は探索しやすく生存に必要な資源を与えてくれる環境を好んだ。そのような環境の1つがアフリカのサバンナだ。サバンナには周囲より少し高くなった場所があり、そこからは遮られることなく遠くまで見渡せる。樹木は比較的まばらで、大型の哺乳類が歩き回っていれば遠くから容易に発見できる。大型の哺乳類は、大事なタンパク質源となる。樹木は日よけになり、登れば捕食動物から逃れることもできる。

人はサバンナの写真を好む。行ったことのない人でもそうなのだ。ある研究[73]で、さまざまな年齢の参加者（8歳、11歳、15歳、18歳、35歳、70歳以上）に、熱帯林、落葉樹林、針葉樹林、砂漠、アフリカ東部にあるサバンナの写真を見せた。8歳児は他のどの環境よりもサバンナに住むか訪れることを望んだ。15歳以降の人は、落葉樹林と針葉樹林も気に入った。サバンナを実際に訪れたことのある参加者はいなかったことから、この好みは脳にプログラムされたものであることが示唆される。このプログラムされた好みは「サバンナ仮説」と呼ばれる。成長するにつれて、この好みは実際に居住した場所によって変わっていく。シネクとグラマーは、別の研究でこの発見を裏づけた[74]。この研究では、オーストリア在住の幼い子どもがサバンナと同じように樹木がまばらに生えて低い山のある風景を好むことを示した。しかし思春期を過ぎると、樹木がもっと密生してもっと高い山のある場所を好むように変化した。この変化もやはり、そのような場所に関する経験が増えたせいだろう。

樹木自体もサバンナ仮説を裏づける根拠となる。日本の庭師は樹木の形状について洗練された美学を育ててきた。樹木を選んで剪定して特定の形状に整えるのだが、その形状が偶然にもサバンナの樹木と似通った特徴を示す。ある実験で、サバンナで育つ樹木のどんな点が好まれるのかを調べた。[75] サバンナアカシアは中型から大型の樹木で、その特徴である大きな樹冠からアンブレラアカシアとも呼ばれる。生育環境の肥沃度に応じて、さまざまな形態を示す。実験では、さまざまな形状のサバンナアカシアを、アメリカ、アルゼンチン、オーストラリアの参加者に示した。いずれの国の参加者も、樹冠がほどほどに密で枝が地面付近で分岐している木を好んだ。これはまさに資源が最も豊富な場所で育つサバンナアカシアの特徴だ。魅力的な人の特徴を表すのに用いた用語を援用するなら、サバンナアカシアは適応性の指標と言える。その環境が人間のニーズを満たすのにどれほど適しているかがわかるのだ。

　サバンナ仮説はロマンに満ちている。人間が望郷の念を抱き、祖先のルーツへ帰還したいという集団的な願望を無意識のうちに宿しているという想像にわれわれをいざなう。私はボツワナでしばらく過ごしたことがあり、「アフリカ」をめぐるロマンにあふれる感覚を共有している。荒涼とした風景が広がっている。何十万年ものあいだ、その風景は変化していないように感じられる。自然のままの風景でありながら、人を引きつける。この土地の経験は、エキゾチックなものの対極だ。おもしろいことに、快感は目新しさからではなく、強いなじみ深さから生じる。サバンナ仮説はわれわれに、特定の風景が魅力的だと広く認められることを教えてくれる。だが、風景の好みをめぐる進化の物語がサバンナ仮説だけで説明できるわけではない。人類はアフリカから旅立ち、ほぼすべての大陸に住まうようになった。われわれの祖先がアフリカのサバンナ以外の土地で生き延びられなかったなら、アフリカから遠く離れた土地まで移住することはできなかったはずだ。長く続いた更新世のあいだに、人類は他の風景に対する好みも進化させたに違いない。

風景の適応的な美の要素

風景に魅力を与えるのはどんな要素だろう。われわれは、狩猟採集民だった祖先に安全と生きる糧を与えた場所を好む。そのような場所には、水、大きな木、目印になるもの、高低差、比較的開けた空間、地平線を見渡せる眺望、そしてある程度の複雑さが備わっている。[76] これらはサバンナの特徴だが、別の環境でも見られる。オリアンズとヘールワーゲンは、狩猟採集民だったわれわれの祖先にとって大事な問題は、どこへ行くか、そしてそこにとどまるか、それとも探索を続けるかだったと指摘している。[77] ある土地に入ってとどまると決めたら、周辺の情報を集めなくてはならない。捕食者の存在を示すしるしがないか警戒し、水や食料の供給源を探す必要がある。レイチェル・カプランとスティーヴン・カプランは、現代人が環境内に安全と栄養源があることを示す複数の特徴を併せもつ風景を好むことを発見した。[78] 重要な情報をすばやく集めるには、風景が「一貫」している必要がある。たとえば、同じ形状の反復や、比較的均質な土地は、風景に一貫性を与える。一貫性に欠ける風景は読むのが難しく、危険を予測するのが困難になる。その一方で、風景にはいくらかの複雑さも求められる。複雑さとは、風景のもつ要素の数や種類の多さである。複雑さを欠く風景は退屈で、水や食料を豊富に与えてくれる可能性は低い。ほどほどに複雑な風景には、カプランらが「謎」と呼んだ性質も備わっている。謎は、思い切って探索すればおもしろい発見に至る可能性を期待させる。山を取り巻く道や川は、一部が遮られた眺望のあちこちへと見る者をいざなう。カーブの向こうに潜むものの中へ飛び込んでそれが何であるか突き止めたいという気持ちをかき立て、風景に謎めいた感覚を与える。

空間的な配置に加えて風景のもつ時間も、美しさに大きく影響する。グランドティトンで夜明けにモールトンバーン（おそらく世界で最も頻繁に写真撮影されている納屋）を訪れたら、三脚を準備している大勢の写真家たちに出会うだろう。同じ場所でも、時刻によって美しさが変動する。美しく感じられる時間帯は、外を歩き回っていたわれわれの祖先の注意を喚起した時間だ。夜明けや黄昏時には光が顕著に変わり、夜行性の捕食者が跋扈《ばっこ》する世界で身の安全を守るよう警告する。天候が急変することもある。たとえば特定の雲のパターンや日射しの急激な変化は、移動を促す合図かもしれない。これらのパターンが風景の中で見られる場所を、われわれは美しいと感じる。時間はまた環境にゆるやかな変化ももたらす。季節による変化は、予想や計画といった対応を求める。木々の芽吹きと最初の若葉は、豊穣の季節が近いことを告げるしるしだ。花は自然の特徴としてとりわけ興味深い。食用される花は少ないが、美しいものとして大事にされる。花は、近い将来に豊かな収穫が得られる場所を教えてくれる。木の形状と同じく、花も風景の適応性を示すしるしとなるのだ。風景の好みについては、まだ多くの研究をする必要がある。しかし一般論として、われわれの祖先に安全と生きる糧の存在を知らせる合図となった空間的および時間的な特徴を、現代のわれわれは美しいと感じる。

場所が脳にもたらすもの

風景の神経科学について、われわれはどんなことを知っているだろう。すでに述べたとおり、視覚野の海馬傍回場所領域（ＰＰＡ）は、顔や体やその他の個々の対象よりも天然または人工の環境に反応する。この領域は脳梁膨大後部皮質（ＲＳＣ）と呼ばれる領域と協調して、われわれが動き回る空間を処理する。私の同僚で認知神経科学者のラッセル・エプスタインは、直接眺めた周囲の光景をＰＰＡが表象することを明らかにした。この光景というのは、風景、都市景観、部屋の内部でもいいし、レゴブロックで作った「シーン」もあり得る。場所領域のニューロンは、場所が既知かどうかには影響されない。光景を眺めたり想像したりすると、ＲＳＣも活発化する。しかしＰＰＡとは違い、ＲＳＣは見知らぬ場所よりもなじみのある場所に強く反応する。[79] この知見は、ＲＳＣが光景に関する記憶の回復を助けることを示す。ＲＳＣはさらに、後部頭頂葉皮質など、空間をつかさどる別の重要な脳領域と相互に連絡している。エプスタインは、われわれのいる場所とその場所に関する記憶を結びつけて豊かな場所感覚をもたらすのがRSCだと述べている。

熱心な環境保護主義者のエドワード・アビーは「荒野への旅は、何よりも自由で安価で平等な楽しみだ。脚が2本あって、軍の余剰品の戦闘用ブーツを買うお金さえあれば、誰でも旅に出られる」と語った。脳は、場所のもたらす快感にどう反応するのだろうか。風景の好みを支える神経的な基盤を調べるため、神経科学者のユエ、ヴェッセル、ビーダーマン[80]は、参加者をfMRIスキャナーに入れて、自然の眺望、街の通り、室内などさまざまな光景を見せる実験を行った。その結果、右PPAは参加者が好きでないと言った光景よりも好きだと言った光景に対して激しく反応することがわかった。同様に、右腹側線条体の神経活動も活発になった。やはり美しい顔の場合と同様、場所全般の処理に特化した視覚野の領域では、美しい場所を見たときのほうが活動が活発になる。これらの観察から、この領域は光景を評価するだけでなく分類もすることが示唆される。この評価は、この領域の神経活動と快感や報酬を信号化する領域の神経活動を協調させることによって行われる。

以上の研究から一歩離れて考えてみると、これまでにどんなことがわかっただろうか。人や場所の美しさに対する感覚の根底では、5つの原理が働いている。第1に、顔や体と同様、場所の好みも一部は脳に生まれつき組み込まれている。われわれは、サバンナを訪れたことがなくても、サバンナのような眺めを好む。この生得的な好みは、のちに個人の経験によって変化する。第2に、更新世で生存の可能性を上げる場所に引きつけられた祖先から、われわれはそのような場所への好みを受け継いでいて、その場所を美しいと感じる。場所の好みの進化においては、性選択よりも自然選択が支配的な役割を果たした。第3に、美しい風景に対する脳の反応には、環境を分類する視覚野のニューロンのアンサンブルが関与し、このアンサンブルが報酬系のニューロンと協調して発火する。断定するには時期尚早だが、われわれの視覚脳は対象を分類するだけでなく評価もするということを示すエビデンスが得られている。第4に、われわれは適応性を表すしるしに反応する。顔でそのようなしるしとなるのは、大きな眼、ふっくらした唇、角ばった顎などだ。風景では、肥沃な環境を示唆する樹木や、豊かな栄養源を予告する花がそのようなしるしとなる。第5の原理は、改良の役割である。前に見たとおり、人類の歴史において化粧ははるか昔から役割を果たしてきた。一般的に化粧（侵襲的な整形外科手術を含む）は、われわれが進化によって魅力を覚えるようになった形態的特徴を改良する。人間による環境の創出にも、これと似た点はないだろうか。庭園は風景の改良の例である。人を楽しませ、快感を与えるように設計されている。開けた場所やいくつかの見晴らしのよい場所、部分的に隠された小道、豊穣を予告する花々を残すことによって、われわれが美しいと感じる自然の光景のもつ特徴をしばしば誇張する。

人と場所のあいだには違いがあるが、それらの美しさの説明となる共通の原理が存在するのは確かだ。次章では、数や数学に目を向けて、同様の比較を極限まで推し進めよう。われわれは数字が感覚を刺激するとは思わないが、特定の数字の組み合わせに美しさを覚える人は存在する。これはいったいどういうことなのか。数の美しさには、人や場所の美しさと共通する部分があるのだろうか。

第9章 数の美しさ

私の研究室では、人間の認知を支える神経的基盤の研究をしている。若い健常者を対象としたｆＭＲＩ実験や、脳を損傷した人を対象とした行動実験を行っている。通常は１つの実験に12人から20人ほどが参加する。われわれは最近、17人が参加した実験を完了した。実験はうまくいった。私は実験のデザインが気に入ったし、有益なデータが得られたし、興味深い結論に至ることもできた。それでも私は不満を覚えた。不満の原因は「17」という数字だった。実験にふさわしい数字とは思えなかったのだ。この感覚は統計学で言う「検出力」とは無関係だ。検出力は、実験において妥当な結果を確実に得るのに必要な参加者の人数を決定する。私が違和感を覚えていたのは、まさにこの17という参加者数のせいだった。16なら数としてよいと思えたし、20も悪くない。18もかなりよいが、19は17と同じく嫌な感じがする。理由は説明できないが、いくつかの数で割り切れる数のほうが、素数よりも実験にはふさわしい気がする。

実験における数の「ふさわしさ」について、他の人が私と同じ感覚をもつのかは知らない。ただ、ラッキーナンバーやアンラッキーナンバーがあると認めるあらゆる人と同じように、私にも特定のコンテクストにおいて数の好き嫌いがあることは紛れもない事実だ。ピタゴラス学派はあらゆる社会的属性を数字と結びつけた。1は万物の源、2は女性の数、3は男性の数とされた。4は正義と秩序の数で、5は最初の女性の数である2と最初の男性の数である3を合わせた数なので、愛と婚姻の数とされた。社会的な性質や価値を数と結びつけることは、さまざまな数秘学の体系で盛んに行われている。数は純然たる思考の領域に閉じ込められた抽象的で生気のないものではない。われわれは数に対して好き嫌いを抱くことができる。美しいと感じることもできる。

なぜ、美しさに関する議論であえて数学を扱うのか？　数学について考えるべき最大の理由は、人や場所とこれほどに違うものを美しいと感じ得る理由を突き止めたいからだ。われわれは数とセックスするわけではないし、数の中で暮らすこと（少なくとも実際に暮らすこと）を望むわけでもない。数や数式は感覚に訴えるものではなく、美学を感覚にもとづく経験としてとらえる18世紀的な見方から遠くかけ離れている。それでも人は、別の美しい対象について語るのと同じように数について語る。イギリスの数学者で哲学者のバートランド・ラッセルが『数学の研究』（*The Study of Mathematics*）でこんなことを述べている。

正しい見方をすれば、数学は真理だけでなく至高の美も備えている。それは彫像のように冷たく簡素な美しさであり、われわれの弱き本性のいかなる部分にも訴えかけることはなく、絵画や音楽と違って華やかな仕掛けももたないが、荘厳なまでに純粋で、このうえもなく偉大な芸術だけが表現できる厳然たる完璧さを示すことができる。真の歓喜、高揚、人間を超えた存在だという感覚（これは最高の卓越であることを示す試金石だ）を、詩と同様に数学からも得ることができる。

数学がなぜ美しく感じられ得るのか、そしてこれが人や場所の美しさとどう関係するのかについて、これから説明していく。私は数学者ではないが、数の美しさに関する直観は理解できる。まず、数学は2つの点で美しく感じられ得る。1つ目は、数が自然界のすみずみまで満ちている点だ。物理学や生物学の世界では、特定の数学的関係が絶えず出現する。われわれはしばしば、自然界の根底に潜むこうした数学的構造の顕現を美しいものとして経験する。2つ目は、数のふるまいだ。数は互いに働きかけ、集まり、ばらばらに分かれ、われわれがやはり美しいものとして経験する思いがけない結論に到達する。話を進めていくなかで、これらの数学的特性は発見されるのを待っているのか、それとも人の心によって生み出されるものなのかについても論じていく。

φ（ファイ）の美しさ

多くの数学者から非常に美しいと思われている数の1つとして、果てしなく続き、決して同じ並びが繰り返されることのない、1・6180339887……という数がある。その美しさは明白ではないだろうか。この数はファイ（φ）、あるいは黄金比としてよく知られている（図9・1）。紀元前5世紀にこれを発見したのは古代ギリシャの数学者ヒッパソスで、のちにユークリッドが詳細に記述した。黄金比とは、線分を2つに分割し、もとの線分と分割した長いほうの線分の比が、長いほうの線分と短いほうの線分の比に等しくなる場合の比である。ファイは無理数であり、2つの整数の比で表すことができない。言い伝えによれば、無理数の発見にピタゴラス学派は驚愕した。彼らにとって、数とは世界の合理的な構造における中心的な要素だったからだ。

ファイはおそらく他のどんな数もかなわない力で、数学者や歴史家の想像力をとらえた。ファイに関する説は枚挙にいとまがない。これについてはマリオ・リヴィオが『黄金比はすべてを美しくするか？』（斉藤隆央訳、早川書房）で克明に記している。この数は、メソポタミアの建築工事や、エジプトの墓廟（最も有名なの

図9.1　黄金比。線分AB全体をACとCBに分割した場合、もとの線分ABと分割後の長いほうの線分ACの比が、線分ACと分割後の短いほうの線分CBとの比に等しい。

はピラミッド）の設計に用いられ、アテネのパルテノンにも用いられた可能性がある。ファイという名は、パルテノンを設計した彫刻家のフェイディアスに由来する。黄金比はこれらの古典的な建造物に調和のとれた美しさをもたらしたと考えられている。

ファイには一見すると魔法のような性質がある。1・6180339887……を2乗すると、2・6180339887……になる。逆数を取ると、0・6180339887……になる。つまりこれらの数は小数点以下が互いにまったく同じで、反復することのない無限の数の並びとなっているのだ。ファイはフィボナッチ数列と呼ばれる数の群と関係している。フィボナッチはピサで活動した数学者で、1202年に『算盤の書』(*Liber Abaci*) という書物を刊行した。彼はこの本で次の問題を提示した。1つがいのウサギを囲いに入れる。ウサギは毎月2匹の子を産む。ウサギの子は生後2カ月で子を産み始め、親と同じペースで子を産む。1年後、囲いの中にいるウサギは何匹か。その答えを以下に図式的に示す。「R」は成熟したウサギのつがいを表し、「r」は未成熟なつがいを表す。ウサギの列は次のようになる。

1月　R
2月　Rr
3月　RrR
4月　RrRRr

5月　RrRrRrR
6月　RrRRrRrRRrRRr

この並びから、成熟したつがいの数は月ごとに1、1、2、3、5、8……となることがわかる。未成熟なつがいの数も同じ並びをたどるが1列分の遅れがあり、0、1、1、2、3、5……となる。つがいの総数もやはり同じ並びをたどるが、こちらは1列分先を進み、1、2、3、5、8、13……となる。数列の各数は、直前の2つの数の和だ。1年後にウサギが何匹になっているかという問いに答えるには、数列の12番目の数を2倍にする（この数はつがいの数なので）だけでいい。

偉大な天文学者のヨハネス・ケプラーは、フィボナッチ数列と黄金比のあいだに興味深い関係を発見した。数列で連続する各数を比として表すと、次のようになる。

1／1＝1・00000
2／1＝2・0000
3／2＝1・50000
5／3＝1・66666
8／5＝1・60000

13／8＝1・625000

こんな具合で、数はどんどんファイの値に近づいていく。たとえば数列をずっと先までたどっていくと、987／610＝1・618033という数に出会う。

ファイとフィボナッチ数列は、驚くべき形で自然界に出現する。[81] たとえばハシバミ、クロイチゴ、ブナなどの植物では、葉が茎を中心にして3分の1回転ずつずれた角度でらせん状に生えている。リンゴ、アンズ、ライブオークではこの角度が5分の2回転、ナシやシダレヤナギでは8分の3回転となっている。これらの分数は、フィボナッチ数列に現れる数字だけでできている。パイナップルでも、フィボナッチ数列に従ったおもしろい配置が見られる。パイナップルの実の表面は、六角形の鱗片で覆われている。各鱗片が、傾きの異なる3本のらせんの一部となっている。たいていのパイナップルには5本、8本、13本、または21本のらせんがあり、これらの数はいずれもフィボナッチ数列に現れる。

茎から葉が生えるときには、隣り合う葉に対して約137・5度で生えることが多い。この数は黄金比を形成する。1回転にあたる360度を222・5度と137・5度の2つに分けると、222・5／137・5＝1・64で黄金比になるのだ。これらの角度は「黄金角」と呼ばれる。きっちりと渦を巻くらせんに137・5度の間隔で点を打っていくと、2種類のらせんが見えてくる。一方は時計回り、他方は反時計回りを描いている。通常、各方向のらせんの本数は、フィボナッチ数列で連続して現れる数だ。この現象が美しく現れているのが、ヒマワリの小花である。たいていは34本と55本（どちらの数字もフィボナッチ数列に現れる）のらせんが互いに逆方向に進んでいく。植物絡みの話を続ければ、ヒナギクの花弁の数は13枚、21枚、34枚など、フィボナッチ数列に現れる数であることが多く、バラの花弁はファイの倍数を形成する形で互いに重なり合う。

オウムガイの貝殻、雄ヒツジの角、ゾウの牙は、数学者ヤーコプ・ベルヌーイが記述した有名ならせんの仲間を形成する。ハリケーン、水の渦、巨大銀河もこのらせんの形状をもつ。このらせんでは、らせんが自らの曲率に従って展開するにつれて半径が対数的に大きくなる。対数らせんは、以下に述べる形で黄金律と関係している。黄金矩形の内側でできる最大の正方形を除くと、残る小さな長方形はやはり黄金矩形となる。同じようにこの長方形から最大の正方形を除くと、さらに小さな黄金矩形が生じる。どのスケールでも幾何学的関係は同じなので、これを自己相似パターンと呼ぶ。これらのどんどん小さくなる正方形が黄金矩形を分割する点をつなぐと、対数らせんが得られる（図9・2）。

植物や貝殻、さらにはハリケーンまでもがこのように類似した数やらせんを重用するのはいったいなぜなのか。黄金角に従ってらせんに沿って生えた葉は、最も効率的な配置となる。この角度なら葉芽が別の葉芽の真上に位置することがなく、なおかつ茎の周囲の空間が最大限に利用できる。自然界に黄金角が現れる理由に関する手がかりは、物理学からも得られる。ドゥアディーとクーデ[82]は、シリコンゲルを入れた皿を磁場に置き、磁性流体を滴下した。磁場は中心より周辺のほうが強力になるようにした。小さな磁石は互いに反発し合い、磁場の勾配によって放射状に押し動かされる。平衡状態に達すると、磁石は黄金角で互いから隔てられるパターンを示した。このような配置やらせんは、系内のエネルギーを最小に抑えると考えられる。葉芽が黄金角で茎に生えるのは、おそらく日光と茎からの養分を得る必要性ゆえに、おのずと互いを遠ざけようとする葉芽のエネルギー需要を最小限に抑えるためだ。らせんが伸びたり、構造を維持するのに必要なエネルギーが最小で済む平衡状態になったりするのも、おそらく同じ理由だ。

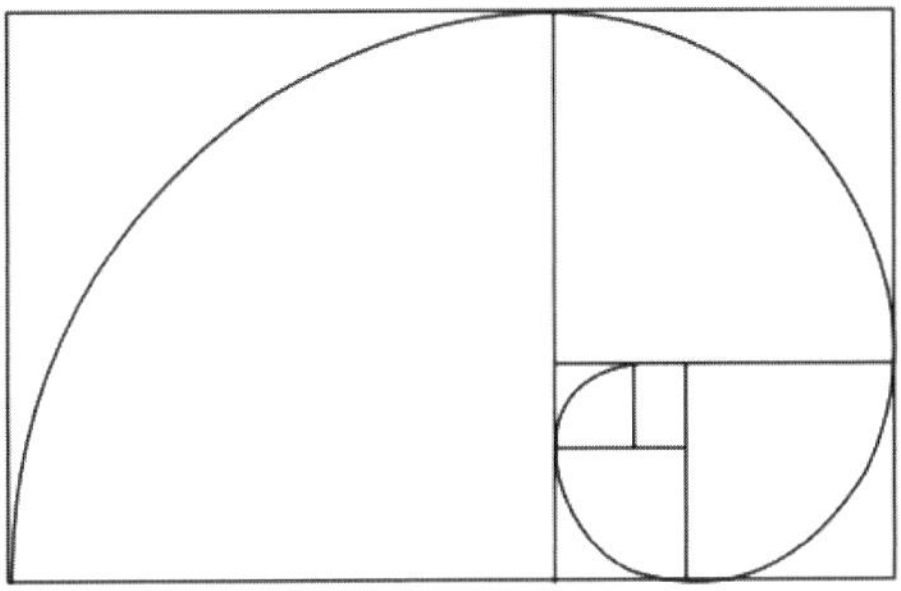

図9.2　黄金(対数)らせん。黄金矩形は縦辺と横辺の長さが黄金比となっている。黄金矩形の内部でできる最大の正方形を除くと、残った小さい長方形はやはり黄金矩形となり、このパターンは無限に繰り返すことができる。どんどん小さくなっていく正方形の頂点をつなぐと、オウムガイの貝殻、雄ヒツジの角、水の渦、銀河などに見られる黄金らせんが得られる。

数のワンダーランドをちょっと巡ってきたが、この探訪をまとめると、ファイの比は不合理で美しいと言える。なぜならファイは組み合わせや分解によって驚くべき美しい組み合わせを生み出し、世界に潜む規則性を明らかにするからだ。フィボナッチ数列は、連続する数の比が無理数であるファイに近づいていくという点でファイと関係している。ファイは、円周を黄金比で分割したときにできる黄金角とも関係している。さらにファイは黄金矩形とも関係している。黄金矩形はどのスケールでもまったく同一の形状に見えるという特徴をもち、やはり対数らせんと関係している。これらの奇妙な関係が別に不思議だと思えないとしても、植物の葉や花弁、軟体動物の甲殻、雄ヒツジの角、ハリケーンのパターン、銀河の形状にもそれが現れるとしたらどうだろう。

美しい数学は隠れていたものをあらわにする

こうした観察から、数学は発見されるのを待っている客観的な対象だということが示唆される。数学は2つの意味で客観的だ。第1に数学は、きわめて単純な定量的関係で記述される物理的世界についての真実を明らかにしてくれる。つまりニュートンが指摘したように力は質量と加速度の積であり（$f = ma$）、アインシュタインが示したとおりエネルギーは質量と光速度に関係している（$e = mc^2$）。こうした単純な関係は、人間が進化する前の世界でも成り立っていたし、仮に人間が進化しなかったとしても成り立っていただろう。第2に、数学は無条件に真である関係を明らかにする。2＋2＝4は紛れもなく真であり、あらゆる状況で常に真である。円周の長さが2πrだということは、恐竜の時代に真であったし、ホモ・エレクトスが地上を歩いていたときにも真であり、われわれがジェットパックを背負って宇宙を飛ぶ時代になってもやはり真であるはずだ。これらの関係は発見されるのを待っていて、バビロニア人、エジプト人、ギリシャ人、インド人、アラビア人、イタリア人によって受け継がれてきた。

美しい数学にはどんな特質があるのだろうか。ファイという数で明らかなように、美しい数学は隠れていたものをあらわにする。簡明で、仮定を最小限しか使わず、新たな洞察でわれわれを驚かせ、他の問題も解けるように一般化する。オイラーの等式 $e^{i\pi}+1=0$ は、多くの数学者によって最も美しい定理だと考えられている。高名な数学者で近代統計学の創始者の1人であるカール・フリードリヒ・ガウスは、オイラーの等式を教わった学生がすぐにそれを理解できなかったら、そんな学生は一流の数学者になれないだろうと主張した。残念ながら、私は一流の数学者ではない。オイラーの等式が美しいのはなぜなのだろう。足し算、掛け算、べき乗という基本的な算術演算が1回ずつ使われている。数0（加法定数）、数1（乗法定数）、数π（ユークリッド幾何学や三角法のいたるところに現れる）、数e（科学的解析で広く使われる自然対数の底）、数i（代数学や微積分学と関係する複素数の虚数単位）という5つの基本的な数学定数が結びつけられている。オイラーの等式が美しいのは、簡潔でありながら驚くほど包括的だからだ。

ユルゲン・シュミットフーバーは、美しい数学が隠れた規則性を明らかにするという考え方を、データ圧縮の認識という形でとらえ直した。[83] われわれは、データ圧縮を認識したときに快感を経験する。あまりに規則的なものは、明白なので美しく感じられない。逆に複雑すぎて規則性がないものは、カオス的で手に負えないので美しくない。

数学とは発見されるのを待つ客観的なものだという見方とは違い、数学とは人間が創造するものだとする見方もある。われわれはヒツジを数えたり、コンピューターを作ったりといった、さまざまな場面で数を使う。人間が生み出す他のものと同じく、数学には美しい部分がある。あとで見るが、脳には数や数学的関係の処理に特化した領域がある。数は言語のようなものになり得る。われわれは文字を記号として使い、ルールに従い文字を組み合わせて語や文を作る。文字はおおむね純然たる記号であり、その使い方によって、世界の構造よりも心の構造について多くのことが明らかになる。語や文を美しく組み合わせられるのと同じように、数も美しく組み合わせることができるのではないだろうか。

　数学の神経科学については、どんなことがわかっているのだろう。左後部頭頂葉を損傷した人は、計算障害を負うことがある。単純な算術演算さえできなくなる。１９２０年代、オーストリアの神経科学者ジョゼフ・ガーストマンは計算障害患者について報告した。患者は計算障害に加えて、手指失認（自分の手指が認知できない）、左右という語に関する混乱、書字障害（筆記に問題が生じる）という３つの症状をきたしていた。[84] これらの症状が併発しているのは、これらが意味のある１つのまとまりを構成するからだと考えられないだろうか。われわれは十進法を使い、これがわれわれの指の本数に由来することはほぼ間違いないので、指と計数が関係していると想像できる。われわれはまた、左右に伸びる横軸に沿った空間次元をもつ数直線を頭に描く。おそらくわれわれの数の認識は、このように左から右へ向かう空間配置と結びついている。また、文字を書くときには、純然たる恣意的な記号を恣意的でない形で組み合わせる。これは数を組み合わせるときと似ている。実際、ヨーロッパの多くの地域では、アラビアの学者がインドから西洋へ記数法をもたらすまで、文字で数を表すローマ方式を用いていた。数学者が納得するように証明するのは難しいが、脳の物理的構造は効率を最大化するように設計されている。さまざまな機能を、サブルーチンを共有できる形で配置するのは合理的だ。ガーストマンが報告した症状のあいだにはおそらく因果関係はない（たとえば手指失認が原因で計算障害が生じることはない）が、サブルーチンを共有しているのだろう。だからこそ、脳内の互いに近い場所で処理されるのだ。

認知神経科学者のスタニスラス・ドゥアンヌは著書『数覚とは何か』（長谷川眞理子・小林哲生訳、早川書房）において、数は世界を分析可能にする知識の基本形態の1つだと主張している。彼によれば、移動可能な対象からなる世界で、進化圧は対象を効率的に定量化する能力を促進したはずだ。サルや言語習得前の幼児でも、数量を見積もることができる。彼らは「1足す1は2」とか「2引く1は1」といった簡単な足し算や引き算もできる。数の識別において、動物や人間は「サイズ効果」を示す。ペアになった数を識別する場合、2つの数が大きければ大きいほど、2つの数の差も大きくなければ容易に識別できない。5と7を識別するほうが、35と37を識別するより簡単だ。そんなわけで動物や人間は、曖昧に示された数量について、すばやく見積もりや比較をすることができる。このような数量の示し方は、記号能力を基盤とする数の正確さとは性質が異なる。fMRI研究[85]によれば、人が数量を見積もるときには左右両脳球の頭頂葉の頭頂間溝で活動が活発になる。一方、数字の表記法にかかわらず、計算をするときには左下頭頂葉皮質が活発に活動する。このことから、この領域で抽象的な記号の体系が処理されることが示唆される。ここは損傷すると計算障害が生じる領域でもある。

数学の神経的基盤をめぐるここでの議論において、美学に触れていないのに気づいた読者もいるかもしれない。私の知る限り、数学の神経美学を調べた研究は行われていない。それでも顔や風景の美しさにかかわる神経的基盤についてわかっていることから、どんなことが予想できるだろうか。数を処理する脳領域の神経活動が、快感や報酬を処理する脳領域の神経活動と協調すると予想される。数が記号として提示された場合、左後頭頂葉皮質の活発化が予想される。数が概数として提示された場合には、両脳半球の頭頂間溝の活動が活発になるだろう。数学的関係が関与している場合、後外側前頭前野で複雑な情報の保持と操作を行う領域と協調して、頭頂葉皮質が活発化すると予想される。数や数学を処理するこれらの領域は、報酬領域とともに発火するだろう。われわれはラッセルが述べた、数学の「冷たく簡素な」美しさという言葉を念頭に置いておくべきだ。快感の尺度において、一方の端には美しい顔や体を見たときに経験する報酬があり、反対の端には美しい定理を理解したときの報酬がある。前者は欲求を活性化し、後者は嗜好反応を活性化する。嗜好は必ずしも欲求と結びついていない報酬だ。欲することと好むことの区別は美学について考える際に重要な意味をもつので、快感に関するパートで再び取り上げるつもりだ。

数の快感は適応的なものなのか？

数がなんらかの快感をもたらすのはなぜなのか。快感は進化的適応の原動力になるという前提から始めるなら、考えるべき問題は、数学の楽しさのどんな部分が人間に生存上の優位性を与えたのか、となる。進化論から考えると、性選択の力と自然選択の力という2つの選択肢しか存在しない。数が直接、性選択に影響するとは考えにくい。もちろん前にも述べたとおり、異性愛者の男性はウエスト対ヒップ比がおよそ0・70の女性に強い魅力を覚える。つまりこれは数値的なパラメーターだ。しかし0・70という数字自体に魅力が内在しているわけではない。この数字は生殖能力を示す体の曲線における比を表しているにすぎない。数の美しさに快感を覚える進化は、自然選択によるものに違いない。

数にまつわる快感が適応を助けるのはなぜなのだろう。私の考える理由は、憶測の域を出ない。更新世の時代、人類はものを定量化し、将来のものの量を予想できたに違いない。野生の獲物がいる土地では、集団内の人数に対してどのくらいの肉が手に入るかを知ることが、そこにとどまるか移動するかを決めるのにきわめて重要だったはずだ。食用できる植物の生育状況から食料が豊富に採集できる土地を予想することも、重要な生存スキルだっただろう。数量、確率、相関を理解できる人は、即時あるいは将来の食料や住みかを見積もる必要を満たせるという点で、進化上の優位に立てたに違いない。

数学を楽しむことで得られるもっと一般的な進化上の利点は、数学を使わなければ手に負えない大量の情報にパターンを見出せることだろう。初期の人類のなかで、幅広い一般化可能な特性を用いて情報を簡潔で定量的な関係に還元する能力をもつ者は、環境から重要な情報をすばやく集めることができたはずだ。世界に潜む構造的な関係が発見できれば、環境を支配する助けとなっただろう。最終的な数式が単純であればあるほど、われわれの祖先がもっていた心の道具箱の中で扱いやすく役立ったはずだ。数学的関係との戯れに快感を覚え、複雑な環境に潜むパターンを見出すのを楽しみ、そのような関係をたやすくとらえることのできた祖先は、自らの生存確率を上げることができた。われわれが無味乾燥な数学的対象に快感を覚えるのは、そのような快感を経験した祖先が生き延び、われわれを子孫として残したからだ。

第10章　美の不条理

美についての思索を始めた際、私はその謎を指摘した。美はわれわれのまわりのいたるところにある。われわれは美に惹かれるが理解できない。美とはいったいどこにあるのか。外界にあるのか、それとも頭の中にあるのか。美は1種類しかないのか、それともわれわれがファッションモデルも数学の定理も「美しい」と言い表すのは言葉の綾なのか。美は普遍的なのか、それとも文化によって形成されるのか。美の経験とは燃える情熱なのか、それとも冷静な観想なのか。何より不可解なのは、そもそもなぜ美というものが存在するのかという点だ。人、場所、数学的証明の美しさを巡る短い旅をしてきたわれわれなら、これらの問いに答えられるかもしれない。

美は普遍的かつ文化的

美は外界だけに、あるいは頭の中だけに存在するのではない。心は世界の一部であり、われわれの思考や経験や行動は、長きにわたる進化の過程で世界によって形づくられてきた。美の経験は、心と世界との相互作用から生じる。われわれの脳が進化して、普遍的に美しいと感じるようになった対象がある。「普遍的」というのは、人間がこの美しさの感覚を共有しているという意味だ。たいていの人は、文化的背景が違っていても、同じ対象を美しいと感じる。対称性や平均性など、顔の美しさに寄与するパラメーターは、普遍的な魅力をもつ。幼児さえも、これらの特徴に対してその美しさを理解しているかのように反応する。すでに見てきたとおり、たいていの人は、実際に訪れたことがなくても、サバンナなど共通の風景を好む。

美の経験が普遍的に共有されるにしても、その経験は文化の影響を受ける。文化による影響はしばしば、普遍的なバイアスのうえに形成される。バイアスの効果と相互作用したり、効果を増強したりするのだ。異性愛者の男性が魅力を覚える女性の体形は、魅力に対する普遍的および文化的な影響による相互作用の一例だ。普遍的な原理として、男性はウエスト対ヒップ比が0・70の女性をとりわけ魅力的だと感じる。だが、男性が太った女性と痩せた女性のどちらを好むかについては文化が影響する。貧困国や経済的に厳しい時代においては、男性はふくよかな女性の体を好む。富裕国や余裕のある時代では、痩せた女性の体が好まれる。ただし、ふくよかな女性と痩せた女性のどちらを好むにしても、ウエスト対ヒップ比０・７０を好むことは変わらない。

美しさに対する文化的影響は、美意識における普遍的なバイアスをしばしば誇張する。ここでピークシフト現象が作用する。反応を喚起するものを選び、反応を増強するようにそれを誇張するのだ。この戦略が美容業界を動かしている。化粧品やさまざまなアクセサリーは、人の心をとらえる特徴を誇張する。同様に、男女ともにたいていの美容外科手術では、魅力的と思われる性的二型の特徴を増強する。ボディービルの大会や、ヒンドゥー教寺院の彫像、バービー人形、コミック本に登場するスーパーヒーローなどに見られる体への定型化されたアプローチは、いずれも性的二型の特徴を誇張する。庭園やゴルフ場などの人工的に作られた風景でも、われわれが引きつけられる環境の特徴がしばしば誇張されている。

さらにコンテクストの効果も、われわれが魅力を覚えるものに影響する。顔と体について論じたとき、私は性愛的な美しさを強調した。しかし人の顔を見るときのコンテクストは、見る者の注意をとらえ、顔の魅力の度合いに影響する。すでに見たとおり、コンテクストによっては、ある経験において最も顕著な要素が外見的な美しさではない場合もある。たとえば危険を警戒している場合などがそうだ。顔に対する反応は、その顔に接する際のコンテクストに影響される。あとで見るが、コンテクストはアートに関する経験にも重大な影響を与える。

人や場所、あるいは数学的証明の美しさに反応するとき、誰もがみな同じ特質に反応しているのだろうか。脳の中で美しさの経験は、対象の感覚特性、その対象と結びついた意味、対象とわれわれの感情や報酬系との相互作用を処理することによって生じる。世界を処理する場合、脳は分断攻略戦略を用いる。視覚系が、さまざまな脳領域でさまざまな視覚要素（色、形、輝度、運動など）を処理する。これらの要素が結びついて、脳内に独自の特化した領域をもつ対象になる。つまり視覚野は、顔と場所を別々の領域で処理するのだ。動く体や数も、脳内でそれぞれ別の領域を占める。われわれはさまざまな対象を審美的に見るとき、脳内の特化した領域を活発化させる。顔と風景は互いに大きく異なり、脳内の別の場所で処理される。数学には、処理すべき明白な感覚特性さえない。数学は、感覚に埋め込まれた審美的経験から大きくかけ離れている。そのため、数学の美しさの感覚的処理は、他の対象の場合とは異なる。このレベルの処理においては、異なる対象が同じ美しさをもつことはあり得ない。

美への感情反応には共通点があるのだろうか。次のパートでは、美から得られる快感と脳の報酬系の性質についてもっと詳しく見てみよう。われわれにはおそらく多様な報酬がある。ここではそれらの報酬を「熱い」から「冷たい」までの連続的な尺度に位置するものとして扱う。熱い報酬とは、たとえば性的興奮をかき立てる体に対する欲求といった、熱情を喚起する快楽だ。冷たい報酬とは、エレガントな証明に感銘を受けたときのような、もっと冷静な思考を喚起する快感である。つまり対象の美しさはいろいろで、対象がわれわれの報酬系を刺激するやり方もいろいろなのだ。美とは単一の特性ではなく、柔軟に混ざり合ったり結びついたりして美の経験をもたらす、世界の物事のもつさまざまな特性の集合体なのだ。

進化論的説明ですべてを解決できるか？

美は単一の特性だという考えを否定したが、進化論的な説は美しいものすべてを結びつける共通の糸を与えることができるだろうか。まず、進化論による基本的な主張を見直し、それ自体ではあまり意味がない1つの進化論的主張についても、ちょっと手ごわいが明らかにしよう。美の進化について書かれた次の一節を見てほしい。『ハーパーズマガジン』（2010年9月10日）にアーサー・クリスタルが寄稿したものだ。

……ダーウィン的な適応性に従い、基本的な審美的嗜好によりわれわれは特定の形や音に他の形や音よりも引きつけられる。簡単に言えば、以下に述べるとおりだ。初期の人類の生存に最も役立ったものがなんであれ、それは彼らにとって魅力的に感じられたに違いない。役立つものに関する知識が彼らの脳にプログラムされ、それ以降の世代に受け継がれた。したがってわれわれの審美的嗜好は、進化した知覚能力や認知能力のもたらした結果である。美に伴う快感はもはや生存に不可欠ではなくなったが、それでもアートや自然についてわれわれが抱く感情に影響を与え続けている。

美に関する進化的説明と言えば、だいたいこんな記述が標準的だ。しかしこの説明は、きわめて重要なニュアンスを伝えていない。この説明によれば、初期の人類は生存の助けになるものを好み、この知識が彼らの脳にプログラムされた。そして今、それがもはやわれわれの生存の助けにならないとしても、われわれは依然としてそれに魅力を覚え、美しいと思う。しかし、この説は筋が通らない。私はフィラデルフィアの地下鉄システムの便利さをありがたいと思っているが、ワシントンＤＣの地下鉄システムのように美しいとは思わない。役に立つものは必ず美しいと感じられるのだろうか。また、あるものが役に立つという知識は、どうやって脳に入り込むのか。有用なものは美しいとする説は、あまりにも単純で理にかないすぎている。この説明は、われわれが美しいと感じるものには合理的な部分などないというきわめて重要な点を見過ごしている。

進化上の有用性は美しい対象に付随するが、美しさを生み出すわけではない。前に用いたフードゥーの好みをめぐる物語が、この点を明らかにする。フードゥーの神話の時代、フードゥーのなかには硬い頭に魅力を覚える者もいれば、細いウエストに魅力を覚える者もいて、さらに柔らかく丸みを帯びた体の曲線が魅力的だと感じる者もいた。ある種類のフードゥーが他のフードゥーより美しく、より多くの快感を与えるという論理的な理由がもともとあるわけではない。しかし硬い頭を好むフードゥーは、そうでないフードゥーより多くの子孫を残すことができた。これは、細いウエストや柔らかな曲線美よりも硬い頭のほうがたくさん生存できたからだ。こうして硬い頭への好みが子孫に受け継がれ、硬い頭を好むフードゥーの割合が上がる一方で、それ以外の好みをもつフードゥーの割合は下がった。「普遍的」な好みが最初から普遍的だったのではない。結果としてそうなっただけだ。硬い頭への好みは、そのような頭が役に立つとか適応を助けるという理由で生じたのではない。たまたま適応に役立つ特徴があって、その特徴によってもたらされる快感が生き延びたのだ。そしてこの快感が集団内で広まった。もともとこれと同じく論理的な存在理由のなかった他の快感が、時を経て生き延びることができなかったからだ。

　進化的適応説は、美について統一された概念を与えてくれない。人や場所や数学的証明において美しいと思われているものを調べれば、さまざまな原動力が見て取れる。性選択は人に対する好みの多くを動かす。自然選択は場所の好みの多くを動かす。さまざまな形の自然選択、特定のこだわりをもつ祖先が大量の情報の処理と圧縮に見出した喜びが、数に対する好みを動かす。われわれの目の前には、特定のものを美しいと感じる経験をすべて説明できるたった1つの理由ではなく、美しいと感じるさまざまな理由が残されている。

　美にはさまざまな要素が混ざり合っている。美とは、脳のさまざまなパーツを動員するさまざまな特性の集合体だ。美はさまざまな反応を引き出し、さまざまな理由によりわれわれの中で進化した。美はわれわれの感覚、感情、意図を柔軟に働かせる。美しい対象が役に立つとしてもそれは偶然で、われわれを美に駆り立てるのは快感だ。それでは続いて「快感」と呼ばれる、このちっぽけでとんでもないものをよく見てみよう。

第二部

快感

第1章 快感とは何か

ネコは快楽主義者だ。われわれはネコからたくさんのことを学べる。ネコが言葉を理解できたら、「罪悪感を伴う快感」という考え方など愚の骨頂だと思うだろう。私のペットのネコたちは、堂々と快楽におぼれる。ジズーは日なたを見つけては、真っ黒な毛で覆われた体にぬくもりが広がるのを愛していた。リーノーは腹をなでられると、至福の表情で背中を丸めて眼を細める。ウォーフは食べ物のにおいを堪能した。レンジの向こうのカウンターで眼を半ば閉じて、ぐつぐつと煮えるソースから立ち昇るスパイスの香りをかいでいた。

ネコと同じように、われわれにも快感の源はたくさんある。食べ物とセックスは最も基本的だが、快感を与えてくれるものは他にもいろいろある。夕日を眺めたり、賭け事で勝ったり、昼寝をしたり、目標を達成したり、音楽を聴いたり、ダンスをしたり、笑ったり、新しいことを学んだりすれば、快感が得られる。快感で我を忘れることもある。快感にそそのかされて、合理的な思考を手放してしまうこともある。

快感を与えてくれるものはじつに多様だ。このことからいくつかの疑問が生じる。これらの疑問は、美について考えたときの疑問と似ている。すべての快感に共通の要素はあるのか。脳内に快感中枢が存在するのか。われわれは常に自らの快感を認識しているのか。われわれは快感を手放しで味わうべきなのか、それとも警戒し、拒絶すべきなのか。ときとして快感が不快に変わるのはなぜか。悪いものが快感をもたらすことがあるのはなぜか。メイ・ウエストの名言「私がいい子のときはとても素敵。でも悪い子のときはもっと素敵」が愉快に感じられるのはなぜなのか。

生存に役立つものが快い

われわれの快感は、進化の歴史に深く根差している。生存に役立つものに快感を見出した祖先は、同時代の他の者より多くの子孫を残した。われわれは通常、快感を与えてくれるものに近づいていく。アメーバなどの単細胞生物さえ、接近や回避を示す。化学的環境に反応して、必要なものに近づき、有毒なものを避けるのだ。これはあらゆる移動性生物にとって最も基本的な生存戦略である。生物が複雑になると、接近・回避戦略は進化して反射になった。哺乳類では、接近と回避は恒常性維持と結びつく。恒常性維持とは、変化する環境の中で体内環境（体温や水分量）を比較的一定に保つプロセスである。これらの基本的な生存のための機能に加えて、接近・回避行動は子孫の生存を確実にするために進化した。

快感は重要な報酬だ。心理学では報酬となるものを「陽性強化因子」と呼ぶ。これは報酬をもたらす行動の反復を促す。食べ物、水、セックスは一次報酬と呼ばれ、お金やアートなどは二次報酬と呼ばれる。二次報酬から快感を引き出すには学習が必要となる。

哺乳類において快感が行動促進因子として強い力をもつことは、私のネコたちを見れば明らかだ。われわれ人間はネコよりもうまく、快感にかき乱された脳を自分で静めることができる。自分を抑えておく方法の1つは、快感のとらえ方を変えることだ。対象について考えるコンテクストを変えることによって、その対象に関する感情経験を変えることができる。「下劣な」快感に注意せよと信者を諭す宗教団体は、このような人間の性質を熟知している。快感のとらえ方を変えるということは、われわれが自らの感覚の奴隷ではないことを意味する。認知系が快感中枢に手を伸ばし、快感の経験を手直しすることができる（あとでブランドレーベルやフェティシズムについて論じる際に触れる）。また、時間の流れを考えることによっても、快感を抑えることができる。私がネコたちの前に餌の入った器を置いたとしよう。彼らは私がしょっちゅう旅に出ているから、餌をいくらかあとのためにとっておいたほうがいいかもしれないと考えを巡らせたりしない。彼らは快楽主義者であり、あとで得られる喜びにはほとんど関心がない。

対照的に、おそらく若者のなかで最も聡明な部類に属する医学生は、喜びの先送りをする達人だ。将来の報酬のために、何年間も十分な睡眠やまともな食事やほどほどの給料を我慢することをいとわないのだ。

これからさまざまな快感について、美やアートとの関係に着目しながら考えていく。まずは食べ物に目を向けよう。食べ物は生存において最も基本的な必要の1つを満たし、大きな快感を与えてくれる。食べ物による快感は、味覚と嗅覚という化学的な感覚に埋め込まれている。食べ物の次は、セックスの快感について考える。セックスによる快感でも感覚が支配的だが、無数のロマンチックコメディーやメロドラマで描かれているとおり、セックスにまつわる接近行動は複雑だ。

これらの基本欲求的な快感に続いて、食べられず、添い寝もできないものから得られる快感に進む。お金だ。お金は抽象的なものでありながら、やはりわれわれの行動を強く突き動かす。お金は金属か紙かプラスチックにすぎないのに、それによって手に入るものに伴う快感を象徴する。お金を手に入れてから使うまで先送りされる喜びのダイナミクスを理解する窓をお金は与えてくれる。われわれと快感とのあいだに打ち込まれるくさびとして時間を使うことを、経済学では「先渡割引」と呼ぶ。将来にはもっと大きな報酬が期待できるので、目先の報酬は受け取らないという選択ができるという意味である。

また、快感は学習と密接に結びつく。快感が学習の助けになるとはどういうことだろう。最近の神経科学の研究で、報酬のジュースをブザーの音と関連づける方法から、他人の評判を判断する方法に至るまで、学習の仕組みについて驚くべき事実が明らかにされている。

つまり、快感の源はたくさんある。快感は感覚に埋め込まれていて、認知によって修飾されることがある。われわれは快感に我を忘れることもあれば、快感から身を引くこともある。こうした快感の経験は、美の経験を理解するうえで重要な意味をもつ。あとで見るとおり、快感の経験はアートの経験を理解するうえでも重要だが、さほど単純ではない。ここでは脳や行動、そして究極的に審美的経験において、快感がもつ意味を見ていく。

まずは食べ物から始めよう。

第2章　食べ物

「うまい料理を食べることは神に近づくことだ」。映画『シェフとギャルソン、リストランテの夜』でプリモがこう言い切る。トニー・シャルーブ演じるプリモはイタリア移民の頑固なシェフで、サイドディッシュのスパゲッティとシーフードリゾットを一緒に注文するような「無知」な客と闘わなくてはならない。プリモには知る由もないのだが、おいしい食べ物は口とお腹を満たすだけでなく、脳内で快感を生じさせる主たる化学物質であるドーパミン、オピオイド、カンナビノイドの受容体を刺激する一連の作用を開始させる。プリモが知っているのは、神は至福だということだ。

食べ物のもたらす至福は、味覚と嗅覚という化学的な感覚の働きで生じる。化学的環境の匂配は、繊毛をもつ単細胞生物を栄養分のあるところへ泳いで向かわせた最初の信号の1つだった。それから数百万年が経ち、ニューロンの数は何十億個も増えたが、われわれは今も嗅覚に導かれている。われわれのもつ化学的な感覚は、脳内の古くからある領域に入り込んでいる。嗅覚は、感情や快感を処理する領域に直接伝わる。われわれは何百種類ものにおいを感知し識別することができるが、言葉で説明しようとすればひどく苦労する。他の感覚とは違い、嗅覚は言語による支配を拒む。

食べ物のもたらす快感は、味覚と嗅覚に口中の触覚が組み合わさって生じる。甘味、塩味、酸味、苦味、旨味を5大基本味と呼ぶ。これらの味に対する感覚は、人に栄養となる食べ物や脅威をもたらす食べ物を認識する助けとなるように進化した。甘味はエネルギー源のしるしだ。塩味は体内の化学的環境の維持を助ける。酸味は適切な酸塩基バランスを保つのを助ける。苦味は毒素の危険を警告する。旨味(グルタミン酸ナトリウムの特徴的な味)はタンパク質の存在を教えてくれる。非常に現実的な意味で、味覚と嗅覚はわれわれが体内に入れるべきものとそうでないものを判断する指針となる。

味覚と本能

食べるべきものについての基本的な傾向は、生まれつきかなりしっかりと脳に組み込まれているらしい。赤ん坊は甘味を口にすると舌なめずりをし、苦味を口にすると吐き出そうとする。

3歳までに、特定のにおいに対してかなり普遍的な好みをもつようになる。[86] たとえばイチゴやスペアミントやウィンターグリーンのにおいを好み、酪酸（嘔吐物またはチーズ）やピリジン（腐敗した牛乳）のにおいを嫌う。味覚は生まれつき脳に組み込まれているが、食べ物に対する好みは早くも胎児の時期から変化することがある。胎児が妊娠末期の3カ月間に味覚受容体を発達させることは、以前から知られている。超音波検査が登場する前には、X線造影剤を羊水に注入して胎児の健康状態を調べていた。造影剤とともにサッカリンを注入すると胎児の嚥下量が増え、苦味のある物質を注入すると嚥下量が減った。[87] 妊娠末期の3カ月間に母親が経験したにおいや味は胎盤を透過し、ほぼ即時に胎児が同じにおいや味を経験する。早期の曝露はのちに発現する好みに影響する。母親が妊娠中にアルコールを頻繁に飲んでいた場合、赤ん坊は母親がアルコールを飲まなかった場合と比べてアルコールのにおいに強く反応する。[88] 妊娠末期の3カ月間にアニスを食べた母親から生まれた子は、この期間にアニスを食べなかった母親から生まれた子よりもアニスの味を好む可能性が高い。[89] もっと一般的に言えば、多様な味にさらされた胎児はそうでない胎児と比べて、のちに新しい食べ物に対して受容性を示しやすい。

嗅覚との関係

ひどい風邪をひいたことのある人なら、食べ物のおいしさは舌で感じる味だけで決まるのではないことを知っている。食べ物のおいしさは、風味で決まる。風味とは、嗅覚と味覚からなる複雑な知覚経験だ。われわれの鼻はペットには劣るかもしれないが、神経学者のジェイ・ゴットフリードによれば、ｐｐｂ（体積比10億分の1）レベルで微量のにおい物質を日常的に感知している。分子中の炭素原子が1つ違うだけのにおい物質をかぎ分けられるし、数万種類のにおいを識別することもできる。鼻の中でにおい物質が受容体に結合すると情報が送られ、嗅球と呼ばれる脳内のパーツでその情報が統合される。嗅球では、さまざまなにおいがそれぞれ異なる神経活動パターンを引き起こす。この情報が梨状皮質（梨のような形をしていることに由来する）と呼ばれるパーツに送られると、この梨状皮質が外部世界をわれわれの内的経験と結びつけ始める。梨状皮質は前部が化学物質の同定に充てられ、後部がにおいの質に充てられる。[90] ここで「同定」とは、におい物質の分子的および化学的な組成を特定することを言う。前梨状皮質は、においをもたらす外部の化学的世界のスナップショットを描き出す。「質」とは、においの知覚をもたらす情報の統合されたものを言う。後梨状皮質は、これらのにおいに関する主観的な経験を映し出す。この主観的な解釈は、経験や、においに接するコンテクストによって変化する場合がある。

　嗅球から送られてきた情報は、ほとんど選り分けされずに脳内の別の部分に送られる。視覚、聴覚、触覚の情報は脳の奥深くにある視床を通過する。視床は感覚情報を選り分けてから皮質に送る。対照的に、嗅覚の信号は視床を通らずに皮質へ向かい、快感中枢にかなりダイレクトに到達する。嗅球は、前嗅核や嗅結節、扁桃体、嗅内皮質といった脳内の別の領域に信号を送る。梨状皮質は眼窩前頭皮質（ＯＦＣ）に情報を送る。

デオドラント業界は、不快なにおいには快適なにおいで対抗できることを知っている。不快なにおいは後外側眼窩前頭皮質の活動を活発にし、快適なにおいは内側眼窩前頭皮質を活発にする。[91]扁桃体には、もう1つ別の役割もある。においの快不快ではなく、強度に反応するのだ。[92]扁桃体の反応は、環境内でにおいを発しているものに対して近づくか避けるか、いずれかの方向をわれわれに選ばせる設計になっているらしい。われわれが好きなものや嫌いなものを感知したときや、それらに近づこう、あるいはそれらから遠ざかろうとするとき、これらの脳パーツが協調して働く。

においが鼻にある受容体にたどり着くルートは2つある。対象のにおいをかいだときにダイレクトに届くルートと、口中の食べ物から放たれたにおいが喉の奥を通って届く間接的なルートだ。この2種類の「におい」はまったく違った経験をもたらす。[93]鼻から直接入ってくるにおいは、周囲の環境にあるものの情報をもたらす。快適なにおいであれば、われわれはその発生源を探りたくなり、悪臭からは遠ざかろうとする。対照的に、味はすでに口中に入ったものに関する情報をもたらす。生き延びるためには、味の発するシグナルを正しく読み取り、食べてよいものだけを食べて毒のあるものは食べないようにすることがきわめて重要だ。

においの間接的な経路は、口中で風味を味わう経験において重要な意味をもつ。口に入れた食べ物から生じるにおいは、味やその他の感覚と結びつく。口の中で触覚は重要な役割を果たす。アイスクリームのなめらかさ、ポテトチップスの歯ごたえ、唐辛子の刺激、ワインの渋みは、いずれも風味を味わうという調和のとれた豊かな経験を構成する要素となる。

においと同じく、味もかなりダイレクトに脳までたどり着く。味に関する情報は、舌にある味覚受容体から脳幹のさまざまな中枢に送られ、さらにそこから島《とう》、扁桃体、視床下部、海馬へと送られる。これらの脳領域で味覚が他の感覚や体の化学的環境と統合され、においと同じく味覚の報酬が眼窩前頭皮質や腹側線条体で処理される。[94] 生存を支えるのに食べ物や飲み物が不可欠であることを考えると、味覚は最も基本的な報酬である。科学の専門用語で言えば、味覚には「内在価値」があるのだ。

満腹感と快感

近くにいた人が、ピザを食べすぎて気分が悪くなったと訴える場面に遭遇したことはないだろうか。この訴えは、単にお腹がいっぱいになったという感覚だけの問題ではない。ピザのにおいや、もう1切れ口に入れるという考えに（当面は）嫌悪を覚えるのだ。味やにおいに関するそのような経験は、同じ食べ物から得られる快感が場合によっては著しく変化し得ることをはっきりと示す。満腹感を使って嗅覚と味覚による快感について調べた実験から、これが脳内でどう作用するかがわかる。たとえばある実験で、参加者にバナナを満腹するまで食べさせて、食べる前と食べたあとにバナナかバニラのいずれかのにおいをかがせた。[95] 最初、参加者はどちらのにおいも同程度に好ましく感じた。別の実験では、トマトジュースかチョコレートミルクのいずれかを満腹するまで参加者に飲ませた。[96] この実験でもやはり、初めはどちらの飲み物も同程度に好まれた。ところがこれらの実験で満腹したあとには、もともと好きだったこれらのにおいや味に対する内側眼窩前頭皮質の神経活動が低下した。一方、通常は嫌悪を覚えたときに活発になる外側眼窩前頭皮質の神経活動が強まった。つまりチョコレートミルクとトマトジュースの両方が好きな人は、チョコレートミルクで満腹すると、チョコレートミルクに対しては外側眼窩前頭皮質の活動を活発化させ、トマトジュースに対しては内側眼窩前頭皮質の活動を活発化させる。これらの満腹感実験は、眼窩前頭皮質が過去の快感に反応することを明らかに示す。豪華なメインディッシュを存分に堪能したあとでもデザートを食べる余裕が残っているのは、満腹感が特定の味やにおいと結びついているおかげなのだ。このとき甘味への欲求はまだ満たされておらず、内側眼窩前頭皮質がまだ甘味と甘味による快感を受け入れようとしている。

　快感は学習を助ける。食べ物から得られる快感を利用するのは、連想を形成する古典的な方法だ。たとえば1890年代にそのことを示したのがパブロフである。彼はイヌを訓練して、ベル、ホイッスル、メトロノームといったさまざまな音を食べ物と結びつけさせた。その結果、イヌは食べ物を口に入れる前でも音を聞くと唾液を分泌するようになり、やがて食べ物がなくても唾液を分泌するようになった。このタイプの学習を「古典的条件づけ」と呼ぶ。においも古典的条件づけで作用する。快適なにおいと結びつけられた顔は、不快なにおいと結びつけられた顔よりもすばやく識別される。[97]食べるべきものを判別することは生存に必須なので、われわれが学習を必要とするときに味覚や嗅覚に別の感覚が結びつくのは驚くべきことではない。味覚や嗅覚に別の感覚を結びつけた条件づけの効果により、内側眼窩前頭皮質の活動が活発になる。それ自体はもともと快感をもたらすわけではなかった感覚が別のものと結びつくことによって快感をもたらすようになると、この感覚によって、もともとは快感をもたらす感覚によって活発化していた脳領域の活動が活発化するようになるのだ。

予期せぬ報酬は、とりわけうれしく感じられる。1990年代にシュルツと共同研究者らは実験を行い、脳の報酬系において神経伝達物質ドーパミンの放出が予期せぬ快感の経験にきわめて重要であることを示した。[98]ドーパミンは、期待していた報酬と実際に得た報酬との差が大きい場合に放出される。報酬を予期していなかった場合には放出量が増える。画像化技術を用いた実験で、予期せぬ報酬に対するドーパミン放出は、内側眼窩前頭皮質と側坐核の神経活動の亢進《こうしん》と結びついていることが判明した。[99]

コンテクストで味覚も変わる

われわれが想像している以上に、食べ物や飲み物を口にするコンテクストは経験に大きく影響する。サミュエル・マクルアと共同研究者らは、脳でこの効果が作用する仕組みを最初に報告した。[100]コークとペプシのどちらか一方のほうがはるかにおいしいと言い張る人がいるが、じつは両者に大きな違いはない。銘柄を明かさないで実験参加者にコークとペプシを飲ませると、よりおいしいと感じたコーラを飲んだときのほうが内側眼窩前頭皮質と腹内側前頭野の活動が活発になった。次に2つの条件下でコークを飲ませた。1つは自分の飲んでいるのがどちらかわからない状況、もう1つはコーラに「コーク」と表示した状況だ。参加者が自分の飲んでいるコーラの銘柄を知ると、内側眼窩前頭皮質の活動が活発になり、さらに海馬、中脳、背外側前頭前野の活動も増大した。これらの付随した領域の活動は、おそらく過去にコークを飲んだときの経験にまつわる記憶や知識によって生じ、その知識が内側眼窩前頭皮質の神経反応を変化させた。大事なのは、参加者が快感の経験について勘違いをしたのではなく、知識が実際に快感の経験を変化させたという点だ。

マクルアらが報告したコンテクストによる快感への効果について、これを裏づけてさらに敷衍する実験が行われている。あるにおいを「チェダーチーズ」として提示すると、それは快適なにおいと判断され、内側眼窩前頭皮質と腹内側前頭野の活動が活発になったが、「体臭」とするとそのような活発化は起こらなかった。[101] また、人は高価だと思うワインをおいしく感じる。これには内側眼窩前頭皮質の活動の亢進が伴う。[102] こうしたコンテクストによる効果が見られるのは、実験室に限らない。ディナーの席で、同じワインでもボトルにカリフォルニア産というラベルをつければ、ノースダコタ産というラベルをつけたときよりもおいしいと言われる。[103] おもしろいことに、より高級なワインを飲んでいると思うと、食べる料理の量が増える。まる

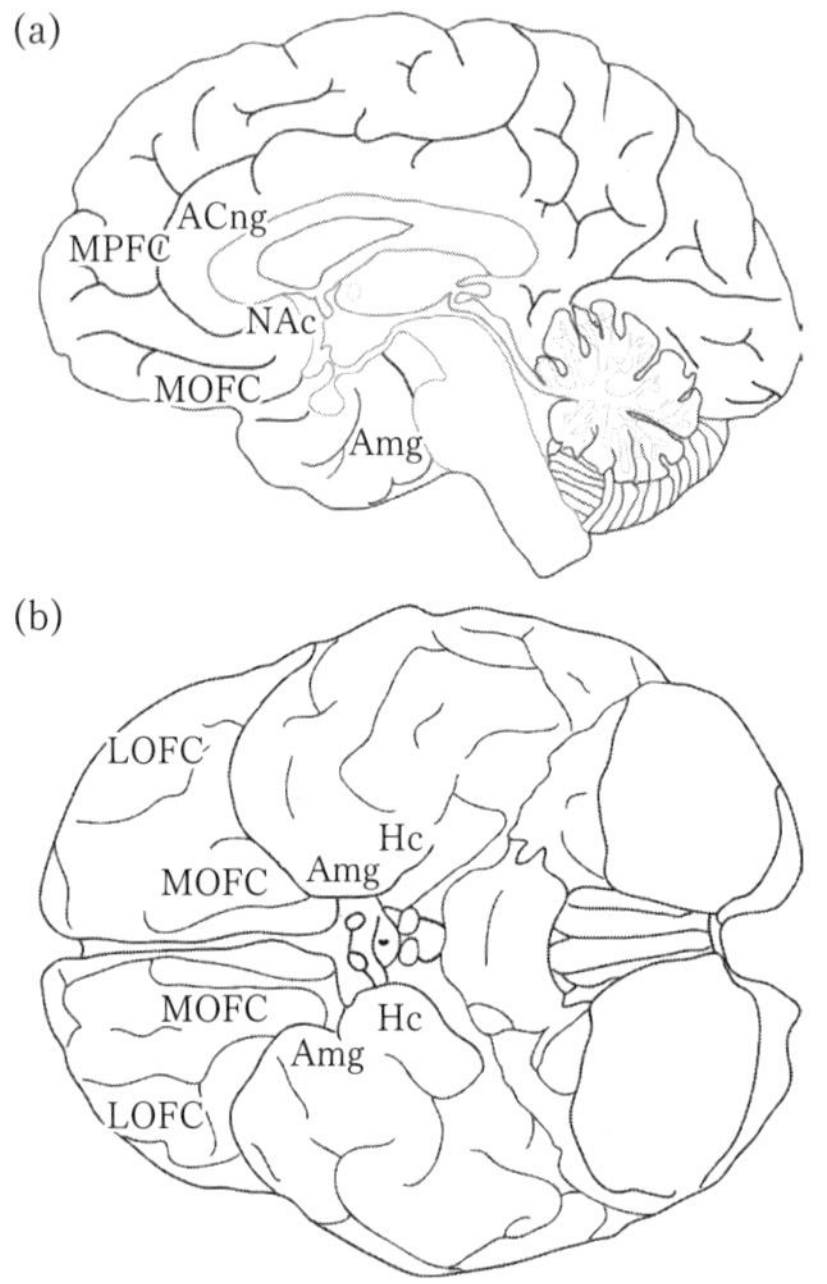

図2.1　脳の内側および腹側の表面の図。快感と報酬系にとって重要な領域に名称を付している。略語：ACng前帯状回、Amg扁桃体、Hc海馬、LOFC外側眼窩前頭皮質、MOFC内側眼窩前頭皮質、MPFC内側前頭前野、NAc側坐核

である品のもたらす快感が別の品に波及するかのようだ。

食べ物や飲み物のもたらす快感や痛みは厳格に定まっていると思われるかもしれない。すでに見たとおり、においと味は報酬系に直接アクセスする（図2・1を参照）。他の感覚と違い、視床で選り分けられることがない。言語領域から離れた脳領域に到達するので、言葉で表現するのが難しい。余談だが、ワインのエキスパートがワインを言い表すのに使う言葉が一般人に理解しがたいのは、おそらくこの解剖学的配置のせいだ。においと味が選り分けられずに脳の報酬系に到達し、言葉でとらえるのが難しく、生存のために重要であるなら、この系には柔軟性をもつ余地などあまりないと思われるかもしれない。しかしすでに見てきたとおり、食の快感は過去の経験やこれから食べるものへの期待、そして自分が知っていると思っている

事柄に強く影響される。においや味による快感がこのように変更可能ならば、他の快感がどれほど柔軟か、特にアートのように基本的な生存からかけ離れた対象をめぐる快感がどれほどの柔軟性をもち得るか、想像してみてほしい。

食べ物は絶妙に快感をターゲットとすることができる。何世紀にもわたってわれわれの快感中枢に狙いを定めてきた食べ物として、チョコレートはまさに典型的な例だ。オルメカ文明とマヤ文明では、今から2600年前にチョコレートを摂取していた。[104] スペインのコンキスタドールたちは、マヤ人が乾燥させて挽いたカカオ豆と水、蜂蜜、唐辛子でチョコレートを作る工程を熱のこもった筆致で日誌に書き綴っている。チョコレートで一服するためとなれば、人はかなりの労力をいとわず費やすことがある。偉大な生物学者のリンネは、チョコレートの原料となる植物を「テオブロマ・カカオ」と命名した。これは「神の食べ物」という意味である。

チョコレートは体にいい。2週間にわたって毎日チョコレートを40グラム食べると、ストレスホルモンが減少する。[105] チョコレートには350種類以上の成分が含まれ、これらは報酬系の化学の基礎をなす3つの主要な神経伝達物質系（ドーパミン、オピエート、カンナビノイド）を通じて作用する。チョコレートで何よりも基本的な材料は砂糖だ。われわれは砂糖を栄養源として求めるようにできている。砂糖はわれわれを落ち着かせる。この効果が最もよくわかるのは、泣いている新生児の舌に甘い液体を垂らしたときだ。[106] 砂糖は脳内のオピオイド系を活性化させることにより、ストレスを軽減する。チョコレートには、テオブロミンとフェニルエチルアミンという2種類の穏やかな刺激物質が含まれる。これらはドーパミン系とノルアドレナリン系に作用して覚醒をもたらす。チョコレートには、天然のアナンダミドに類似した成分も含まれる。アナンダミドは脳内神経伝達物質で、その名はサンスクリット語とヒンディー語で至福を意味する「アナンド」に由来する。アナンダミドはカンナビノイド受容体に結合することで作用する。[107] マリファナはこの受容体を介して作用する。チョコレートを食べているときに感じる至福は、この系によってもたらされる。うつ状態の人はそうでない人よりチョコレートをたくさん食べる。うつ状態の人が、ストレスを軽減し、頭をすっきりさせ、いくらかの幸福感を与えてくれるものを欲するのは、完璧に理にかなっている。

ピークシフトが生む食の悲劇

快感中枢に働きかけて渇望を生み出し、ときには不幸な結果をもたらす食べ物もある。数年前、私は公立病院で働くためにボツワナに渡った。私の勤務先であるペンシルヴァニア大学の病院には、医師や医学生やそれ以外の医療従事者をボツワナの首都ハボローネにあるプリンセスマリナ病院に派遣するプログラムがある。オリエンテーションのセッションで、私はその病院で肥満の疫学について研究する計画だという社会科学者と出会った。私には冗談としか思えなかった。当時、ボツワナでは人口の4分の1がＨＩＶに感染していた。ここは「消耗性疾患」に苦しむ国なのだ。ボツワナで肥満の研究をするなんて、洪水の影響を研究するために砂漠へ行くようなものだと思った。ところが私は間違っていた。野菜とパップ（トウモロコシの粉で作る伝統的な粥）とセスワ（塩水でじっくり煮込んだ肉）というのがボツワナの伝統的な食事だが、キャンディーやクッキーがそれを駆逐しつつある。どの学校でも校庭への入り口に菓子を配る台があって、子どもたちが群がっている。欧米の多国籍企業がハボローネの街と子どもをジャンクフード漬けにしている。真に恐れるべきことは、1世代か2世代後にはサハラ以南アフリカで最大の疫病がAIDSから肥満に変わり、それに伴って糖尿病や心血管疾患や脳血管疾患が蔓延するであろうことだ。この点で、この地域はまもなくアメリカに追いついてしまうかもしれない。アメリカでは国民の3分の1が肥満（BMI30以上）、3分の1が過体重（BMI25〜30）であり、この割合は上昇し続けている。

アメリカで肥満が蔓延しているのはなぜだろう。日常生活で座っている時間がどんどん長くなっていることが、ウエスト膨張の一因であることは間違いない。遺伝的要因も関係する。さらに、ストレスにさらされると、人は食べ物に慰めを求める。おいしい食べ物は、ストレスに対抗するベータエンドルフィンを生み出す。しかし、肥満が増えている重大な理由がもう1つある。食べ物はミサイルと同様、賢くなるのだ。われわれは食べ物に破壊される危険を冒している。

ジャンクフードは糖分や脂肪への渇望を利用する。更新世に暮らしたわれわれの祖先は、生存のためのエネルギー源として糖分と脂肪を必要とした。これらは十分に手に入るものではなかったので、果物や母乳といった高エネルギーの食品を口にできる人は適応上の優位に立っていた。即効的なエネルギー源として甘いものを欲するのはわかりやすい。だが、脂肪を欲するのはなぜなのか。食事性脂肪、なかでもオメガ系脂肪は、人間の赤ん坊が脳を発達させるのにきわめて重要だ。出生時に体内に貯蔵されているこの必須脂肪は生後3カ月ほどで枯渇するので、脳の正常な発育のためには食事からこの脂肪を摂取する必要がある。ロンドンにある脳化学研究所のマイケル・クロフォードと共同研究者らの考えでは、われわれの脳が現在のサイズまで進化できたのは、海産食物に由来するオメガ系脂肪が豊富に得られる海岸付近の環境へ大昔の祖先が移動したおかげにほかならない。[108] 人が食べ物をおいしいと感じる度合いは、ショ糖や脂肪の含有割合と直接関連する。[109] たとえば脂肪酸の一種であるリノール酸は、甘味、塩味、酸味に対する味蕾《みらい》の神経反応を拡大する。[110] もともとの好みや嫌悪が脂肪によって増強されることになる。

今から数十万年前あるいは数百万年前には生存のためにきわめて重要だった食へのアプローチが、現在では、少なくとも食べ物が豊富に存在する地域では通用しなくなった。先進国の大部分で、高エネルギーで低コストの食べ物が簡単に入手できる。ジャンクフードは糖分と脂肪を求める進化上の志向を利用する。そのために、ピークシフトの原理（美への反応を扱ったときに取り上げた）を用いる。つまり、特定の反応をもたらす刺激に狙いを定め、その重要な特徴を誇張して反応を拡大させるのだ。ジャンクフードはわれわれが求める真の栄養源のカリカチュアであり、過食という過剰な反応を引き起こす。

アメリカ国立薬物依存症研究所のノラ・ボルコウと共同研究者らによれば、肥満につながる行動は薬物依存につながる行動と類似している[111]。どちらも同じオピオイド受容体、カンナビノイド受容体、ドーパミン受容体に促進されるのだ。動物実験によると、食べ物への渇望にかかわる脳領域には、扁桃体、前帯状回、眼窩前頭皮質、島、海馬、尾状核、背外側前頭前野が含まれる。これらは薬物依存に関与するのと同じ領域である。

以上をまとめると、食べ物は快感について考えるのにすぐれた出発点となる。食べ物が生存と直接結びついているのは明らかだ。われわれの体は進化によって、正常に発達して生存するのに必要なものを好むように作り上げられてきた。味わいの経験は、さまざまな情報が複雑にまとめられた結果である。われわれは、食べ物のもたらす快感を予想できる仕組み（嗅覚）や、その快感を実際に経験できる仕組み（味覚）を備えている。食べ物のもたらす快感は、新たな連想を生み出す助けとなる。快楽をめぐるさまざまな経験で、脳の同じような領域が使われる。快感は、経験や期待によって変化する。また、ピークシフトの原理と、われわれの脳が進化した環境とわれわれが今暮らしている環境は異なるという事実のせいで、快感が害をもたらすこともある。たとえばジャンクフードは、糖分や脂肪に対する適応的な欲求を利用している。

次章では、食べ物から得られる快感の根底にあるさまざまな原理が、別の欲求にかかわる快感、すなわちセックスにもあてはまることを確かめる。

第3章 セックス

わけのわからぬうちに、私の股間に手を突っ込んだ患者に性器を握られた。1985年、研修医として働いていた真夜中に起きた出来事だ。私は週110時間ほど勤務していた。3日ごとに夜の当直が回ってくる。2時間も寝られればラッキーだった。その晩、私は別の研修医の代わりにこの患者のケアにあたっていた。果てしない「やること」リストに、静脈ラインの留置が載っていた。その女性患者の病室に入ると、真っ暗だった。患者の病状については何も聞いていなかった。静脈ラインを開始し、それから次の仕事に移ることだけを考えていた。ベッドの上の小さな明かりを点け、眠っている患者をそっと起こした。患者は落ち着いているようだった。静脈ラインを留置できる静脈を見つけるため、腕の拘束を解いた。性器を握られたのはこのときだった。

睡眠不足で食事もろくにとれず、セックスもご無沙汰な状態だったが、患者を引きつけたのが自分の魅力ではないことはわかった。相手は誰でもよかったのだ。ナースの胸でも、医学生の尻でも、同じ激しさでつかみかかった。私はまだ神経科の研修をしておらず、患者がクリューヴァー・ビューシー症候群の人間版にかかっていることを知らなかった。この病気の名は、心理学者のハインリヒ・クリューヴァーと神経外科医のポール・ビューシーに由来する。2人は、アカゲザルから前内側側頭葉を切除すると大きな変化が起きることを観察した。[112]アカゲザルはおとなしくなった。通常なら避ける対象に恐怖を覚えなくなった。そして何でも口に入れてしまう口愛過度になった。さらに性欲過剰にもなった。人間にも、これと似た症候群が生じる。[113]私があの夜に遭遇した患者は、ポール・ビューシーがアカゲザルの脳から切除した領域に相当する脳領域に感染が生じていた。あのような行動を抑える文化的および神経的な仕組みが、感染によって完全に破綻していた。患者はこれ以上ないほど奔放に、われわれに深く根づいて種の存続を確かなものとする本能である性的欲求をあらわにした。

セックスの認知科学

人はセックスに心を奪われる。1990年代半ばに全米で行われた調査では、男性の半数以上と女性の5分の1以上が毎日少なくとも1回はセックスについて考えると答えた。[114]これより前の1970年代に行われた調査では、1日のさまざまな時間帯に参加者に電話をかけて、最近5分間にセックスについて考えたかと質問した。26歳から55歳の参加者群では、男性の26パーセントと女性の14パーセントが「はい」と答えた[115]。セックスは儲かる。インターネット上で商業的に難なく生き延び続けている領域の1つがポルノだ。ウェブ上のポルノに毎秒3000ドル以上が費やされているとする報告もある[116]。この性癖が人間特有の執着だと誤解しないでほしい。雄のアカゲザルもポルノを見る。デューク大学の研究者らは、雄ザルが報酬のジュースをなげうっても、興奮した雌ザルの尻の写真を見るのを選ぶことを発見した[117]。ちなみに、雄ザルは雌ザルばかりでなく、地位の高い雄ザルにもよく目を向ける。セックスと権力に心を奪われるわれわれの性癖は、われわれを含む類人猿の脳に組み込まれているのだ。

セックスは認知や感情にかかわる心のスペースの大きな部分を占めているが、セックスに関する科学的な研究は限られている。キンゼイ報告やマスターズとジョンソンによる研究のように画期的な報告は、今もなお例外的だ。おそらく過度の上品志向のせいで、そのような研究は妨げられてきた。そしてその種の研究に携わる者は、変態呼ばわりされることが多い。最近ではオギ・オーガスとサイ・ガダムが、200万人以上のインターネットユーザーがネット検索した言葉にもとづいて性的欲求について調べた。集めた4億個の検索タームのうち、セックスに関するものが4分の1以上を占めていた。彼らのじつに興味深い著書『性欲の科学』は議論を巻き起こし、人のセクシャリティーについて類を見ない新たな見識を提示したとする歓迎の声から、文化的なステレオタイプを作り上げて性的欲求における性差を単純化しているという批判まで、反応は多岐にわたった。この分野の研究には慎重な姿勢が見られるが、セックスの神経生物学に関する知見は増大している。研究から出てきたテーマのなかには、食べ物について考察したところですでに触れたものもある。

3つのフェーズ

セックスは、さまざまな幕からなる劇のようなものと考えることができる。第1幕が欲求、次が性的な刺激と快感、そして最終幕が余韻、すなわち性的に満たされたあとのけだるい高揚感だ。これらの各幕で脳が示す反応についてわかっていることの大半は、異性愛者の若い男性を対象とした研究によるものだ。そのような男性なら大学のキャンパスでいくらでも見つかるし、セックスの研究と聞けば嬉々として協力してくれる。

われわれは自分の欲するものに近づいていく。すでに見たとおり、それを助けるのが扁桃体だ。前章で、われわれと食べ物とのかかわりにおいて扁桃体がこの役割を果たすことを確かめた。どうやらセックスについても同じことが言えるらしい。動物では、扁桃体は性的反応を活性化する。人間でも同じパターンが見られる。若い男性に官能的な短い動画を見せると、扁桃体の活動が活発になる。[118]この活動によって男性が興奮し、欲望の対象へ突き進むと考えられる。つまりうまく対象に接近でき、ペニスかクリトリスが刺激されると、扁桃体の活動が低下する。

り扁桃体の活性化は、欲望にもとづく行動へ人を駆り立てるのに重要で、目的が達成できたらおとなしくなるのだ。

神経伝達物質のドーパミンは、欲求において大事な役割を果たす。脳幹から報酬系のさまざまな領域、たとえば腹側線条体（特にその主たるパーツである側坐核）、扁桃体、視床下部、中隔、嗅結節などにドーパミンが送られる。すでに見たとおり、これらの領域はわれわれが食べ物を欲するときに働く。そしてセックスを望むときにも働くのだ。神経科学者のイッハク・アハロンと共同研究者らは、異性愛者の男性は魅力的な女性の写真を見るためには余分な労力を費やし、このときに側坐核の神経活動が亢進することを示した。[48] コカインとアンフェタミンはドーパミンの作用を増強し、性的欲求を高める。性的興奮時に亢進する視床下部の神経活動は、ドーパミン受容体に作用するアポモルヒネという薬物によって増強する。[119] 反対に、ドーパミン受容体を阻害する抗精神病薬や一部の抗うつ薬は、性的欲求を抑制する。

われわれはドーパミンの働きでセックスを期待するが、ドーパミン自体が性的快感の強烈なピークをもたらすわけではない。勃起障害のある男性にアポモルヒネを投与すると、性的興奮を高める画像に反応して脳内の神経活動が増強するが、快感は増強しない。[120] 神経科学者は、ドーパミンがセックスへの期待を調節する仕組みについて、人間では試験できないような要素を含む実験も、ラットを使って行うことができる。極細のカテーテルを脳に挿入し、報酬に関して重要な領域の化学的環境を調べる。受容行動を示す雌ラットと雄ラットのあいだにバリアを設けて隔離すると、雄の側坐核にドーパミンがあふれる。それから雌と交尾ができるようにすると、ドーパミン濃度は急激に下がる。しかし雄が新たな雌を目にすると、興奮の度合いとドーパミン濃度は再び上昇する。[121]

性的経験が人をどれほど夢中にさせるかを考えたら、性的に興奮した人の脳でたくさんのパーツが活発に活動するのも不思議ではない。[122] ここで活躍するのが、島、前帯状回、視床下部だ。島は体内の状態を監視し、心拍や血圧、発汗反応といった自律神経系の機能を調節する。前帯状回はエラーを監視し、将来の行動を導く。視床下部はプロラクチンやオキシトシンといったホルモンの血中への分泌を調節する。通常の報酬系に加えて、感覚野の一部も関与する。

ご想像のとおり、オルガスムの最中に脳内で起きることを調べるのは難しい。これまでに得られているわずかな情報によれば、男女ともに腹側線条体の活動が活発になる。この活動は予想どおりである。というのは、多数の研究で腹側線条体の主要なパーツである側坐核が快感と結びつけられているからだ。おもしろいことに、オルガスムの最中には脳の多くのパーツで活動が低下する。[123] 腹内側前頭前野、前帯状回、海馬傍回、側頭葉極の活動が低下するのだ。腹内側前頭前野は、人が自分や自分の抱く恐怖について考えるときに活動が活発になる。前帯状回は、エラーを監視しているときに活発になる。側頭葉の両極は、世界に関する知識をつかさどる。風景について論じたところで見たとおり、海馬傍回は外部環境を表象する。これらの領域における神経活動の低下は何を意味するのだろうか。人が恐怖を覚えない状態、あるいは自分自身や将来の計画について考えない状態にあることを意味するのかもしれない。特に何も考えず、自分と環境を隔てる境界が消えてしまった状態にあるのだ。この非活動化のパターンこそ、快楽の中心的な経験を取り巻く純然たる超越的な経験をしているときの脳の状態かもしれない。

フランス文学では、オルガスム後の感覚をla petite mortすなわち「小さな死」と呼ぶことが知られている。フロイトはオルガスムにより、エロスが去ったあとにタナトス（死の衝動）が訪れるための道が開くと考えた。これらの死のイメージは、オルガスム後の物憂い感覚をとらえているが、気持ちの満たされた感覚はとらえられていない。この満足した気分は、おそらくベータエンドルフィン、プロラクチン、オキシトシンの放出によるものだ。視床下部がプロラクチンとオキシトシンの分泌を調節する。授乳中の女性の泌乳を助けるホルモンであるプロラクチンは、性的な充足感をもたらす。少なくとも男性においては、プロラクチンはオルガスム後の性的欲求がほぼ消失する不応期において重要な役割を担う。バイアグラのような薬が男性に大人気であることを考えると、この不応期を最小にするべくプロラクチン阻害薬の研究が進められているのもうなずける。一方、オキシトシンは信頼感や親近感に関係するホルモンだ。[124]セックスにおいては「抱擁」ホルモンとなる。オルガスム後の状態を死のメタファーで表現する人は、死について他の人が知らない何かを知っているのでない限り、エンドルフィンやオキシトシンのもたらす熱い高揚を無視している。

性的に満足すると、外側眼窩前頭皮質の神経活動が活発になる。[123]これは食べ物に満足したときに神経活動の亢進が見られるのと同じパターンだ。この領域の神経活動は、衝動的にふるまおうとする反射的な傾向を抑制する。この領域や前側頭葉および内側側頭葉が損傷すると、性欲過剰をきたすことがある。欲求が充足されているか、あるいは欲望のままにふるまえば問題が起きるという理由で行動を調節するこれらの領域が、私の性器につかみかかった例の患者において損傷していたのはほぼ間違いない。

快感とは、望ましい対象に対する単純な反射的反応ではない。すでに食べ物についてこの原理を確かめたが、セックスについても同じことが言える。対象に接するコンテクストが、主観的な経験に大きく影響する。たとえば痛みは快感に影響し得る。女性は性的に興奮すると痛みに対する閾値が上がる。この閾値は膣への刺激では平均40パーセント、オルガスムの直前や最中には１００パーセント上昇する。[120] 痛みがこのように変化するにもかかわらず、感覚自体が鈍るわけではなく、また興奮の度合いが下がるわけでもない。むしろ同じ強烈な感覚が痛みとして経験されなくなる。興奮している最中には、脳内で島と前帯状回の活動が活発になる。[125] 痛みを感じているときにも、これらの領域が活発になる。おもしろいことに、激しい痛みを経験している人は、オルガスムを経験しているときと同じように顔をしかめる。この場合、痛みをもたらす感覚は依然として経験されるが、不快ではなくなっている。

脳が痛みの興奮作用を保ちながら不快な作用を排除する仕組みをもっているのはなぜなのだろう。この仕組みの適応上の意義は、おそらく分娩時の痛みの性質を変えることだろう。分娩による「膣への刺激」が起きている最中の痛みを軽減することは、女性がこの先も分娩を繰り返す場合に助けとなる。この適応的な仕組みから、本来なら痛みを伴う刺激がセックスの最中には快感をもたらす理由が説明できる。痛みの感覚は依然として強烈だが、性的に興奮しているあいだは不快に感じられない。出産《プロクリエーション》のために進化した適応的な仕組みが、快楽《レクリエーション》のために共選択されたのだ。

快感と学習

快感は学習を助ける。動物実験では、報酬として餌やジュースを使うことが多い。ニュートラルなものと食べ物を結びつけて、ベルやホイッスルの音を聞いたパブロフのイヌに唾液を分泌させることができるのと同じように、セックスをニュートラルな対象と結びつけることは可能だ。このような関連づけは、フェティシズムが生まれる仕組みの1つである。1960年代に行われた実験で、若い男性を対象として、性的興奮をかき立てる画像をニーハイブーツとともに見せた。その後、この男性たちはブーツに性的興奮を覚えるようになった。[126] セックスとニュートラルな対象との関連づけは、脳や行動が性ホルモンによって形成されている最中の思春期にとりわけ強力に作用するのかもしれない。この現象により、フェティシズムが場合によっては他の人に奇妙に思われる理由がいくらか説明できる。フェティシズムの対象をセックスの快感と結びつける経験をしたことがない人には、その対象が本来はニュートラルなものであることから、そのようなフェティシズムが奇妙に思われるのだ。

性的快感を学習に利用するとなると、暗い側面が伴う。医学的治療法の記録には、きわめて不穏な目的でこの種の学習を利用した事例が見られる。これから紹介する事例は本章の主旨から外れるが、触れずにおくことはできない。私の職業にまつわる恥部について懺悔《ざんげ》したいのかもしれない。快感の欠如を指す「アンヘドニア」という医学用語がある。これはうつ病や統合失調症といった精神疾患でしばしば生じる症状だ。1950年代から60年代にかけて、感情の神経的基盤のマッピングに関する研究が大きく進展していた。大脳辺縁系の深部を電気的または化学的に活性化すると、強い快感が生じることが発見された。刺激したのはおそらく側坐核だ。人間において、この刺激は複数回のオルガスムをもたらした。精神科医のロバート・ヒースは、患者のアンヘドニアを緩和するのにこの刺激法を用いた。生物学的精神医学をいち早く提唱した彼は、ほとんどの精神疾患には身体的な原因があるということが広く認められるようになる前からそう考えていた。彼はまた、刺激法によって同性愛も治療できると思っていた。

1972年、ヒースはチャールズ・モーンと共同で、[127] B-19と呼ばれる男性に対して深部脳刺激を用いた研究を発表した。この24歳の男性は、心理的および社会的な背景に問題を抱えていた。父親は大酒飲みで彼を虐待した。母親は内向的で融通が利かなかった。B-19は母親に抱きしめられた記憶がなかった。11歳までに3回、学校を追い出された。そこで学業をやめ、何回か仕事に就いたが長続きはしなかった。それから軍隊に入ったが、「同性愛的傾向」のために除隊させられた。心気症と偏執傾向があると報告された。アルコールと薬物に依存するようになったが、本人はこれらやあるいはセックスから快感は得られないと語った。ヒースのチームは、前頭葉、頭頂葉、中隔野、海馬を含めてB－19の脳全体に電極を設置した。快感をもたらしたのは、深部辺縁域を電気的に刺激したときだけだった。ヒース博士は、当時アメリカ精神医学会が疾患と見なしていた同性愛を「治す」可能性を見て取った。B－19の脳を刺激しながら、男女がセックスしている15分の「ポルノ」映像を見せた。この治療の効果を「テスト」するため、21歳の売春婦を彼の部屋に送り込んだ。すると、B－19は彼女とセックスできた。この治療のあと、彼は既婚女性と短い不倫関係をもった。男性とのセックスも続けたが、それは（研究者の報告によると）売春をすれば手っ取り早く稼げるからだった。しかし医師らは、この研究で大事なのは「新しくより適応的な性行動の獲得における快感刺激の効果」だと結論した。翌年の1973年、『精神障害の診断と統計マニュアル』の疾患リストから同性愛が削除された。私の知る限り、これ以降、B－19に対して行われたのと同じような研究は行われていない。

セックスと快感について、どんなことが言えるだろうか。明らかなのは、性的快感は最も基本的な意味で適応を助けるということだ。セックスの快楽のおかげで、更新世の祖先がわれわれ子孫を残すことができた。彼らには人工授精という選択肢はなかった。セックスの快感の仕組みは食べ物と同じように欲求という要素をもち、またその欲求を満たすための行動という要素や、快感自体を楽しむという要素ももつ。性行動にブレーキをかける仕組みもある。快感は、本来は快感をもたらさない対象への感情的愛着を学習して発達させるのを助ける。また、セックスの快感はコンテクストによって変化し得る。罪悪感や羞恥心とともに経験した場合、痛みをもたらすものが快感をもたらし、快感をもたらすものが痛みをもたらすこともある。食べ物と同様、セックスの基本的な快感はさまざまな影響を受けやすい。これらの経験が非常に柔軟だという事実を理解することは、美やアートに対するわれわれの反応について考える際にきわめて重要となる。審美的遭遇も、コンテクストによって、そしてその遭遇にわれわれが持ち込む経験によって、大きく変化する可能性がある。

快感は放埓だ。フェティシズムの例から、快感はたやすく別の対象と結びつくことがわかる。この「別の対象」にはお金も含まれる。少し前のこと、私はフロリダ州ウエストパームビーチの高級イタリアンレストランで豪華なディナーを食べていた。ウエストパームビーチはアメリカ有数の富裕地域だ。私がそんなところにいたのは、ペンシルヴァニア大学医学部の資金調達イベントのためだった。大富豪の聴衆に向けて、彼らが新たな学びに気分をよくし、医学部を支援するために嬉々として高額の小切手を切ってくれることを期待して、何人かの教授が科学について短い講演をした。そしてイベントの締めくくりが、この豪華なディナーだった。私の左側には、70代後半の小粋な男性がいた。25歳ほど年下の同伴女性は、一目で高価だとわかるジュエリーを着けていた。男性は話し好きで魅力にあふれる人物だった。私が美学に関心をもっていることを明かすと、私たちの会話は熱を帯びた。彼は長年にわたって趣味で絵画をたしなんでいて、かつて画家のフェルナン・レジェと交流したことがあると話した。私は美学の科学に関する本を書くつもりだと彼に告げた。料理とワインを堪能しながら私の話に耳を傾けていた彼は、私の体を引き寄せて知恵を授けてくれた。「本をたくさん売りたいなら、セックスのことをたくさん書くんだな」と彼は言った。本章と、お金をテーマとする次章への展開は、ディナーをともにしたこの小粋な男性に敬意を表したものだ。彼はセックスがお金と密接に結びついていることを理解していた。どのくらい密接か？　それは次章で扱うトピックの１つだ。

第4章　お金

「カネ、カネ、カネ、カネ、カネ！」と男性は興奮して叫んだ。彼の語彙はこの1語のみで成り立っている。怒ったときにはあたかも呪いの言葉のごとく「カネ」と吐き出すように言う。おびえているとき、あるいは喜んでいるときや悲しいときにも、同じ言葉で感情を表現する。この男性は、1990年代末に私が勤務するペンシルヴァニア大学病院の神経科病棟の患者だった。脳の左半球に重度の卒中をきたし、会話がほぼできなくなった。彼は神経学で指折りの有名人であるタンという患者を思い出させた。タンは神経科医のポール・ブローカが1861年に報告した患者で[128]、本名はルボルニュといった。「タン」と呼ばれていたのは、これが彼の発音できる唯一の音節だったからだ。彼も脳の左半球に重度の卒中をきたしていて、人間の大脳半球機能における言語の左右分化を示した最初の症例だった。カネと叫ぶ男性と同様、タンも自分の使える唯一の語を使って多様な感情を表現した。1861年以降、タンのような症例が多数観察されるようになった。単語を1つか2つ口にする患者もいれば、意味のない音節を発する患者もいる。ルボルニュや私の病棟の患者のような患者は、語彙の大半が使えなくなる。それでも脳損傷による破壊に耐えて、いくつかの言葉が生き残る。私のところの患者が銀行員だったのか金融業者だったのかは知らないが、とにかく「カネ」という言葉が脳の奥深くに刻み込まれていた。これは極端な例だが、お金はしばしばわれわれの脳に深く刻み込まれている。

なぜお金が快感と結びつくのか?

快感について議論しているのに、なぜここでお金について考えなくてはならないのか。お金は欲求と直接結びついているわけではない。ふつう、お金を食べることはないし、お金とセックスもしない。お金は抽象的な対象と思われる。経済学者は従来、人がお金に関する決定を下すときには合理的に考え、利益を最大にしてコストを最小にすると想定してきた。また、人は自分の好きなものを理解していて、その好みは不変だと考えてきた。このような世界観において、われわれの決定はロジックに支えられて熟慮の末に実行されることになっている。われわれは重要な情報を特定し、状況を正確に分析するとされる。これがわれわれとお金との関係の正確な記述なら、われわれは快感の尺度としてのみお金に関心をもつのかもしれない。お金は食べ物やセックスのもたらす快感への対価としてどのくらい支払う気があるかを定量化する手段にすぎないのかもしれない。

だが、われわれとお金の関係はそれよりはるかに厄介で興味深い。そして快感をめぐるわれわれの議論に関係する。われわれのほとんどはお金について合理的でない。不合理になってしまう原因は少なくとも2つある。第1に、われわれの決定の多くは、われわれが信じているよりも自動的に下される。たくさんの決定を下すために、手っ取り早くてずるい近道を用いる。そうした近道が進化したのは、おそらくそれがわれわれの祖先にとって役に立ったからだ。第2に、われわれの決定はしばしば感情に影響される。その感情はポジティブなこともあればネガティブなこともある。

われわれはお金をもらえばうれしくなり、お金を失えば苦痛を覚える。そうした経験ゆえに、お金は直接的な欲求とは結びつかないものから快感を得ることについて考えるコンテクストをわれわれに与える。われわれはお金自体に快感を覚えるのか。お金から得られる快感を支える神経的基盤は、食べ物やセックスの場合と似ているのだろうか。お金はわれわれが快感から距離を置く方法や理由をさらに詳しく探究する手立てとなる。食べ物やセックスのところで見たとおり、「接近行動」を抑えるべき状況が存在する。お金は報酬をすぐに受け取るかあとで受け取るかを選択できる、さまざまな状況をもたらす。

昨今、神経経済学という分野が大流行している。科学者は、脳の働きがわかればわれわれがお金について決定を下す仕組みについて大事な事実がわかり、うまくいけばよりよい決定を下す指針が得られると楽観的に信じている。ここでの議論に関係する第1の疑問は、お金自体が快感をもたらすのかだ。そうだとしたら、なぜそうなのか。お金は紙片か金属片か銀行の記録に記された数字にすぎない。たとえば私が壁に絵を飾ろうとしてハンマーを手に取った場合、ハンマーから快感が得られるとしてもそれを明確に示すことはできないだろう。ハンマーは役に立ち、私はその効用の恩恵にあずかる。しかしハンマーをつかんでいるときに私の脳をスキャンしたら、おそらく報酬中枢のニューロンはハンマーなど気にかけていないことがわかるだろう。一方、お金となると事情が違う。お金は報酬系を活性化するのだ。

お金とそれ以外の報酬の類似と差異

お金はセックスと同じく、受け取った場合の快感を期待する脳内の系を作動させ、また実際に受け取ったときに快感の経験をもたらす系も作動させる。実際、お金は非常に強力な報酬であり、無意識的にお金の写真を目にしただけでも報酬系の一部が活性化する。[129] 実験室で経済ゲームをして参加者が本物のお金を受け取ると、腹側線条体と内側眼窩前頭皮質の一部が活性化する。お金を期待するだけでも、腹側線条体の活動が活発になる。対照的に、内側前頭前野は実際にお金を受け取ってから反応するらしい。[130]

快感は、痛みや喪失のない状態とも結びついている。脳内で、痛みや喪失は単に快感領域の活動の低下した状態ではない。食べ物やセックスのところで見たとおり、脳では快感領域以外に痛みや嫌悪を活発に処理する部分がある。お金を失うと、これらのパーツが発火する。[131]嫌悪を処理するのは前島、外側眼窩前頭皮質、扁桃体の一部などで、これらはわれわれがリスクや不確実性を経験すると活発化する。[132]前に見たとおり、外側眼窩前頭皮質はわれわれが食べ物や飲み物で満足すると活動が高まる。こうなると、同じ味から得られる快感の度合いが下がり、ときには嫌悪をもたらすこともある。前島は自律神経系と結びつき、嫌悪を経験すると活発になる。この前島の活動は、腐った食べ物などに対して内臓が示す嫌悪反応の脳バージョンだ。金銭取引で嫌悪を覚えたときにも、前島は活発になるらしい。

快感を予想する神経回路は、快感の経験を処理する回路とは異なる。また、われわれに欲求に従った行動を選択させる回路とも異なる。食べ物、セックス、お金といった異なる種類の報酬がかかわる場合、行動を予想したり楽しんだり選択したりするのに同じ神経構造を使うのかどうかは明らかでない。大半の研究は、人がさまざまな対象による快感を経験する際に、内側眼窩前頭皮質が活発になることを示している。フランスのリヨンで行われた神経科学の研究では、腹側線条体、前島、前帯状皮質、中脳が、報酬の種類（この研究ではお金か性的に刺激的な画像）にかかわらず主観的な報酬を処理することを発見した。このことは、お金とセックスから得られる快感が脳内で同じように処理されることを示す。しかし眼窩前頭皮質の別の部分では、金銭的な利得は進化的に新しい部位の活動を引き起こすのに対し、エロチックな画像は進化的に古い部位の活動をもたらした。[133] お金から得られる快感の一部は比較的最近になって発達したもので、大半の霊長類には存在するがそれ以前の哺乳類にはなかった脳領域で処理されるのかもしれない。

お金によって活発化する脳領域が、食べ物やセックスから最も基本的な快感を得るときに活発化する領域と類似しているのはなぜなのだろう。１９７０年代末、ハバフォード大学の学生だった私は、夜になると友人たちとピンボールに興じていた。図書館で夜更けまで勉強したあとでプレイすることも多かった。プレイするには25セントコインが必要で、いつもコインの争奪戦が起きた。あるとき私たちは25セントコインを「快感の円盤」と呼ぶようになった。実際、それは快感の小さなかけらだった。ほとんどの人はとても頻繁に、とても幼いうちからお金を快感と結びつけて経験するので、お金自体が快感の衣をまとうようになる。このようなお金と快感の結びつきは、パブロフのイヌにとっての餌とベルの音、あるいは性的に刺激的な画像とフェティシズムの対象としてのニーハイブーツの結びつきと同じようなものだ。メリアム・ウェブスター英語辞典によるとフェティッシュとは、魔術的な力をもつと信じられているもの、あるいは不合理な崇敬や強迫的な傾倒の対象と定義される。われわれ（アメリカで暮らす者）は、文化としてお金をフェティシズムの対象としているように感じられる。

お金と不合理な行動の関係

心理学者のダニエル・カーネマンとエイモス・トヴェルスキーは、経済学に関するわれわれの考え方に大きな影響を与えた。[134] カーネマンはノーベル経済学賞を受賞したが、トヴェルスキーはその前に亡くなってしまったので受賞できなかった。2人が開拓した行動経済学という学問によって、われわれが論理的とは言えない行動をとる数々の状況が明らかにされている。人には意思決定に影響するさまざまなバイアスがあり、その1つが金銭的なバイアスだ。お金にかかわる決定のダイナミクスを説明するために、金銭操作を牛耳る組織に目を向けよう。と言っても「破綻させるには大きすぎる」ウォール街の金融機関ではない。「破綻などあり得ない」ラスベガスやアトランティックシティーのカジノの話をしたい。

状況の提示の仕方によって、経験をめぐる感情の色合いに大きな影響が生じる。[134] カジノやたいていの広告代理店は、特定の情報を巧妙なやり方で提示することにより、われわれの選択を誘導する。たとえば宝くじの券を買う人は、当たらない確率が90パーセントの券よりも当たる確率が10パーセントの券をほしがる可能性が高い。カジノの広告は勝つ可能性だけを強調し、負ける可能性のほうが高いことにはいっさい触れない。カジノ行きのパック旅行は、リゾートに滞在することで得られるメリットやさまざまな割引ばかりを強調する。まるで客が恩恵を受けているかのようだが、じつはもてなしに対価を支払っているだけだ。

カジノの開発業者は、人間が社会的な生き物であることを理解している。われわれの覚える満足感は、他者との比較によるところが大きい。次の2つのシナリオを提示されると、人は一見不合理な選択をする。カウンターにたどり着いたときに現金がもらえると聞いて、行列に並んでいるとしよう。一方のシナリオでは、100ドルもらえる。もう1つのシナリオでは150ドルもらえるが、自分の前に並んでいた人は1000ドルもらう。2つめのシナリオよりもらえる金額が少ないのに、ほとんどの人は1つ目のシナリオのほうがよいと思う。人は基本的な必要が満たされると、得られる報酬の絶対的な大きさよりも集団内の自分の相対的な位置を気にするようになる。この事実を踏まえて、カジノは賭け金の額によって客を分けるように設計されている。カジノ側としては、150ドル儲けた客が、隣のテーブルの客が1000ドル儲けたからといって気分を損ねるようなことがあってはならないのだ。

カジノは社会心理学でいう「保有効果」を抑えることも目指す。保有効果とは、自分が保有しているものに対し、それが自分のものでない場合よりも高い価値を認める現象である。カジノは客がお金を失っても気にしないように、所持金の価値を低く評価させようとする。保有効果を理解するために、次の状況について考えてみよう。何人かの人を2つのグループに分ける。一方のグループには無料でマグカップを与え、他方には無料でペンを与える。どちらのアイテムも値段は同じだ。ここで両グループに、もらった品物を交換してもよいと告げる。マグカップのほうがよいと思う人がいるかもしれないし、ペンのほうがよいと思う人もいるだろう。だからかなりの人が品物を交換すると予想されるかもしれない。ところが実際にそうする人はごくわずかである。[135]対象を保有するだけで、その価値が高まるのだ。いくつかの研究では、自分の保有するものについて、それを買いたい人が支払ってもよいと思う金額の最大2倍の価値を認めている。お金にもこの効果が働く。自分のポケットにあるお金は自分のものだ。私の考えでは、対象が特定の国の貨幣のデザインのようにわかりやすい場合、保有効果はいっそう強くなる。紙幣は細心の注意を払ってデザインされた、すばらしい審美的対象だ。多くの人は、他国の貨幣よりも自国の貨幣のほうが美しいと感じる。アメリカ人はしばしば他国の紙幣のさまざまな色をけばけばしいとかおもちゃのお金のようだと思うが、よその国の人から見れば、サイズや色に金種ごとの違いのないアメリカのドル紙幣はつまらない。われわれは貨幣に対し、象徴的な交換手段ではなく審美的な所有物として、それで購入できる品物やサービスを超えた高い価値を認める。われわれは貨幣を手放したがらず、手放すときには苦痛を覚える。

　われわれは失うこと、すなわち負けることを嫌う。私のパートナーのリサ・サンターは、人と競い合うゲームをするのが好きでない。彼女はとても聡明で競争心があり、ゲームをすればたいてい勝つ。ところが勝つうれしさよりも負ける悔しさのほうがまさるのだ。そんなわけで、負ける可能性が少しでもあればゲームをやらない。競争にせよ品物の交換にせよ、誰でも程度の差こそあれ、このように負けを嫌う気持ちが脳に組み込まれている。平均すると、負けを嫌がる気持ちの強さは勝ちを喜ぶ気持ちの2倍ほどになる。この不均衡のせいで、たいていの人は本質的に保守的だ。対象に認める価値が高ければ高いほど、それを失いたくないと感じる。

　カジノは、そして企業全般は、客がお金を失うときに感じる苦痛をごまかそうと手を尽くす。支払いを現金ですると、所有していたものを手放すことがはっきりと実感される。それに対してクレジットカードで支払えば、カードは手元に戻ってくる。われわれはカードで支払う場合、現金のときと比べて支払ってもよいと思う金額が高くなる。[136] カード払いを好むことには金銭的な理由もあるが、現金と比べてカードを使う場合の金銭的なメリットだけでは、カード払いのときに許容する支払い金額がはるかに高くなる理由が説明できない。

　コストが隠されている場合に、客がサービスに対して支払う額が多くなる例はいくらでも挙げられる。公共料金や電話サービス、フィットネスクラブなどでは、必要以上の金額であっても定額プランに申し込んでしまう。定額プランなら、追加のコストを気にせずサービスを利用できる。パック旅行にも惹かれてしまう。プランに含まれるアイテムが「無料」とうたわれていても、じつはそんな言葉は無意味だ。カジノやリゾートは全部込みのパッケージを巧みに利用する。客にお金を手放させながら、あたかもただで何かが提供されているような錯覚を生み出す。似た例で言えば、マイレージサービスのポイントのように特殊な抽象的通貨や、バケーションリゾートで使われるビーズのような模擬通貨は、支払い時の苦痛を包み隠す。カジノのチップも同じ目的を果たす。チップをどちらかというと地味でおもしろみのないものにすると、保有効果が抑えられる。紙幣とは違い、自分に所属するものという気がしない。このようにして価値の感覚が押し下げられると、一夜のうちにチップが初めより減ってしまっても、さほど苦痛を感じなくなる。

企業はとても巧みにコストを隠すようになっていて、金融機関はコストを自らの目から隠しさえする。２００８年の大規模金融破綻は、複雑な金融派生商品が損失リスクを隠していたことで推進され、そのせいでウォール街がリスキーな行動へどんどんはまっていってしまった。依存症患者と同じように、ウォール街はリスクを顧みることなく報酬を求めた。結局のところ、ただほど高いものはなかった。

カジノは客が不合理な判断をするように設計されている。多くの神経科学者の考えでは、われわれの判断のほとんどは、突き詰めれば３つのタイプのいずれかだ。パブロフ的、習慣的、目標指向的という３つである。ここで大事なのは、これらの判断が協調的に作用してわれわれの行動を強化することもあれば、ばらばらに作用してわれわれを困惑させることもあるという点だ。パブロフ的な判断は、反射的で自動的に下される。習慣的な判断は学習された複雑なもので、時間が経つにつれて自動的になる。目標指向的な判断も複雑だが、思考と熟慮の末に下される。

これらの判断の仕組みやそれらの相互作用の詳細については、科学者たちが議論している。[137]しかし、われわれの反応が自動的な場合もあれば熟慮の末に下されることもあり、またわれわれが感情に動かされることもあればロジックに従うこともあるのは確かだ。カジノは客に熟慮の末のロジカルな判断ではなく、自動的で感情まかせの判断を望む。客がプレイを続けてお金を失い、こんなことをしていてはいけないとわかっていながら、次は勝てると望みを抱き続けることが彼らの狙いなのだ。

「あなたの望むものが、すべてここに」とハラーズ・カジノのウェブサイトは呼びかける。カジノは基本的な報酬をふんだんに与える。安い食べ物をどっさり出す。ギャンブルエリアでは露出度の高い衣装を着けた接客係があちこちに立ち、アルコールで客の財布のひもをゆるめようと待ち構えている。この種の場所には、セックスワーカーもつきものだ。カジノは快感をもたらすものが周囲にあれば、客がそれに対して反射的で自動的なパブロフ的反応をするよう促す。パブロフ的な選択は、脳内で扁桃体[138]から、扁桃体と側坐核との連絡を通り、視床下部を経て発現する。すでに見たとおり、これらのパーツは脳の奥深くに位置し、われわれは通常それらが自分の行動に与える影響に気づかない。そのせいで、われわれはしばしばパブロフ的反応によって自分の判断が動かされていることにも気づかない。

　カジノはパブロフ的行動と結びつけて習慣的行動を促進する。その名が示すとおり、習慣的行動はわれわれが時間をかけて学習した反復的な行動から生じる。たとえば毎日同じルートで自動車通勤する場合、アクセルとブレーキのどちらを踏むか、あるいは曲がるか直進するかなど、さまざまな判断を下すが、これらの判断は自動的に下され、通常は意識と無意識の境目にある。これらの動作を学習するまでは時間がかかるが、いったん覚えてしまえば忘れることはない。

パブロフ的行動と習慣的行動は、ときには有害な形で、ときには役立つ形で、互いに働きかける。強迫性障害をもつ人は、儀式を繰り返さずにいられない。この場合、行動を反復すると不安が軽減し、弱い快感が得られる。パブロフ的行動と習慣的行動の結びつきを強めるように環境が設計されている場合もある。スロットマシンでプレイしている人を観察したことのある人なら、私の言いたいことがよくわかるはずだ。いくつかのマシンのレバーを引く動作を繰り返す人には、儀式的習慣の特徴をことごとく見て取ることができる。レバーを引くという習慣は、予想不可能でにぎやかな賞金の授与という報酬と結びついている。スロットマシンは習慣的行動とパブロフ的行動を結びつけることで、客に何度もプレイ（および支払《ペイ》い）を繰り返させる。依存症患者の行動を「習慣」と呼ぶのは理にかなっていると言える。

別の状況で、同じようにパブロフ的行動と習慣的行動が結びついているのを目にすることもある。宗教の信者が祈りの言葉を唱えながら体を上下に動かしたり、片腕を宙に挙げて同じ場所をぐるぐる回ったりする動作を繰り返す場合、おそらく習慣的行動が宗教的陶酔状態のもたらす快感と結びついている。もっと卑近な例を挙げれば、アスリートは四六時中、こうした行動の結びつけをしている。たいていのプロバスケットボール選手は、フリースローラインからシュートする前に各自の独特な習慣的動作をする。シュートを決めるという不確実な報酬が得られるように、選手は儀式的行動を続ける。

カジノは最初の2種類の意思決定を何よりも明白に利用しているが、目標指向的行動についても理解し操作している。食べ物、セックス、強迫的行動の機会に加えて、カジノはお金を勝ち取るチャンスについても熟慮のうえで客に差し出す。ブラックジャックをプレイするには、戦略的な意思決定が必要だ。常に、どのカードが場に出ているか、それらのカードは自分の手札と比べてどうか、などの情報にもとづいて判断を下す。このゲームでは、目標指向的行動をとることになる。目標指向的行動は、パブロフ的行動や習慣的行動よりも柔軟性がある。われわれは目標指向的行動によって状況を判断し、周囲の状況の変化に応じて行動を変更する。この系は意識しやすい。われわれはふつう自分の下した選択の理由を説明できる。この系は前頭頭頂回路を使い、背側線条体、島、前帯状回、眼窩前頭皮質などの領域の活動を活発にする。これらの脳領域の一部は痛みや嫌悪も処理することから、この系は費用便益に関する「合理的」な判断を下す際に、ネガティブな感情要因を考慮するように設計されていると思われる。

熟慮された目標指向的行動は、合理的な選択に最も近い行動である。しかしブラックジャックの例からわかるとおり、合理性が行動の指針として不十分な場合もある。カジノのゲームでは、店に有利なようにオッズが設定される。これはよく知られた話だ。客はカードをカウントしないで（すると店から追い出される）十分に長くプレイすれば、お金を失うとわかっている。それにもかかわらず、何時間もぶっ続けでプレイしてしまう。なぜそんなことをするのだろう。それは、このシナリオでも、カジノはわれわれの行動に組み込まれている不合理なバイアスを利用するからだ。

カジノは勝ったときの客の喜びを最大にする。客が勝つことなどしょっちゅうあるわけではないのだが。じつのところ、カジノは客がめったに勝たないという、まさにその事実を利用するのだ。B・F・スキナーは、報酬が行動に与える影響を調べた。彼は20世紀前半に心理学で優勢だった行動主義を提案した主要な人物だ。われわれは報酬のもらえる行動を反復するように条件づけされるというのが、彼の基本的な考えだった。[139] この事実は十分に明白だ。しかしこの種の「強化条件づけ」で興味深いのは、行動をするたびに確実に報酬が得られるときよりも、報酬が間欠的で予想不可能なときのほうが、われわれは行動を頻繁に繰り返すという点だ。つまり私が何か（たとえば政府研究助成金の申請など）をした場合に報酬をもらえるときともらえないときがあって、それが予想不可能な場合のほうが、毎回必ず報酬がもらえる場合よりもその行動をやり続ける可能性が高いということだ。この「間欠的強化スケジュール」は、実験室でラットにレバーを何度も押させたり、カジノで人間にレバーを何度も引かせたりするのに何よりも効果を発揮する。

カジノは客を衝動的にするように設計されている

カジノは客に近視眼的な判断をさせたがる。目標指向的ではなくパブロフ的あるいは習慣的な行動をとらせようとするのだ。短期的な利益と長期的な利益のどちらを取るかの判断は、要するに神経経済学でいう「割引関数」だ。この関数は、報酬をすぐに受け取る場合とあとで受け取る場合の相対的な価値を記述する。1カ月後に20ドルもらうよりも今日10ドルをもらいたいか。すぐにもらう報酬とあとでもらう報酬の価値のとらえ方は、人それぞれだ。私の同僚のジョー・ケイブルは、ニューヨーク大学の神経科学者ポール・グリムシャーとの共同研究で、この関数にかかわる神経活動を腹側線条体と内側前頭前野で発見した。[140] 医学生など多くの人は報酬を先送りできる。一方、衝動的な人は報酬をすぐにもらいたがる傾向がある。カジノは客を衝動的にするように設計されている。

人を近視眼的にする1つの方法は、熟慮にもとづく目標指向的行動系を疲弊させることだ。熟慮に必要な思慮深さや柔軟性には、疲労というコストが伴う。この疲労の影響を調べた実験で、参加者に単純な2桁の数字かもっと手ごわい7桁の数字を覚えさせた。それから実験の次の段階へ進むため、別の部屋へ歩いて移動させた。移動の途中で、参加者はフルーツサラダかケーキの置かれたテーブルの前を通り過ぎた。7桁の数字を覚えるのに労力を費やしたグループのほうが、簡単な2桁の数字を覚えたグループよりもケーキを取る割合が高かった。[141] 熟慮系が休息したのだ。空腹でないときに余分なカロリーを摂取する意味を考えるよりも、糖分と脂肪を欲するパブロフ的な欲求のほうがまさったのである。

疲れているときや酔っ払ったとき、あるいは気持ちが高ぶっているときなど、われわれはさまざまな場面で近視眼的になる。1つの対象に対する欲求は、別の対象に波及する。依存症患者は、薬物やお金を欲するときに衝動性が高まる。性的に興奮している人は、お金の使い方について近視眼的になる。また、熟慮系は将来の報酬について考えるように設計されている。一部の理論家の考えでは、われわれは今日決定を下すための指針として、将来の感情の状態を想像する。[142] そこではこんな推論が展開する。「まずは医学部に進学して何年か毎日何時間も勉強しよう。そうすれば、あとで社会的に有意義で物質的に快適な生活が満喫できるはずだ」。もちろん将来の幸福へのてこ入れは、てこ入れすべき将来が存在する場合のみ有効だ。カジノは客に将来のことなど考えずにプレイを続けさせたがる。長くプレイすればするほど、失う金額が大きくなる。なにしろオッズは店側に有利な設定となっているのだ。戦略的なゲームを長くプレイすればするほど、疲労が増す。カジノは派手な照明と音響を使い、客を興奮させてノンストップでプレイを続けさせる。カジノのフロアには時計がなく、外のようすもはっきり見えないようになっている。その結果、客は時間の感覚をほぼ失う。自分の本来のリズムを失い、休みなくプレイを続ける。魅力的でフレンドリーな接客係の差し出す酒で酔わせ、眠らずに長時間プレイさせ続けることによって、カジノは客に衝動的な行動をとらせようともくろむ。「ベガスで起きることはベガスだけで」という秀逸なキャッチコピーは、こんなふうに将来などない状態を踏まえている。ラスベガスを訪れるのは、日常生活のストレスから解放されるすばらしい気晴らしだ。すべてが刹那的で、あと腐れもない。客は熟慮系を停止させて、衝動を解放する。

なぜ、われわれはカジノからお金を奪われるような行動をするのだろう。こんな近視眼的な行動が、適応的であったりするのだろうか。この問いに答えるなら、更新世の祖先が作り上げた粗末な脳を、われわれの環境が凌駕してしまったということだ。更新世に暮らしたわれわれの祖先は、進化生物学者のリチャード・ドーキンスが「中庸の世界」と呼んだ世界で生存できるように進化した[143]。この中庸の世界とは、非常に小さいものと非常に大きいもの、すなわち細胞の世界と銀河の宇宙との中間に位置する物理的環境だ。知覚の点で、われわれはこれらの両極端のあいだにあるものに適合している。微小なものを観察するには顕微鏡が必要だし、はるか彼方の巨大な天体を観測するには望遠鏡が必要だ。時間や社会の複雑さについても、同じような現象が起きる。われわれは、ごく短時間だけ生じる影響や極端な長時間にわたる影響を理解するように作られていない。このように長い期間をもともと感知できないことが、おそらく気候変動やさらには進化そのものをめぐる論争の一因となっている。また、われわれの脳は、今ほど複雑でない社会環境で進化した。更新世の時代、分業はあまり行われていなかった。資本市場などなく、並外れた富の蓄積もなかった。交換するものといえば食べ物、衣服、社会的な恩恵であり、保険や株や債務担保証券の交換など行われていなかった。初期の人類はたいてい、数十人から数百人の集団で暮らしていた。この集団が数千人単位になったのは、今からわずか1万年前だ。金銭に関する判断とその結果が今では数十億人に影響するということは、われわれ本来の理解を超える。更新世の祖先が残した遺産から、パブロフ的および習慣的な判断を利用するという手っ取り早くてずるい近道が生まれたが、これが今では場違いで不合理に感じられることもある。社会は拡大して複雑さと匿名性を増してきたが、われわれは今もなお、昔は役に立ったが今では不合理と思われるバイアスを保持している。

お金は食べ物やセックスによる快感よりも抽象的な快感について考える手立てとなる。欲求と直接結びついていないものが、それ自体で快感の源となり得ることをわれわれに教える。これが起きると、脳の報酬系はお金に対して、食べ物やセックスに対するのとよく似た反応を示す。食べ物やセックスのところで見たとおり、コンテクストがこれらの一次的な報酬に影響し得る場合、コンテクストはさらに強くお金などの二次的な報酬に影響する。お金は短期的な快感が長期的な快感とどのように競い合うかをわれわれに示す。われわれが厳密に合理的で熟慮された方法ではなく、自動的かつ感情的にふるまうことがいかに多いかを明らかにする。お金にまつわる行動のなかには、更新世に進化したのんきな脳が現代世界と必ずしもかみ合わないということにわれわれが気づかぬ限り、ほぼ意味をなさないものもある。

第5章 好むこと、欲すること、学習すること

2007年、ピクサーは映画『レミーのおいしいレストラン』を公開した。主人公は一日のほとんどをキッチンで過ごすネズミのレミーだ。『ウォールストリートジャーナル』は、こんな映画がヒットするのだろうかと疑念を抱いた。われわれはハツカネズミのような愛らしい小型のネズミ（マウス）には慣れ親しんでいる。ミッキーマウスはスーパースターだし、じつにたくさんのファンがいることからもそれがわかる。しかしドブネズミのような大型のネズミ（ラット）はどうだろう。キッチンでそんなものを見たい人がいるだろうか。ところが、おいしい料理を愛し、偏見と闘うネズミを描いたこの映画は、大ヒットとなった。その年のアカデミー賞で最優秀アニメーション映画賞まで受賞した。ある場面で、パリでシェフになることを夢見

るレミーが煙突の上でキノコを料理していると、煙突に雷が落ちる。焦げたキノコを味見したレミーは声を上げる。「おいしい！　なんていうか――香ばしくて……くん製とも違う。もっとこう――ガラガラ、ドカンって感じ」。レミーは自分の好むものを知り、自分の欲するものを知っているネズミなのだ。

「好む」と「欲する」の違い

じつは、ラットは自分の好むものや欲するものを理解している。神経科学者のケント・ベリッジは、われわれの報酬系における「好む」と「欲する」の重要な区別を明確に示した。「好む」とは対象から得る快感であるのに対し、「欲する」とは対象に対して抱く欲求であり、本人がこれらの志向を意識していない場合もある。前に見たとおり、脳のパーツには食べ物やセックスやお金から快感を得たときに作動するものもあれば、そうした快感にたどり着きたいと望んでいるときに作動するものもある。ベリッジと共同研究者らは、ラットの報酬系におけるこれらの2種類のパーツを詳細に調べた。[144]

　われわれにはラットの欲するものがわかる。ラットはほしいものがあると、それを求めてレバーを押したり、吸い口を吸ったり、迷路を走り回ったりするからだ。だが、ラットの欲するものと好むものについては、どうしたら区別できるだろう。驚くべきことに、ラットはオランウータンやチンパンジー、小型のサル、そして人間の赤ん坊と同様、何かを気に入ったときと気に入らないときにそれぞれ特徴的な表情を顔に示す。口に甘いものを入れると、リズミカルに舌を突き出して唇をなめる。苦いものを入れると、口を大きく開けて頭を左右に振る。これらの顔の表情が、彼らの快感を観察する際の鍵となる。

ベリッジらは、ラットの脳において「好む」ことと「欲する」ことが同じではないことを示した。快感の中核となる経験である「好む」ことには、側坐核と、側坐核から腹側線条体全体への連絡が関与する。これらのパーツの神経活動は、ミューオピオイド受容体とカンナビノイド受容体に駆動される。オピオイド受容体は、ヘロインやモルヒネなどのオピエート類を摂取したときに経験する快感に関与する。食べ物の章で述べたとおり、カンナビノイドはマリファナに含まれる植物性カンナビノイドに類似した天然の脳内化学物質である。カンナビノイド受容体とオピエート受容体は協調的に働いて、快感をもたらす。好むものを手に入れたいという欲求は、オピオイドやカンナビノイドではなくドーパミンに駆動される。腹側線条体には、ドーパミンに反応して欲求を促進するニューロンも存在する。これらのニューロンには、「好む」ことに関与するオピオイドニューロンやカンナビノイドニューロンが組み込まれている。「好む」ことと「欲する」ことが脳内で協調的に作用するのは理にかなっている。なにしろわれわれは好むものを欲し、欲するものを好むのだ。しかし両者が切り離されることもある。[145] たとえばナロキソンという薬はオピエートの作用を阻害し、空腹時の食欲は抑えずに、食べることによる快感を低減させる。[146] この効果は、「欲する」ことは変えないで「好む」ことだけを抑えられるということを意味する。「好む」ことを保ちながら「欲する」ことだけを抑えることもできる。実験で毒素を使ってラットのドーパミン細胞を破壊すると、ラットはただ摂餌をやめる。科学者は最初、ラットが摂餌をやめたのは、餌から快感が得られなくなったからだと考えた。ところが口に甘い液体か苦い液体を入れると、顔に好悪の表情が現れた。[147]

人間における「好む」と「欲する」の関係

ラットと同様、人間においても「好む」ことと「欲する」ことは切り離せる。ドーパミンを阻害する薬物を摂取すると、対象を好む度合いは変わらないが、欲するものを手に入れるための行動をしたがる度合いが下がる。この状態を臨床文献では「精神的無関心」と呼ぶ。これと逆の行動パターンを依存症患者が示すこともある。依存症が進行するにつれて、欲するものへの欲求が強まっていく。「ヤク」を手に入れるためならどんな労もいとわない。といっても、依存症患者が渇望の渦を転落していくときに、必ずしも薬物を好む度合いが高まるとは限らない。「好む」ことと「欲する」ことをめぐるこの議論において、脳の奥深くにある報酬系のパーツに着目してきた。皮質系はこうした深部にある系と互いに作用し合う。このような相互作用は、人間においてきわめて重要だ。というのは、われわれが単に自らの欲求や快感の奴隷ではないことを意味するからだ。皮質系は、われわれが自分の欲するものにアプローチして好きなものから快感を得るコンテクストを示すことができる。欲求の対象への反応としてわれわれが示すふるまいをコントロールできるようにしてくれる。眼窩前頭皮質、腹内側前頭前野、扁桃体、前島、前帯状回は、われわれの快感を吟味し、背外側前頭前野と協調して、最終的に快感を得るか、あるいはわれわれが快感を得ないと決めたときにはそれを遠ざけておくことを目指す戦略的行動の調整と計画を助ける。

報酬は、行動の学習や変更の助けとなる。期待していたのとは違う経験をした場合、それは学習の機会となる。たとえば、私がアイスクリームを食べたくてたまらないとしよう。口の中で溶けて脳を内因性のオピオイドとカンナビノイドで満たす、あのクリーミーで濃厚なピスタチオの風味を味わいたい。ちょっと離れたところにカポジーロという店があって、そこで売っているすばらしいジェラートは完璧なはずだと私は確信している。ところが近所に新しい店が最近オープンした。そこで私は近いほうの店へ行く。そこのアイスクリームを食べてみると、悪くはないがカポジーロほどおいしくはない。私は報酬を得るが、期待していたほどではない。期待していた快感と実際に経験した快感が合致しない。これは行動の変更を学習できる状況だ。次回は新しい店に行かないかもしれないし、もう1回試してみるかもしれない。新しい店のオーナーはまだ店の営業について試行錯誤しているところかもしれず、それならこの先、アイスクリームはもっとおいしくなるはずだ。あるいは私が期待のレベルを下げてもいい。そして疲れているときには、近所の店にまた行くことにする。遠くまで歩く苦痛を避けて、同時に期待を調節する。アイスクリームが期待以上だったら、期待を再び調節して、その経験からさらに学習する。この新しい知識によって、新しい店にまた足を運ぶ可能性が上がるかもしれない。

　予想して、期待と報酬が合致しなかった経験から学習するというサイクルは、脳内でどのように展開するのだろう。ここでも、将来の報酬を予想して外れた期待に反応する際、ドーパミンが関与する。ドーパミンニューロンは、報酬が期待以上だったら平常時より多く発火し、報酬が期待以下なら発火が少なくなる。[148] 発火率が平常時から変化しなければ、期待した報酬と受け取った報酬が合致していたことになる。この場合は行動を変更すべき理由がない。これらは、われわれが予期せぬ快感を経験した時の喜びや、期待していた快感を得られなかったときの失望、あるいは予想どおりの報酬を得た状況に対応する化学的な反応である。

　人間では、腹側線条体が報酬と期待の不一致を記録する。オドハーティーと共同研究者らによるｆＭＲＩを使った実験で、参加者に青い矢印を見せてから甘いジュースを与えた。参加者が矢印とジュースの結びつきを学習したところで、ジュースを与えるタイミングを変えて、矢印を見てすぐにジュースが出てくることもあれば、ジュースがまったく出てこないこともあるようにした。ジュースが予想よりも早く出された場合、腹側線条体内の信号が増加した。予想したタイミングまでにジュースが出てこなかった場合、信号は減少した。[99] この調節は50〜250ミリ秒という短時間で行われる。この実験の結果が意味するのは、われわれは現実に直面しながら絶えず期待を調節していて、知らぬうちに学習している場合も多いということだ。

　報酬系は学習を助け、同時にわれわれは学習したことに快感を覚える。数学を扱った章で、自然界の規則性を見出すことから得られる快感が、特定の数の並びを美しいと感じさせる一因となることを見た。そのことを思い出した読者もいるのではないだろうか。われわれはわからなかったことがわかるようになると快感を覚える。発達心理学者のアリソン・ゴプニックは、この効果を「オルガスムとしての説明」と想像力にあふれる言葉で表現した。[149] 赤ん坊は問題にぶつかって混乱すると、唇をすぼめて眉をひそめる。問題が解決できると、笑って顔を輝かせる。ベリッジのラットと同様、赤ん坊も顔に快感を表現するが、ここで快感をもたらすのは、砂糖の入った溶液《ソリューション》ではなく問題の解決《ソリューション》だ。つまり快感が学習を助け、自分の学習したことが快感をもたらすという相互作用的なサイクルが存在する。こうした認知的な快感が、一部のコンセプチュアルアートにわれわれが快感を覚える理由なのかもしれない。作品の意味することを解き明かすことによって、報酬系が刺激されるのだ。

公平性と報酬系の意外な関係

報酬系には、われわれが食べ物やセックスなどに対する基本的な欲求を刺激するのにそれを使う一方で、公平性のような抽象概念を生み出すのにもそれを使うという重要な特性がある。経済学で「最後通牒ゲーム」と呼ばれるゲームを見ると、脳が公平性を処理する仕組みがわかる。ゲームは2人でプレイする。プレイヤーAに、たとえば100ドルを渡す。プレイヤーBにはお金を渡さない。ゲームのルールに従い、Aは100ドルをBとどのように分け合うか提案する。Bが提案を受け入れたら、2人ともお金がもらえる。Bが提案を拒否したら、2人ともお金をもらえない。お金がほしいなら、BはAがどんな提案をしても受け入れるべきだ。いくらかでもお金がもらえるか、それともまったくもらえないか、これは大きな違いではないか。しかしたいていの人は、Bになると合理的な行動をとらない。提案を受け入れるかどうかの分岐点は、70ドル対30ドルか、80ドル対20ドルあたりになるらしい。Bが30ドルか20ドルより少ない額しかもらえない場合には、そんな提案を受け入れるよりは何ももらわないほうを選ぶ。Aが自分よりそんなにたくさんもらうのは不公平だと感じるからだ。fMRI実験で、参加者に不公平だと感じられる選択肢を与えると、島の活動が活発になる。[150] 島は嫌悪感（特に腐敗した食べ物のにおいや味に対して）と関係する。最後通牒ゲームの実験で島が活発になったことから、われわれが不公平なふるまいに対して嫌悪を覚えることが示唆される。他者を抽象的に評価する際、腐ったミルクを口にしたときに働くのと同じ神経系を使うのだ。

人の評判を確立するときにも、基本的な報酬系が利用される。ある巧妙な実験で、リード・モンタギューと共同研究者らは、参加者をペアにしてお金をやり取りするゲームをプレイさせながら、2人の脳を同時にスキャンした。[151] 投資家役に20ドルを渡す。投資家はこの20ドルの一部を受託者役である相手に投資する。受託者はこの資金を3倍に増やす。このことは両プレイヤーにあらかじめ伝えておく。ここで受託者は投資家にいくら戻すかを決め、それを受けて投資家が受託者に再投資する金額を決める。投資家は多額の再投資をしてもよいし、少額に抑えてもよい。これを繰り返す過程で、両プレイヤーは「気前がいい」か「けち」かという「評判」を築いていく。ドーパミンを化学伝達物質として使う線条体の一部で、神経活動に変化が見られる。投資家が受託者に気前のいい申し出をすると受託者の脳でこの神経活動が亢進し、投資家がけちな申し出をすると神経活動は低下する。この設定では、信頼の度合いが相手の報酬行動に関する予想の正確さによって決まる。われわれは基本的な欲求から学習するときと同じような方法で、こうした対人的な報酬を扱う。相手を信頼できるか判断するときには、食べられるものや一緒に寝てもよい相手を判断するときと同じ脳の系を使うのだ。

報酬系は、嗜好と欲求と学習を結びつける。通常、嗜好と欲求は同調する。しかしすでに述べたとおり、切り離されることもある。両者を切り離せることは大事で、特にアートとの遭遇について考える場合には重要となる。快感は学習を助け、行動の変更を助ける。そして学習したことによってわれわれの経験する快感が変わる。報酬系には、認知系と快感系が互いに作用し調節し合うことを受け入れる柔軟性が備わっている。そのような柔軟性は、審美的遭遇がわれわれの思考を導き、思考がわれわれの審美的経験に情報を与える際にも重要となる。脳に埋め込まれた報酬系を利用できるなら、どんなものも快感をもたらす源となり得る。そして、われわれの中核的な報酬系は食べ物やセックスにまつわる欲望や快感といったごく基本的な欲求を満たすように進化したが、公平性や他者の評判といった抽象概念を評価するときにも同じ系を利用する。

第6章 快感のロジック

移動できる生き物はみな、自分の必要とするものに近づいていき、自分に害を与えると思われるものを避ける。この接近・回避行動は、もっと複雑な行動を遂行する際の基本的な軸となる。人間にとって、快感は接近行動の多くの原動力となる。快感は、個人としての生き方や種としての進化のあり方に大きく影響する。食べ物やセックスを堪能し、人や場所を美しいと感じ、絵画や演劇を楽しむことを可能にしてくれる複雑な報酬系を形づくる主たる要素でもある。快感を扱うパートの締めくくりとなる本章では、こうした複雑な報酬系のハイライトをいくつか見てみよう。

われわれの報酬系は、快感や欲求を経験するのに必要となるさまざまな要素で構成されている。すでに見たとおり、快感と欲求（または好むことと欲すること）は同じではない。快感や欲求を覚えることにとどまらず、報酬系の要素の一部は、快感を期待したり、経験した快感を評価したり、欲求の対象に到達するための行動を計画したりすることも可能にする。また、快感を変化させたり、対象への接近を抑制したり、学習を助けたりする要素もある。

快感は、最も基本的なレベルでは、食べ物やセックスへの欲求から生じる。栄養のある食べ物や、健康なパートナーとのセックスから快感を得たわれわれの祖先は、生き延びて子孫を残すことができた。われわれは祖先から同じ快感を受け継いでいる。快感はまた、恒常性維持機能のために働くことによって、われわれの生存を助ける。恒常性維持機能とは、われわれがベストな状態で活動できる限られた生理的条件の範囲内に体がとどまるようにする調節プロセスだ。この範囲から逸脱したら、範囲内に体を戻さなくてはならない。快感はこれを促す働きをする。体内の塩分が不足しているときには、塩味の濃い食べ物がおいしく感じられる。糖分が過剰だと、甘いシロップがおいしく感じられない。

快感の中心的な経験は、側坐核をはじめとする腹側線条体全体を通じて脳の深部で作用する。これらのパーツは、快感が食べ物、セックス、お金のいずれによるかにかかわらず活動する。

これらの神経系パーツで使われる化学伝達物質はオピオイドとカンナビノイドで、この2つは協調して作用する。アヘンかマリファナでハイになっている人の至福感は、日常的な快感を経験したときにはもっと穏やかに満たされる受容体が、これらの物質を大量に浴びせられることから生じる。

欲求は行動を駆り立てる。欲求に関しては、ドーパミンが化学伝達物質として働く。脳幹から線条体のさまざまな部分にドーパミンが送られ、欲求に従って行動するようわれわれを促す。快感を評価する脳領域もある。内側眼窩前頭皮質と腹内側前頭葉が快感を処理するらしい。そしておそらくこれらのパーツはわれわれが快感を経験していることを自覚する一因となる。通常、快感と欲求は同調する。われわれは好むものを欲するし、欲するものを好む。しかし快感と欲求がばらばらになることもある。依存症患者の場合、欲求がコントロールできなくなり、欲求が嗜好を圧倒してしまう。欲することなく好むとはどういうことかという問いについては、アートについて論じる際に再び触れたい。

他の神経系パーツのなかに、欲求に反応して行動を導くものがある。扁桃体と島は、二重の役割を果たす。われわれが快適な対象と不快な対象のどちらに接したときも、活発に活動するのだ。これらのパーツはわれわれを快感へ向かわせるか、あるいは苦痛を回避させる。行動の多くが快感に動かされるのは確かだが、われわれは快感に縛られているわけではない。たとえば接近してくる快感に警戒するべきときには、外側眼窩前頭皮質、扁桃体、島、前帯状皮質が発火を始める。これらのパーツは満足感、不安、痛み、嫌悪感を処理する。これらが活発になると、対象がたとえ別の状況では快感を与えてくれるものであっても、今はそれを避けるべきだとわれわれは直感的に察知する。前頭前野や頭頂野などの皮質領域は、意識的な計画や熟慮に関与する。これらのパーツは、巧みな戦略で快感を得たり、必要なときには快感を遠ざけたりできるように、行動を変えるのを助ける。

快感には柔軟性がある。セックスの最中など一部の状況では、痛みが快感になることもある。ふつうは快感と結びつかないものが、フェティシズムによって性的興奮をもたらすこともある。快感は、ほぼいかなる対象や状況とも結びつくことができるらしい。このように快感がさまざまなものと結びつくことができるおかげで、われわれはじつに多様な対象を楽しむことができ、人によって好むものが多岐にわたるのだ。口の中で唐辛子が燃えるような感覚を好む人もいれば、そんな感覚にひるむ人もいる。お金の手触りを愛する人もいれば、お金など汚らわしいと感じる人もいる。各個人の歴史がそれぞれの快感の経験を形づくる。知っていること、あるいは知っていると思うことさえも、好き嫌いに強く影響する。

欲求を刺激する神経伝達物質のドーパミンは、学習も助ける。予期せぬ快感に喜びを覚えたり、快感を得られず失望を覚えたりするたびに、われわれは学習することができる。ドーパミンニューロンの発火率によって、将来の報酬に関する期待が調整される。この調整は、甘いジュースを求めるといったごく単純な状況から、他者への信頼を学ぶといった複雑な状況に至るまで、さまざまな状況に適用される。

快感はさまざまなレベルで恒常性の維持に働く。すでに見たとおり、われわれは快感が得られるからこそ、体の機能を良好に保とうとする。恒常性を維持する手段としての快感は、甘いものや塩辛いものが食べたいという個人の欲求から、美しい人やきれいな場所、エレガントな数学的証明に対する集団としての楽しみまで、多岐にわたる。進化によって、人間は自らがうまく機能できるように、環境に適応する。環境が変化すれば、人間も新たな状態に変化しなくてはならない。

かつて人間の脳はその時代の困難に立ち向かって進化した。そのため、めまぐるしく変化する現在に必ずしも適応できていない。環境は急激に変化している。われわれのふるまいが不合理に感じられる場合、それは時代遅れの脳のせいであることが多い。われわれは物々交換なら直観的に理解できるが、クレジット・デフォルト・スワップなどといった複雑な金融取引はなかなか理解できない。文化環境の変化が加速するにつれて、過去の環境に適応した性質と現代の行動とのつながりがしだいに弱まっていく。本能と行動の結びつきの希薄化は覚えておくべき大事な点で、とりわけアートについて考える場合には重要となる。

審美的な快感というものはあるのだろうか。審美的経験から得られる快感は、基本的な欲求に根ざしているが、それだけに限られるわけではない。美しい人や心を打つような絵画を見たときの快感は、舌に砂糖が触れたときの快感とは違う。審美的快感は、基本的な欲求と結びついた快感とは少なくとも3つの点で異なる。第1に、必ずしも欲求を伴わない嗜好に肩入れしがちな神経系を利用することで、欲求よりも大きな広がりをもつ。第2に、審美的快感には微妙なニュアンスがあり、さまざまな感情が入り混じり、単純な好みよりも複雑だ。第3に、審美的快感は認知系に強く影響される。われわれが審美的遭遇に持ち込む経験や知識に影響を受けるのだ。これらの拡張したテーマについては、次のパートでアートについて考える際に再び取り上げる。

この先の話として、アートは美や快感とどう関係するのだろう。美と快感が適応に役立つと言うのは、われわれに美や快感に関する本能があると言うようなものだ。実際にアートの本能というものがあるだろうか。私はないと思う。少なくとも簡単にわかるようなものはないだろう。われわれの経験するアートは、昔の環境に適応したわれわれの脳のペースを超えてしまったのではないかと思う。アートは本能ではないかもしれないとしても、アートがわれわれの生活に不可欠ではないとか、アートは表層的だとか、アートは大きな喜びの源や深い悲しみの表現ではないという意味にはならない。アートはこれらのいずれにもなり得る。しかしこれらの性質をもっているとしても、アートが本能だということにはならない。今日のわれわれが接するアートは、おおむね偶然によるものだ。それは信じがたいような偶然に違いない。だが、どんどん加速するわれわれの文化環境と同じように、私も先走りすぎてしまった。

第三部 アート

第1章 アートとは何か

2007年5月23日、サザビーのオークションでブリキの缶が12万4000ユーロで落札された。缶の作者はピエロ・マンゾーニというアーティストだった。これは90個制作されたうちの1つで、ラベルにはイタリア語、フランス語、ドイツ語、英語で「アーティストの糞 内容量30グラム 1961年5月に新鮮なものを保存、製造、缶詰加工」と記されていた。栄誉あるターナー賞の受賞者クリス・オフィリは、ポルノ雑誌から切り取った女性器の写真を使って聖母マリアの絵を描いた。聖母マリアの一部はゾウの糞で描かれていた。1999年にこの作品がブルックリン美術館で展示されると、当時市長だったルドルフ・ジュリアーニは憤慨してこう言った。「(表現の自由を保障する) 憲法修正第1条は、おぞましく不快きわまりないプロジエクトを擁護するためのものではない！」。1987年には、アンドレス・セラーノによるチバクロームの写真が、サウスイースタンセンター・フォー・コンテンポラリーアートから賞を授与された。受賞作『ピス・キリスト』では、金色に輝く精妙な液体の中に、キリストの十字架像が沈められている。この液体は、じつは作者の尿なのだ。上院議員の故ジェシー・ヘルムズは「セラーノはアーティストではない。大馬鹿野郎だ」と断じた。アーティストがキリストの高貴さを表現するのにラピスラズリなどの半貴石を粉砕して藍色の顔料を作ったり、聖なる光を描くのに本物の金を使ったりしたのは過去の話だ。今では便や尿がアート作品の材料となる。保守的な政治家は、この種の作品を前にしたときに多くの人が示す当惑や嫌悪の反応を代弁する。

アートとは何か。残念ながら、満足のいく定義はなかなか見つからない。本パートでは、アートに関するさまざまな考え方を見ていく。まず、美学とアートに関する伝統的な見方を検討する。それから最近の哲学者がアートの定義とどう向き合ってきたかを考える。声を大にして言いたいのだが、美学とアートは同じではない。重なる部分はあるが、別々の概念だ。一般的な認識としては、美学は対象の特質と、その特質に対してわれわれの感情が示す反応に焦点を当てる。対象は必ずしもそれ自体がアートでなくてもよい。ゴッホの描いたアイリスの絵でも本物の花畑でも、等しく美学の対象となり得る。通常、美学は「美醜」の尺度と結びつく。神経科学者のトーマス・ヤコブセンと共同研究者らは、参加者に美学と関係する語を選ばせる実験を行った。[152]最も多くの参加者が選んだ語は「美」で、91パーセント以上がこれを選んだ。次に多かったのが、42パーセントの参加者が選んだ「醜」だった。ほとんどの人にとって、美学とは「美」から「醜」に至る尺度にかかわるものなのだ。美学に関するこの直観は、哲学的分析の伝統においても優勢で、アートに関する理論の形成に影響を与えてきた。[153]しかし審美的遭遇は、必ずしも美に限らない。哲学者のフランク・シブリーは美以外の審美的性質の例を挙げており、そこには、統一、バランス、静謐、悲劇性、繊細、鮮明、躍動性、陳腐、派手といった性質を備えた対象が含まれている。[154]アートは審美的性質を備え得るし、実際に備えていることが多い。しかし、アーティストの意図、作品の歴史上の位置づけや政治的および社会的な次元も、アートにおいては大事だ。アートのこれらの側面は、われわれが「審美的」と思うものにはあてはまらないかもしれない。ここからの議論では、アートと美学はしばしば（ただし常にというわけではない）旅の道連れであるということを認めたうえで、アートについて考えていく。

アートは世界を描くという考えは、常に不変だ。アートとは模倣である。プラトンなど古代ギリシャの知識人がこの見方を生み出した。実際、模倣としてのアートのせいで、プラトンはアートに疑念を抱いた。というのは、そのようなアートはわれわれの目を現実のものからそらしてしまうからだ。それから2000年以上が過ぎた20世紀、美術史家のエルンスト・ゴンブリッチは西洋美術の歴史について、現実のより巧みな描写を追い求めた長いプロセスと言い表した。[155]たとえば単一の視点から見た3次元の光景を2次元の平面で表現することを試みたルネサンスの闘いは、キャンバス上で世界を模倣するという挑戦だった。多くの人にとって、対象を正確に表現する能力こそが、すぐれたアーティストに必須の特性だった。支離滅裂なピカソの絵に疑念を抱く人も、彼が熟練した製図工であり、このうえない正確さで対象を描くことができたと知ったら、彼の才能を認めるかもしれない。ピカソが奇妙に歪んだ形で人物を描くことを積極的に選んだという事実から、鑑賞者はその理由を考えさせられる。世界を正確に描きたいという願望があったかどうかは別として、写真の出現によって、外界を模倣するために絵を描くという目標は重要性を失った。19世紀に写真が発明され普及してまもなく、アーティストたちは印象派や野獣派や未来派など、それぞれの見方で世界をとらえて実験する自由を手に入れた。

アートの古典的解釈

アートとは何かという問いに対する昔ながらの答えとしては、アートは共通の価値観を強化することによりコミュニティーを結束させる儀式的行動だというのもある。18世紀以前には、アートと見なされる活動の多くは教会か国家のために実践された。アートはわれわれを共同体として称揚する役割を担った。おそらくアイスキュロスやソフォクレスによる劇を鑑賞することにより、古代ギリシャの人々は絆を強めた。教会や寺院では美しい賛美歌や聖歌が人々をひとつにする。私は子ども時代を過ごしたインドで「ラム・リーラ」の野外劇を見た記憶がある。

旅役者がインドの叙事詩『ラーマーヤナ』のエピソードを演じる。暑い夏の晩、私は友人と一緒に舗装されていない道に座り、役者たちが描き出す『ラーマーヤナ』のさまざまな場面を見て楽しんだ。私が今住んでいる市には、すべての市民に同じ本を読むように勧める「ワン・ブック・ワン・フィラデルフィア」というプログラムがある。アートを楽しむことにより人を結びつける儀式にすべての人が参加するという考えはすばらしい。しかしそんな心地よいアート観は、コンテンポラリーアートには通用しない。便の缶詰で人が結びつくコミュニティーなどあるだろうか。モダンアートが少数の文化的エリートを結束させることはあるかもしれない。しかしたいていの人にとって、コンテンポラリーアートは混乱やショックをもたらし、場合によっては疎外感を与えることもある。

アレクサンダー・バウムガルテンによる1750年の著書『美学』(*Aesthetica*)は、近代的な美学の始まりを告げた。バウムガルテンは、それまで感覚と結びついていた「美学」という言葉を、彼が「感覚的認知」と呼ぶものをもたらす美の鑑賞と結びつけた。彼はアートそのものよりも、美しい自然の風景に対する人の反応に着目した。哲学者のフランシス・ハチソンもバウムガルテンと同様、われわれには美や調和や均整を感受する特別な感覚があると考えていた。[156] 彼によれば、見る者に快感を喚起するのがこの審美的感覚だ。哲学者で政治理論家のエドマンド・バークも、美が感情をかき立てる仕組みを重視して詳細に論じた。彼は美と崇高を区別した。[157] 美しい対象は快感と結びついている。それに対し、崇高な対象はわれわれを圧倒し、畏怖の念を呼び起こし、人間など取るに足らない存在だという事実を突きつける。バークにとって、崇高なものは痛みと結びつく。美は感情を喚起するという考えは、19世紀のアートをめぐる議論と類似している。ロマン主義者は感情の表現こそアートの本質だと考えた。アートはわれわれを刺激して興奮させるためのものだった。レフ・トルストイは１８９６年の著書『アートとは何か』(*What is Art*) において、アートと対峙したときに鑑賞者が経験する感情の重要性を力強く訴えた。

アートの美は主観的か？

どんなアートが美しいかについては、必ずしもすべての人が同じ意見をもつわけではない。では、アートにおける美はすべて主観的だと思うしかないのだろうか。こんな結論を避けようと、哲学者のデイヴィッド・ヒュームは18世紀に「趣味」(taste) という概念を打ち立てた。[158] 彼は美を価値判断のかかわる快感ととらえた。この価値判断とは、論理的分析の結果ではなく趣味の表現だった。彼の考えでは、趣味は自動的で自発的なものとして生まれるかもしれないが、注意深い観察や教育によって育むことができる。人は世界に存在する審美的性質に対する特別な感受性を発達させる。趣味が成熟するにつれて、そのような感受性をもつ人は、どんなものがアートかを誰よりも的確に判断できるようになる。あるいは少なくともどんなものがすぐれたアートかを誰よりも正しく判断できるようになる。ヒュームは、教育と文化がアートに関する経験に大きく影響することに気づいていた。

　美と審美的経験について、巨人イマヌエル・カントは彼の理論によってよかれ悪しかれ科学的な美学に影響を与え続けている。[159] 彼によれば、美とは生得的で普遍的な概念であり、美に関する判断は対象自体の特徴に依拠する。美に関する判断は、対象に対して感情がただ反射的に反応して生じるのではなく、理性の範疇で行われる。カントは、美しい対象の特徴がわれわれの知覚、知性、想像力と互いに作用し合うと考えていた。カントの全般的な立場は、科学者がアートにアプローチするときの一般的な姿勢と共存できる。科学者は、こうした相互作用のダイナミクスを解き明かそうとするのだ。われわれの目的にとって大事な点がある。カントは「無私の関心」という概念を重視したのだ。これは欲求を伴わない嗜好と重なる。カントにとって審美的経験とは、想像力を自由に羽ばたかせてくれる対象について熟考することである。この想像力の自由な羽ばたきには、対象を所有したいとか消費したいといった衝動が伴わない。20世紀の初期、エドワード・バローはこの考え方を取り上げ、審美的姿勢にはアートの対象に対して心理的距離を置くことが伴うと主張した。[160] この距離によって対象に関する実利的な考慮が消え去り、人は新たなもっと深い経験、各自の感情に響きあらゆる審美的経験の根源となる経験に対してオープンになる。

　もっと最近の理論家たちは、審美的経験について別の見解を示している。アートがだんだん抽象的になるのに伴い、20世紀初頭にはアート理論はしだいに形式を重視するようになっていった。クライヴ・ベルは、審美的感情を刺激するように線と色が特別な形で組み合わさった「意味のあるフォーム」という概念を導入した。[161] ベルにとって、審美的な感情反応は、それ以外の感情反応とは別のものだった。恋人の写真は欲求を引き起こすかもしれない。英雄像は称賛の念をかき立てるかもしれない。聖人の絵は信仰心を呼び起こすかもしれない。ベルにとって、こうした感情反応は完璧に正常だが、審美的反応ではない。審美的反応とは形状や形状間の関係そのものに対して起きるものであり、イメージによって喚起された意味や記憶を対象とするものではない。意味のあるフォームは、抽象的なアートがたとえ特定の対象や意味を表現しているように思えなくても人の心に訴えるものになり得る理由だ。

近代以降の考え方

20世紀までに、美や快感から切り離されたアートもあり得るということが明らかになった。キュビスムの破砕、抽象表現主義の熱狂、ダダイズムの無秩序は、個々の作品は美しいとしても、美への純朴な心酔に軽侮の目を向ける。模倣、感情表現、共同体の結束の創出、美の描出という伝統的なアート観があらゆるアートを統一できないなら、われわれはアートとは何かという問いについてどう考えるべきなのか。現代の哲学者はどんなことを述べているのだろう。アートの定義をめぐる哲学者たちの考えに関する有用な論考を、ノエル・キャロルの編集した『今日のアート理論』（*Theories of Art Today*）やスティーヴン・デイヴィーズの『アートの哲学』

（*The Philosophy of Art*）で読むことができる。これらの論考の概要を伝えるハイライトを、ここでいくつか紹介したい。

20世紀半ばに広く支持された見解の1つに、アートは定義できないというのがある。哲学者はこれを「反本質主義」と呼ぶ。対象がある特定の要素を含んでいればそれはアートだと言えるような、そんな本質的な要素などないという意味だ。モリス・ワイツはこの見方について2つの点を主張している。1つ目は、アートは本質的に革命的なものだということだ。アートのもつ反逆性がアート自体をむしばむ。アートを1つの定義で縛ろうとする試みは、必ず失敗に終わる。アートを定義すれば、どこかでアーティストがその定義を愚弄する。2つ目の点は、アートを必要十分条件で定義することはできないということだ。むしろアートは家族的類似［訳注：家族のように、集合に属する各事物が明確な共通点をもたなくてもなんらかの類似性の共有により互いに類似していること］をもつ対象の集合である。新たな対象に出会ったとき、われわれは自分がすでに知っているアートの対象とどれだけ類似しているかによって、それがアートかどうかを判断する。しかし家族的類似説はトリッキーだ。というのは、類似していると判断するにはどのような特徴が重要かを明らかにしていないからだ。最近ではベリス・ガウトが家族的類似説を主張している。彼によれば、アートとは集合的概念だ。アート作品は存在し得る属性のリストを内包していて、われわれが対象の中にリストのサブセットを見出した場合に、その作品をアートと呼ぶ。この説でも依然として、概念の集合の中で特に重要な特性を見つけ出すという問題が残る。

アートとは何か、定義はできなくても理解はできているのではないか、という主張もある。言論の自由をめぐる1964年の裁判で、アメリカ合衆国最高裁判所のポッター・スチュアート判事がポルノの定義について、「わかりやすく定義することは私にはできないかもしれないが、見ればわかる」と述べたことはよく知られている。アートとは、スチュアートの言うポルノのようなものかもしれない。定義はできないが、見ればわかる。写真家のウィリアム・ケニックは、アートに関するこの直観を用いて、アート作品やその他の品を保管している倉庫が火事になるというシナリオを考えた。哲学者によるアートの定義を理解しない一般の人でも、アート作品としてどの品を持ち出すべきかはわかるということを彼は示した。しかし一部のコンテンポラリーアートについては、その見込みはあまりあてにならない。あわてて屋外へ逃げ出そうとしているときに、必死の思いで小便器をつかむ人がどれほどいるだろうか。

アートを理解する際の定義をめぐる問題を反本質主義の哲学者たちが提起したわけだが、これを回避するために、関係性に関する性質を理解することで、アートについて一貫した概念をもつことができると訴える哲学者もいる。この関係性にかかわる性質とは、われわれの生活においてアートが果たす役割や、歴史や文化におけるアートの位置づけといったものかもしれない。この機能主義的な姿勢は、この特別な集合に属する対象とわれわれとの交わりや、対象がわれわれの生活の中で果たす機能を通じてアートが理解されることを示唆する。これらの対象は、アートでない対象に対してわれわれが示す反応とは異なる審美的経験をもたらす。美学を研究する科学者は、このようなアートのとらえ方を支持する。心理的なメカニズムを調べたり神経マーカーを同定したりするために実験を行う場合、われわれはアートと人との相互作用を理解しようとしている。ある意味で、機能主義的な説は、アートの対象の根底にある特性から、審美的経験と見なされる対象との遭遇に関して重要な要素へと、フォーカスを移している。対象が人工物（花などの自然物と対置されるもの）である場合、われわれはそれをアートと呼ぶ。その名が示すとおり、機能主義的な姿勢は、そうした対象がわれわれの生活において果たす機能も重視する。進化心理学者はこの見方を支持する。なぜなら彼らは、人類の歴史においてアートがこれほど広く営まれているのなら、人類の生存を促進するのにアートはどのような役割を果たすのかという問いについて考えるからだ。

最近の見方として、アートを文化や歴史との関係によって理解することに重きを置くものもある。このアートのとらえ方は、美学の範疇には入らない。というのは、この見方はアート作品の感覚的特性や鑑賞者の中で喚起される感情を考慮しないからだ。アーサー・ダントーは、アート作品のステータスは、アートにまつわる進展中の語りや理論的な議論に占める位置によって決まると述べている。ノエル・キャロルとジェロルド・レヴィンソンは、アートのステータスについて、先例と根本でつながっているという点を強調している。ジョージ・ディッキーは、社会および制度の慣行が組み合わさって対象をアートと呼ぶ際に、これらの慣行が果たす役割を強調した。何かを見るだけでは、それがアートかどうかわからない。1917年にマルセル・デュシャンが台座に小便器を載せて『泉』と作品名をつけたとき、なぜこれがアートだと認められたのだろうか。ロバート・ラウシェンバーグが1955年に自分のベッドに絵の具を塗ったとき、それがアートだと認める人がいたのはなぜなのか。アーサー・ダントーはアンディー・ウォーホルが1964年に制作した『ブリロの箱』を引き合いに出して、対象の物理的特性はアートとしてのステータスには無関係だと主張した。ウォーホルの作った箱は、プロクター・アンド・ギャンブル社が大量生産している洗剤つきスチールウール「ブリロ」の箱とほとんど区別できない。それなのに1つの箱はアートとしてあがめられ、それ以外の箱は売買される製品を入れる容器にすぎない。結局のところアートとは文化的な人工物であり、それが置かれた歴史的なコンテクストの中で文化的慣行によってのみ理解され得るのだ。

以上のように、アートについてはめまいがするほどさまざまな見方がある。これらの説から、私は盲目の男性たちとゾウの登場する有名な寓話を思い出す。男性たちはゾウの体のあちこちに手を触れ、それぞれ別のものを触っていると思う。脚に触れた男性は、それが柱だと思う。背に触れた男性は、壁だと思う。牙に触れた男性は、槍だと思う。アートを論じる哲学者は、おそらくこれと似たことをしている。それぞれアートの異なる部分に触れているが、それらはいずれも真実の一面なのだ。根気強くアートというゾウに触れていって十分に触れたら、その全体像を完成させることができるだろう。

私の寓話の難点は、われわれが盲目でなくゾウの全身を見ることが可能な場合にしか通用しないことだ。われわれも盲目なら（実際、アートに対しては盲目かもしれない）、この寓話はたやすくひっくり返ってしまう。1人目の盲目の男性は実際に柱に触れ、2人目は壁、3人目は槍に触れているということになるかもしれない。共同体的な純朴さで、それぞれが同じゾウの異なる部分に触れているのだと思っているが、じつはそこにゾウなどいないのだ！

アートについての探究を進めていくにあたり、次の問いを頭の片隅に置いておいてほしい。われわれは1頭のゾウのさまざまな部分に触れているのか、それとも実際にはそこにいないゾウを想像しているのか？

第2章 アート 生物学と文化

アートはいたるところに存在する。フィラデルフィアで暮らす私の近所では、アートと呼べるものを見ずに1ブロックも歩ききることはできない。通りを少し行ったところには、鏡と陶器の破片でできた壁画がある。歩道には傾いた標柱があって、ピサの斜塔を模してペイントされている。角のコーヒーショップでは、地元の住民による絵と写真が順番に飾られる。何ブロックか先まで行くと、「第1金曜日」ごとにギャラリーに集まって、ワインを飲みチーズを食べる人たちがいる。高尚なアートの厳粛な神殿であるフィラデルフィア美術館も徒歩圏内だ。20世紀初頭のアート作品を集めたすばらしいコレクションをもつバーンズ財団も最近になって郊外から移転し、ベンジャミン・フランクリン・パークウェイでロダン美術館とフィラデルフィア美術館の仲間に加わった。パークウェイは市庁舎とフィラデルフィア美術館を結び、中間にはローガンスクエアの噴水彫刻が位置する。市庁舎、ローガンスクエア、美術館のホワイエには、数世代にわたるコールダー一族の彫刻作品が収蔵されている。

フィラデルフィアはとりわけアートに関してすぐれた街なのかもしれない。だが、もう一度言わせてほしい。アートはいたるところにある！　親は子どもがクレヨンで描いた絵を冷蔵庫に貼りつける。自宅や職場を宝物や飾り物で装飾する人がいる。人気《ひとけ》のない都会の片隅さえ、どこもかしこもアートで飾られているようだ。世界のどこへ目を向けても、同じようにアートがあふれている。人が集まれば、装飾的なものが現れる。こうしたあふれんばかりのアートは、衣服、ジュエリー、壁掛け、深鍋、平鍋、壁画、マスクにも現れる。視覚以外の感覚を楽しませるアートもある。われわれは歌い、ハミングし、韻を踏み、ラップをし、ビートを刻み、タップを踏む。香水をかぎ、ワインを味わう。花を活ける。庭園を設計する。ダンスを楽しむ。映画に夢中になる。文学に没頭する。アートはわれわれの身のまわりにあり、われわれの中にもあり、われわれを結びつけ、われわれを虜にする。

アートはいたるところにあるだけでなく、常にわれわれとともにあったと思われる。ルネサンス以前には、ペルシャやビザンチンのアートがあった。さらにその前には、古代ローマやギリシャのアートがあった。東方には、インド、中国、朝鮮、日本のアートがあった。さらにそれ以前には、マヤ、オルメカ、エジプト、シュメール、バビロン、アッシリアのアートがあった。今から3万年以上前、人々は洞窟に壁画を描いた。8万年前、人々は顔料で自らに装飾を施し、ビーズを集めて身につけた。30万年以上前には、北アフリカで小さな立像が作られていた。

アートは文化か、生物学的要請か？

アートがいたるところにあり、常にわれわれとともにあって、われわれがそれを大いに楽しんでいるのなら、食べ物やセックスがわれわれの生存に欠かせないのと同じように、アートにもわれわれの生存に不可欠な要素があるに違いない。アートが不可欠だと主張するのは、アートが適応上の重要な目的に役立つと言うのとほぼ等しい。それならば、脳に生まれつき組み込まれているアートの本能があるはずだ。

アートは生物学的要請だとする見方は、アートを文化的な人工物とする見方と対立する。文化的人工物とする見方では、アートを局所的に生み出されるものととらえ、人々がアートをあがめるようになったのは最近の発明だと考える。この見方によれば、18世紀のヨーロッパの哲学者や彼らのあとを継いだ知識人たちが、われわれの知るようなアートを発明したとされる。ヒュームやカントといった哲学者たちは、アートを特別な対象と考えるための理論的基盤を築いた。どんなものがアートかについて、趣味と教養を備えた人や体制が定めるのなら、アートとは文化の産物にほかならない。台座に据えられた小便器を高尚なアートと認めることもあるかもしれない。それ以外の時代の人工物は、たとえば神を称えるために作られたものであれ、悪霊を追い払うためのものであれ、あるいは権力者の地位をいっそう強化するためのものであれ、それを作った人がわれわれと同じアート観をもっていなかったためにアートとは見なされない。

アートは文化の生み出す人工物だという考えは、われわれが歴史的にアートを分類してきたやり方によって裏づけられる。かつてアートを職人の技から区別しアーティストを職人から区別することは、とりたてて意味のあることではなかった。音楽は数学や天文学の一部であり、詩は修辞学の一部だった。アーティストというものが認識されていたとすれば、それは富裕者や信仰者のために存在した。18世紀末のヨーロッパで初めて、画廊や公共の展覧会やサロンや美術学校が誕生した。それまで教会や国家のものだったアート関係の機関の民主化が、中産階級の台頭と同時に起きた。アートの意味は、それを支える文化体制が市民のものになるのと歩調を合わせて変化した。[162]

生物学的要請としてのアートを文化的創造としてのアートと対比させる強硬な主張は、私から見てあまり意味がない。両者の対立は生物学と文化の双方を滑稽に描き出す。この図式では、生物学的な見方は静的かつ不変で、柔軟性の入り込む余地がない。アートを生み出し堪能する性向が全人類に共通して存在すると想定されている。一方、アートが文化によって生まれたとする見方は自由で柔軟だ。この見方では、アートはその歴史と文化を理解することによってのみ理解できると想定される。しかしどちらの見方も十分とは言えない。われわれの脳には可塑性がある。そうでなかったら、われわれは学習も変化も成長もできないはずだ。自転車に乗ったり、本を読んだり、アリアを歌ったり、ピアノを弾いたり、ファンダンゴを踊ったりすることを学習すると、脳に変化が起きる。このような脳の変化が、学習の意味を支える物理的な基盤となる。ある人の考えが他の人と似たものになったり、あるいは違ったものになったりする場合、その変化は脳内で起きるのであり、心臓や肝臓で起きるのではないし、空気やエーテルの中で起きるのでもない。この対極で、豊かで多様性に富む文化が人間の脳から切り離されているると考えるのも、やはり理にかなわない。文化が人の集団から生まれ、この人々に脳があるのだから、文化は脳の集合から生まれるのだ。文化と脳が互いに対して複雑に影響を与え合うことは疑う余地がない。このように双方向の影響が生じていることから考えて、アートは文化と生物学のどちらから生まれるのかを説明しようとするのはやめるべきだ。むしろ、アートを生物学と文化の両方の観点から理解するほうが意味がある。さまざまな疑問のなかには、生物学の手法で考えるほうがよいものもあれば、文化分析によって考えるほうがよいものもある。

神経科学の見地からは、脳内のどの系があらかじめプログラムされていて期待どおりの道筋をたどるか、そしてどの系が特に可塑的で環境条件による変化の影響を受けやすいか、考えることができる。脳の可塑性に関するこれらの点を理解するため、視覚と言語について考えてみよう。子どもはみな眼や神経系の疾患にかからない限り、奥行き感覚を発達させる。網膜から送られてくる情報が後頭皮質に伝わり、特殊な設計のおかげで両眼からの情報が特別に編成されたニューロンの中で統合されて、奥行き感覚が生じる。われわれは目が見えて空間的環境と交わっている限り、奥行き感覚の習得を避けることはできない。あらかじめプログラムされていて環境への接触により起動するこの学習は、生得的に脳に組み込まれている。

言語との比較

言語でも似たことが起きる。言葉を発する人に接していて、神経疾患にかかっていなければ、われわれは言語を習得する。この学習も生得的に脳に組み込まれている部分が大きいが、視覚とは違う点がある。人が習得する各言語は互いにまったく違って聞こえる。チェコ人と中国人にとって奥行きは同じように見えるが、互いが話す言葉を聞いて理解できる可能性は低い。言語学者の主たる任務の1つは、さまざまな言語の根底にある「普遍文法」を明らかにすることだ。言語は奥行き感覚と同様、生物学的にあらかじめプログラムされた方法で習得される。しかし奥行き感覚とは違い、各言語には各地で形成される著しい表面的な差異がある。こうした表面的な差異の根底には、すべての言語の構造に共通の、もっと大きな統一が存在する。この大きな統一を理解するには、言語の深層を慎重に探る必要がある。

読み書きについてはどうだろう。書き言葉には話し言葉とは違う面がある。読み書きは習う必要がある。ページに記された小さな印をいくら見つめても、読めるようにはならない。読み書きは学習される行動であり、大昔から常に存在したわけではない。書かれた言葉として判明している最古の例は、紀元前4000年から3000年のあいだのものだ。これらの初期の例は、メソポタミア、メソアメリカ、中国、インダス川流域、エジプトなど、世界のさまざまな地域で見つかっている。[163] 研究者は、これらの地域の人々が別個に書字を発達させたのか、それとも文化的接触により書字が広まったのかを明らかにしようとしている。答えがどちらであれ、書字体系が誕生したのはピクトグラムによる「原始書字」が何世紀も続いたあとだったのは確かだ。書字をめぐる興味深い事実として、書字は人の集団が複雑な社会構造を形成すれば必ず生まれるというわけではない。ハワイやトンガやサハラ以南の西アフリカの強大な王国や、ミシシッピ川沿いに暮らすアメリカ先住民の最大部族は文字をもたない。広大なインカ帝国は、13世紀から16世紀まで文字をもたずに国を統治した。つまり、書字は進化した脳から必然的に生まれる産物ではない。脳にもともと備わる特質にプラグインとして追加される文化的ツールととらえるほうが的確だ。

書字は文化的ツールだが、脳内で固有の位置を占める。脳を損傷すると、読み書きにきわめて限定的な欠陥が生じることがある。1892年、フランスの神経科医のジョセフ・ジュール・デジェリンが「純粋失読」という疾患を報告した。[164] この疾患にかかると、文字を書くことはできるが読むことができない。fMRIを用いた最近の研究で、左後頭側頭領域の一部に単語をつかさどる部位があることが判明した。[165] 現在では、この領域は「視覚性単語形状領域」と呼ばれている。ここには奥行き感覚や口頭言語の習得とは違い、脳に出現するようにあらかじめプログラムされているのではない知的能力がある。とはいえ、この能力は脳内に「生まれつき組み込まれて」いる。読字はわれわれの生活の多くにおいて重要な役割を果たす。字が読めるおかげで、サルマン・ルシュディ、村上春樹、ユードラ・ウェルティ、ジョゼフ・コンラッド、ガブリエル・ガルシア＝マルケス、ベン・オクリ、ウラジーミル・ナボコフ、トニ・モリスンなどの作品を楽しむことができる。読字は学習される文化的ツールであり、われわれに大きなメリットと快感を与えてくれるツールであり、また今やなくてはならないと思われるツールである。

生物学と文化というコンテクストにおけるアートの探究に話を戻そう。アートの鑑賞は奥行きの認識や口頭言語の理解や読字の習得と似ていると考えるべきなのだろうか。アートの鑑賞は本能として脳に組み込まれているのだろうか。表面的には違いがあっても、根底にはアートの普遍文法が存在するのか。われわれの生活においてきわめて重要な、脳に刻まれた文化的人工物であって、祖先の生存に貢献したわけではないのか。

生物学的要請としてのアートと文化的人工物としてのアートとの対立を、この先も念頭に置いて進んでほしい。いずれこの2つの見方をなんとか折り合わせる必要が生じるだろう。しかしそのような和解の試みの前に、生物学の観点から、あるいはさらに細かく言えば神経科学の観点から、アートについてどんなことが言えるか見てみよう。そこから神経科学に問題を提起する問い（歴史学、社会学、人類学のほうがうまく対処できる問い）に触れながら進み、そのあとでアートの進化的基盤について詳しく掘り下げよう。

第3章 アートの記述科学

「鳥」という言葉を聞いたら、何を頭に描くだろうか。多くの人はコマドリを思い浮かべる。コマドリは鳥として典型的だ。ダチョウより典型的な鳥である。ダチョウは鳥にしては大きすぎる感じがするし、飛べない。カモノハシはどうだろう。カモノハシはくちばしをもっていて産卵もするが、鳥のようには見えない。1970年代、心理学者のエレノア・ロッシュと共同研究者らは、カテゴリーの典型例のもつ要素に関するこうした直観を「プロトタイプ理論」としてまとめた。[54] この理論によると、多くのカテゴリーには明確な境界が存在しない。むしろカテゴリーは、あるメンバーが他のメンバーよりもカテゴリーによく適合するということによって理解される。神経科学者や心理学者がアートを研究する場合、一般に異端と思われる作品よりも典型的なプロトタイプに着目する。このようにアートのプロトタイプに依存することから、われわれ科学者がコンテンポラリーアートについてほとんど考えず、研究を計画する際にアーティストや批評家とほとんど意見を交わさないという事態が生じている。

神経科学的な美学の歴史

神経科学者による美学に関する著作の初期の波は、「記述神経美学」と私が呼ぶものだ。この種の研究は、アーティストのしていることと脳による情報処理とのあいだの類似点を明らかにする。おおまかに言って、アーティストは特別な才能によって、われわれがいかに世界をとらえるかという謎を明らかにすると考えられている。このようなアーティストはときとして、のちに脳による視覚の処理を研究する神経科学者がなし遂げる発見を先に予想することがある。本章では、アーティストと神経科学者の暮らすパラレルワールドの例を挙げていく。

「神経美学」という用語を作ったことで知られる視覚神経科学者のセミール・ゼキは、20世紀が始まって以来神経科学者がさまざまな視覚的特性に焦点を当ててきたのと同じ方法で、アーティストたちは20世紀が始まったころにさまざまな視覚的特性に焦点を当てたことを指摘している。第1次世界大戦中、科学者たちは脳が視覚的世界をさまざまな属性に分解することに初めて気づいた。彼らは、爆弾の破片で脳を負傷して戦地から帰還した多数の兵士に出会った。兵士たちは視覚のさまざまな要素を奪われていたが、その症状は損傷した脳部位に驚くほど正確に対応していた。色を視認する能力を失った兵士もいれば、形を視認する能力を失った兵士もおり、さらに動きを視認する能力を失った兵士もいた。イギリスの神経科医ゴードン・ホームズは、視覚に生じた問題のパターンを入念に調べ、視覚系の基本的な構成を明らかにした[166]。眼から入った情報は脳の奥の後頭皮質へ送られ、個々の特性（色、輝度、形、動き、位置など）に分解されて脳の別々の領域で処理される。これらの属性がわれわれの視覚世界を構成するので、ホームズが視覚脳の基本要素を明らかにする前からアーティストたちがこれらの属性を明確に探究していたのは驚くに値しない。

ゼキは、アーティストが世界をリアルに表現するために視覚的特性を使うのではなく、われわれの視覚系そのものの特質を探究していることに気づいた[167]。アンリ・マティスやアンドレ・ドランといった野獣派の画家や、青騎士のワシリー・カンディンスキーやフランツ・マルクらは、色は必ずしも形を描くためのものではないことに気づいた。彼らは色を使って形ではなく感情を表現した。一方、キュビスムのパブロ・ピカソ、ジョルジュ・ブラック、フアン・グリスは形を重視し、1つの視点に縛られることなく対象の視覚的な形を表現できるということを示そうとした。デュシャンは『階段を降りる裸体』において、動きを表現しようとした。フィリッポ・トンマーゾ・マリネッティが「未来派宣言」で明言しているように、未来派もスピードとテクノロジー、そして20世紀初頭のめまぐるしいペースというコンテクストにおける動きに焦点を当てた。コールダーはモビールを使って、誰よりも巧みに動きを他の要素から切り離してみせた。彼は形状と色を最もシンプルな形に還元した。彼のアートの強みは、さまざまなパーツが互いとの関係において示す動きにある。[168]

アーティストの世界の見方

アーティストはしばしば、物理的世界における対象の真の姿ではなく、視覚的な心にとって目立つと感じられる属性に注目する。視覚科学者のパトリック・カヴァナグは、アーティストがしばしば現実世界の光と影や色の原理を逸脱することを指摘している。[169]通常、そのように対象が逸脱して描かれていても、われわれが心の中に描く対象とのあいだに齟齬《そご》が生じないので、われわれは逸脱に気づかない。たとえばアーティストは影を投げかけている対象よりも影を低い輝度で正確に描くが、影の形や輪郭を正確に描かないことが多い。影の形に関するわれわれの経験はあまりにもはかなく変わりやすいので、その経験から世界の中に存在する対象について信頼できる情報が得られないのだ。脳はこのような形に気づくようにはできていない。また、アートでは透明性も正確に描かれない。古代エジプトで描かれた絵では、透明性を表すのに、光の屈折の性質から予想される屈折した線ではなく単純な直線の交差を用いている。たとえば鉛筆を水に差し入れて斜めの角度から見ると、鉛筆が実際にはまっすぐなままだとわかっていても、鉛筆は曲がって見える。物体が水に入るときに実際には曲がらないとわれわれは知っているので、われわれは絵の中で本当は屈折しているはずの線が曲がった線ではなく直線で描かれていても気づかない。カヴァナグによれば、アーティストはわれわれが対象をよく見たときに実際にはどう見えるかに奴隷のごとく縛られることなく、対象に関する情報を伝える近道を考え出して使う。アーティストの戦略がうまくいくのは、「真」の視覚的特性のサブセットだけに気づくように脳が進化しているからだ。

神経科医のヴィラヤヌル・ラマチャンドランも、脳が視覚情報を処理する方法をアーティストが少なくとも暗黙裡に理解しているということについて、同様の見解を示している。ラマチャンドランはアートの「普遍的特性」としていくつかの原理を提案している。[67] 美への反応を扱ったところで、最も重要な原理であるピークシフトの原理が登場した。この原理は、特定の刺激に対して特定の反応が確立していて、その刺激が誇張された場合にはさらに反応が激しくなるというものだ。ラマチャンドランはこのピークシフトの原理を用いて、12世紀に南インドを支配していたチョーラ朝の銅像で起きていることを説明している。女神パールヴァティーの像では、性的二型の特徴が誇張されている。乳房と腰は巨大で、ウエストは極端に細い。ラマチャンドランは、この形態が女性の官能性、気品、落ち着き、威厳を典型的に表現し、ピークシフトの原理を利用することでアートとしての力を得ていると指摘する。彼はさらに、抽象アートに対するわれわれの反応はもとの刺激に対する基本的な反応からのピークシフトであり、それはわれわれがもとの刺激がどんなものか知らない場合や覚えていない場合にも起きると考察している。

哲学者のウィリアム・シーリーは、アーティストは作品上でわれわれの注意を導くための技巧を用いると示唆している。[170] 彼はアート作品を「注意力のエンジン」と呼ぶ。同様に、視覚神経科学者のマーガレット・リヴィングストンと共同研究者らは、アーティストが特定の効果を生み出して、視覚情報を処理するための脳の設計を利用する方法について研究している。たとえば印象派絵画のきらめきや、あるいはモナ・リザの謎の微笑などがこの効果をもたらす例と考えられる。[171] 前に述べたとおり、視覚脳は見たものを形、色、輝度、動き、空間的位置という基本的な属性に分解する。神経科学の基本的な考え方として、これらの属性は2つの互いに作用し合う系統に分けられるとされる。[172] 形と色が1つの系統で処理され、対象が「何」かを明らかにする。輝度、動き、位置は別の系統で処理され、対象が「どこ」にあるかを教える。リヴィングストンの指摘によれば、印象派の絵画で見られる水のきらめきや水平線を照らす太陽の輝き（たとえばモネの『印象・日の出』で描かれる太陽とそれを取り巻く雲）といった効果は、対象が同じ輝度だが異なる色で描かれた場合に生じる。「何」の系統は複数の対象が同じ輝度でもそれぞれをとらえられるが、「どこ」の系統はそれができない。そのため脳は絵に描かれている等輝度の対象の位置を正確に特定することができず、これらの対象が絵の中できらめいているように見えるのだ。

リヴィングストンは、モナ・リザの微笑が謎めいて見える理由も説明している。われわれの視覚系は、視覚周波数の差を感知する。われわれが視線を向ける視野の中心では、ディテールがはっきりと見える。ディテールは高周波の情報として伝達される。対照的に、周辺視野は明暗の大きな変化や低周波の情報を感知しやすい。高周波の視覚は木を見ること、低周波の視覚は森を見ることにたとえられる。『モナ・リザ』にフィルターをかけて高周波か低周波のいずれかの情報だけを残すと、おもしろいものが見られる。低周波の情報だけを残した場合には微笑だけがはっきりと見えるのに対し、高周波の情報だけを残した場合には微笑が見えなくなるのだ。リヴィングストンによれば、この絵の背景を見ているときにはモナ・リザの口元は周辺視野でとらえるので、微笑が見える。口元を注視すると、微笑は消えてしまう。こちらが見ていないときだけ相手が微笑んでいるような気分にさせられる。モナ・リザの微笑がこれほど謎めいて感じられるのは、この曖昧さのせいなのだ。彼女は本当に微笑んでいるのだろうか。

一部では、アーティストの世界と神経科学者の世界がよく似ていることから、アーティスト（プルーストでもセザンヌでも）がじつは神経科学者なのだと主張するのが流行している。この絶妙なアイデアは注目をさらいはするが、そのまま受け入れるべきではない。アーティストは彼ら自身の世界に関しては、確かに分析のエキスパートと言える。もちろん、彼らの発想や技法は、脳について明らかにされている事柄に矛盾しない。矛盾するはずがあろうか。人間の欲求や欲望を満たす対象を生み出す高度な方法を築いてきた分野なら、脳の働きに合致しないはずがない。建築家は空間を構成し、われわれの動きを誘導する複雑な方法を考案する。彼らの設計の原理のなかには、脳に関する事実と確実に合致する要素が含まれている。シェフは味と香りの見事な組み合わせを生み出して、食べる者に栄養だけでなく刺激や喜びも与える。こうした組み合わせに対応するものが神経系に存在するのは間違いない。役者は表情、身振り、台詞によって観客に虚構を信じさせるエキスパートだ。彼らのコミュニケーション能力は、われわれが互いを知って理解する仕組みにまつわる神経生物学の複雑な側面を利用する。お金を扱った章で、カジノの運営者がじつは報酬に対する脳の反応を理解しているということを確かめた。建築家のフランク・ゲーリーやイオ・ミン・ペイ、シェフのレイチェル・レイやエメリル・ラガッセ、俳優のモーガン・フリーマンやヘレン・ミレン、そしてドナルド・トランプも、じつは神経科学者だと主張すべきなのだろうか。アーティストは神経科学者だと言ったところで、アート制作や科学研究のプロセスや厳密さを正当に評価することにはならない。アーティストが神経科学者だと言うのは、カモノハシは鳥と同じく顔の前に突き出たものがついているから鳥だと言うようなものだ。

アートと感情の関係

これまで記述神経美学は、アートの視覚的特性と神経系による視覚世界のとらえ方の類似性に着目してきた。しかし、アート作品が描くのは視覚的特性だけではない。感情も表現する。表現主義のアート理論では、この機能を重視する。アートは、言葉で伝えるのが不可能ではないにしても相当まわりくどくなってしまう微妙な感情を伝えることができる。アートは感情を明白にし、うまくいけば感情の本質を抽出することができる。われわれはみな、少なくとも暗黙裡には、自分たちの使う言葉から、アートが感情を伝えることを理解している。ノエル・キャロルは、人の気分を表現するのに使われる言葉の多くが、アートについて記述するのにも使われることを指摘している。[173]たとえば人のことを憂いに満ちている、活気にあふれている、穏やかである、喜びに満ちている、精力的である、陰鬱である、病的である、ユーモラスであるなどと描写することができるが、これらの言葉はすべてアートを描写するのにも使われる。

　私の知る限り、神経科学者は視覚アートの表現性について真剣に考えていない。アートの視覚的特性は脳の視覚的特性を反映するというロジックは、おそらくアートの感情的特性にもあてはまる。表現豊かなアートは、神経科学者がまだ明らかにできていない感情脳の仕組みを理解するための手がかりをもたらすかもしれない。そして神経科学者は、脳内でアートが感情を喚起する仕組みについて何か明らかにできるかもしれない。

　神経科学者は、アートと感情について疑問をいくつか抱くかもしれない。キャンバスや紙や木材に散らばった線や色が、どうやって感情を伝えるのか。審美的感情を他の感情とは違うものにする特別な要素があるのか。感情を伝えているのは正確には何なのか。鑑賞者はただアート作品の中に感情を見出すのか、それとも鑑賞者もその感情を覚えるのか。

　表現豊かなアートが感情とどう関係するのか、まずは仮の推測をいくつか紹介したい。絵画が人の感情を描いている場合が最もわかりやすいだろう。レンブラントの自画像の物憂さでもいいし、ムンクの『叫び』の恐怖でもいい。たいていの人は顔の表情を読み取ることに長けている。心理学者のポール・エクマンは、怒り、嫌悪、恐怖、幸福感、悲しみ、驚きといった基本的な感情が文化の壁を超えて同じように表現され認識されることを示している。[174]そのような感情が肖像画で表現されている場合、現実生活の中でそれらの感情を認識する際に働くのと同じ神経機構が審美的遭遇においても作動する。われわれは風景を評価するのも得意だ。ある場所が魅惑的であるか、あるいは危険そうかがわかる。この普遍的な能力の多くは、更新世の世界をさすらった祖先の脳に組み込まれた。同様に快適さや危険の予兆を伝える風景画に対しても、同じ神経機構が働く。ただし、抽象画が感情を伝える仕組みについては、これほどはっきりしていない。なぜわれわれはポロックの作品から躁病的なエネルギーを感じ取ったり、ロスコの絵に安らぎを覚えたりするのだろう。赤を怒りと結びつけ、青を悲しみと結びつけるのはなぜなのか。丸みを帯びた形に心地よさを覚え、とげとげしい形に警戒心を抱く理由は何なのか。形、色、動き、位置といった基本的な視覚的特性を感情のトーンと結びつける原理は、まだ明らかになっていない。

われわれはさまざまなレベルで感情を経験する。最も高いレベルに位置するのは、感情と認知系との相互作用だ。状況のとらえ方によって、その状況に対する感情反応に影響が生じる。心理学者はこの考えを発展させて「感情の評価理論」を構築している。[175]これは、われわれが世界の中のものや出来事を自分の目標や欲求にもとづいて解釈するという考え方だ。主観的な状態が、このものや出来事に喚起される感情に影響する。それゆえ同じ作品が、ある人には怒りを喚起し、別の人には好奇心をかき立て、さらに別の人には楽しさをもたらしたりするのだ。人の主観的状態や目標、動機と、アートに喚起される感情との相互作用の根底にある神経的基盤については、これから研究していく必要がある。アート作品は、鑑賞者に別のレベルの感情である「気分」を引き起こす。喚起された気分は、必ずしもダイレクトにアート作品と結びつくとは限らない。たとえば音楽を聴いたら悲しくなるかもしれないし、活気が満ちあふれてくるかもしれない。すでに感じている感情の揺らぎが増幅されるのかもしれない。こうした感情は、音楽や絵画に触れている時間をはるかに超えて持続するかもしれない。このようなアートが大脳辺縁系の一部で神経活動を引き起こし、ホルモンのカスケードを体内へ放つ生物学的仕組みについては、今後の解明が期待される。

気分よりもさらに基本的なレベルの感情の1つが反射的感情だ。ある種のイメージは、驚きや笑いといった反応を即座に引き起こす。嫌悪などの即座の反応が適応を助ける普遍的な反応を刺激することに疑いの余地はない。また、個人の経験によって反応にバイアスがかかっている場合もある。こうした感情反射は、思考によって媒介されるのではないと思われる。一般に、感情反射は瞳孔の開き具合や心拍数、皮膚の伝導性にきわめてすばやい変化をもたらす。これらの変化はすべて、移動能力をもつあらゆる生物にしっかりと植えつけられた逃走・闘争反応によって、自律神経系の活動が活発になるときのしるしだ。

記述的な神経美学は、経験から得られた科学の知識を、興味深くしばしば洞察に満ちた形でアート作品の議論にもたらす。アートと脳の関係を描く最初の見取り図を示してくれる。記述神経美学にはある程度の注意も必要だ。自分たちの知識を支える土台が実際よりも堅固だと信じ込まされてしまうおそれがある。危険なのは、記述神経美学による推測をすでに確立された結論だと思ってしまうことだ。どれほど巧妙であっても、あるいはどれほど正しそうであっても、推測は未検証の仮説にすぎない。推測を裏づけるには実験が必要だ。記述神経美学の推測から出された予想を検証しなくてはならない。つまり、実験神経美学が必要なのだ。

グスタフ・フェヒナーは、実験心理学と経験美学の主要な先駆者だった。1860年、感覚を定量化する方法を解説する『精神物理学要綱』（*Elemente der Psychophysik*）を刊行した。彼は感覚に関する心理的経験が、世界に存在する対象の物理的特性（光の強さや音の大きさなど）と法則に従って結びついていることを発見した。1876年に発表した『美学入門』（*Vorschule der Aesthetik*）では、自身の精神物理学的手法を美学に拡張した。

フェヒナーの実験は、科学的な美学の幕開けを告げた。彼の美学へのアプローチは「ボトムアップ」方式だった。大きさ、形、色、比率といった単純な視覚的特性が人の好みにどう影響するかを調べたのだ。たとえば黄金比（数学の美を扱った章で見た比）に関する研究をいち早く行い、どんな長方形が人に好まれるかを突き止めた。単純な視覚的特性が美学に与える影響を調べた彼の精神物理学研究が、その後の1世紀半にわたって行われた無数の実験につながった。彼は単純な刺激の例を多数集めて、多くの人の示す反応を平均するという画期的な手法を用いた。フェヒナー以降、研究者は自身の考察や1人か2人だけの主観的な感覚に頼るのではなく、統計学を使って仮説を検証できるようになった。

　視覚世界を構成要素に還元するのは、知覚や美学を研究するのに最善の方法なのだろうか。20世紀前半のゲシュタルト心理学者は、そうは思わなかった。[176] マックス・ヴェルトハイマー、クルト・コフカ、ヴォルフガング・ケーラーという3人のドイツ人心理学者は、別のアプローチを支持した。単純な視覚的特性が心にどう影響するかを調べるだけではプロセス全体があまりにも受動的に感じられることから、このやり方は知覚について考えるのによい方法ではないと考えた。代わりに、われわれは世界を総体として見ていると想定した。心は視覚要素を能動的にもっと複雑な塊にまとめる。だから科学者はこの視覚要素のまとまりを調べるべきなのだ。3人の心理学者はまとまりの形成にかかわるいくつかの原理を記述し、近接、連続、類似、閉鎖などと名づけた。これらの原理の詳細は、ここでの議論に重要ではない。ただ、なんらかの組織編成がなければ、世界は不完全な視覚要素からなる騒々しい大混乱になるだろうということだけ理解しておけばよい。知覚に対するゲシュタルト的アプローチをアートに適用した手法は、20世紀半ばに心理学者ルドルフ・アルンハイムによる研究[177]とともに頂点に達した。アルンハイムは、アート鑑賞における重要な要素としてバランス、対称性、構成、ダイナミックな視覚的力といった形式にかかわる原理を重視した。

経験美学で次に起きた大きなトレンドは、知覚から注意および感情の役割への移行だった。この動きは20世紀半ばに起こり、経験主義的な研究を神経科学に近づけた。ダニエル・バーラインは、アートを鑑賞する経験における覚醒と動機づけ要因の役割を重視した。[178] 彼はアートにおける新奇性や意外性、複雑性、曖昧性といった、精神物理学者やゲシュタルト学者が検討していない特性が重要だと考えた。たとえば彼は、魅力的に感じられる対象には最適なレベルの複雑性が備わっていると考えた。複雑性がこのレベルに達していない対象はおもしろみがなく、逆にこれより複雑だと混沌として手に負えなくなる。バーラインの考えでは、審美的経験においてこうした最適な形態が鑑賞者に覚醒状態を生み出し、感情反応を引き出す。彼の研究は美学の知覚的側面と認知的側面を結びつけ、さらに美学と神経生理学との結びつきを明示した。

美の統計学的実験

われわれが視覚イメージの特性に反応しているのかを問う経験美学のアプローチは、現代の画像統計学を用いる科学者によって復活した。この研究から、アート作品にはわれわれが明確に意識していなくとも魅力を覚える定量化可能なパラメーターが含まれていることが示唆される。たとえばフラクタル次元は、さまざまなスケールで同じパターンが繰り返し現れるフラクタルの形態を表す。フラクタルは、枝分かれする木や海岸線など、不規則だがパターンのある自然の造形に現れる。フラクタル次元は0から3の値をとる。1次元のフラクタルは0・1から0・9、2次元のフラクタルは1・1から1・9、3次元のフラクタルは2・1から2・9となる。写真や絵画といった平面画像で示される自然物のほとんどは、フラクタル次元が1・2から1・6となっている。

物理学者のリチャード・テイラーは、ジャクソン・ポロックのドリップペインティングを調べて、アートにおけるフラクタル次元に注目を集めた[179]。テイラーと共同研究者らは、ポロックの初期の絵画のフラクタル次元が多くの海岸線に見られるのと同じ1・45前後であることを発見した。ポロックの作品がもっと豊かで複雑になるにつれてフラクタル次元は上がり、やがて1・72にまで達した。ポロックの絵画についてこのような観察をしたあとで、テイラーは人工の画像ではフラクタル次元が1・3から1・5のものが人々に好まれることを発見した。この範囲のフラクタル次元をもつ画像は、規則的すぎず、過度にランダムでもない。

テイラーが自身の方法を用いてポロック作と言われる新しい絵画を鑑定すると、彼の主張は議論を招いた[180]。テイラーはポロック・クラスナー財団から依頼されて鑑定を行い、新しい絵はおそらく本物ではないと判断した。ところがこの結果に対し、物理学を専攻する博士課程学生のキャサリン・ジョーンズ＝スミスと物理学者のハーシュ・マートゥルが異議を申し立てた[181]。2人はテイラーの方法では原理的に絵画のフラクタル次元を適切に特定することができないと主張した。彼らはまた、フォトショップを使って描いた単純な線画も、テイラーがポロックの絵の特徴だと言うフラクタル次元をもっていることを示した。私の知る限り、この論争は決着していない。私はどちらが正しいかについて意見を述べられるほど数学には通じていない。ともあれ論争は、世界有数の権威ある科学雑誌『ネイチャー』を舞台に繰り広げられたのだった。

アートと風景の数的共通点

テイラーは、われわれがアート作品に隠された数学的規則性に反応している可能性を指摘した。ドイツのクリストファー・レーディース[182]とアメリカのダニエル・グレアムおよびデイヴィッド・フィールド[183]は、別個にこの基本的な点を立証して発展させた。この科学者たちは、視覚アートと自然の光景には共通の統計学的特性があることに気づいた。たとえばそれらは一般に「スケール不変」なのだ。スケール不変とは、像を近くで見ても遠くから見ても同じ種類の情報を保持する性質で、たとえば遠くから山を眺めても、山腹の岩を近くで見ても、同じ情報が存在する。これは像全体の性質であり、特定のディテールだけの性質ではない。研究者らは像のフーリエパワースペクトルを使って、視覚アートのスケール不変性を見出した。フーリエスペクトルは、どんな像についても空間周波数の低い部分（広範囲）から高い部分（細部）まで記述する。われわれの目的に関しては、数学的な詳細には踏み込まず、自然の光景に特徴的なフーリエスペクトルが存在することを理解する必要がある。研究者らは、アート作品の像の統計学的特性を、神経細胞が情報を効率的に処理すると考えられている方法と明確に結びつけることによって、テイラーより先へ進んでいる。[184]

レーディースは、15世紀の版画から20世紀の抽象アートに至るまで、西半球で作られた多くのアート作品においてフーリエスペクトルの値が自然環境の写真で見られるものに近いことを発見した。これらのスペクトルは、実験室や家庭にあるものの写真や、植物の写真、あるいは科学的な図版に見られるスペクトルとは異なる。アーティストの作る作品のもつ統計学的特性は、必ずしもものを写した写真に見られるのと同じではないらしい。むしろアーティストは、複雑な自然の光景で見られるフーリエスペクトルと同様の画像統計学的特性をもつ像を作り出す。これらの画像統計学は抽象的な像にもあてはまる。鑑賞者は、自然の光景の統計学的特性と合致する抽象画を好む。レーディースは、技法、制作時期、制作国、主題といった文化的変数によって、作品におけるこれらの定量的パラメーターが変わることはないということを発見した。グレアムとフィールドは、美術館に所蔵されている124点の絵画（西半球と東半球の両方の作品が含まれていた）も調べ、同様の隠れた統計学的特性を見出した。[185] さらに興味深いことに、レーディースが人の顔の写真と肖像画のフーリエスペクトルを調べたところ、肖像画の統計学的特性は自然な顔よりも自然の風景に近いことが判明した。[186]

精神の物理学

これらの発見、すなわちわれわれは定量化可能だが通常は認識されない特定のパラメーターが埋め込まれている像を好むということは、フェヒナーが始めた研究プログラムの最新の成果だ。フェヒナーは、この種の実験を「外的精神物理学」と呼んだ。われわれの精神状態と外界の物理的特性とのあいだに、合理的で定量化可能な結びつきが存在するという意味だ。外的精神物理学は、対象の審美的特性、すなわち客観的だがわれわれの中で審美的経験を喚起する特性を扱う学問と考えることもできる。フェヒナーは、精神状態を脳の物理的特性と結びつける「内的」精神物理学の可能性にも気づいていた。19世紀の科学者に内的精神物理学の研究ができなかったのは、単に必要な技術が存在しなかったからだ。それから150年が経った今、われわれは美学の内的精神物理学に足を踏み入れようとしている。

しかし美学の内的精神物理学の話に入る前に、アートとの遭遇に関係する脳の全体的な構造を復習しよう。前に言ったとおり、審美的経験には感覚、意味、感情という3つの中核的な要素があり、それぞれ異なる神経的基盤に支えられている。当然ながら感覚そのものへの神経反応は、作品が視覚、聴覚、味覚、触覚のどれを通じて受容されるかによって異なる。これらの感覚系はそれぞれ脳への入り口が違うからだ。本書の中心である視覚の場合、処理のプロセスは初期、中間期、終期に分けられる[187]。視覚処理の初期には、色、輝度、形、動き、位置といった単純な要素を視覚環境から抽出する。フェヒナーの精神物理学では通常、これらの単純な要素への反応に着目する。視覚処理の中間期には、一部の単純な要素を隔離して、それ以外の要素はまとまりのあるいくつかのグループに分類する。アルンハイムなどのゲシュタルト心理学者たちは、このレベルの視覚処理をアートと結びつけて研究したが、アルンハイムは脳への明確な言及はしていない。視覚処理の終期には対象が認識され、その対象が喚起する意味、記憶、連想も認識される。感覚から意味へ至る過程で、感情系と報酬系が起動する。感覚、意味、感情を処理するニューロンの活動が組み合わさって、審美的経験の神経的発現となる。

アート作品を使って脳内で審美的プロセスの生じる場所の特定を試みた研究がいくつか行われている。これらの研究がどんなものか簡単に紹介し（広範な説明は試みない）、そこから結論をいくつか引き出してみたい。

神経科学者の川畑秀明とゼキは、実験の参加者に、脳のスキャンを受けながら、抽象画、静物画、風景画、肖像画を「美しい」か「どちらでもない」か「醜悪」のいずれかで評価させた。おそらく予想どおり、肖像画、風景画、静物画のどれを見ているかによって、腹側視覚野の活動のパターンが変化した[188]。このパターンが予想されるのは、脳のこの部分では顔、場所、ものによく反応する領域が異なるからだ。美しい絵を見たときには、眼窩前頭皮質と前帯状回（前に見たとおり、報酬系の重要なパーツだ）が活発になった。これはさまざまな快感を経験したときに活発化するのと同じ領域だ。オシン・ヴァルタニアン（彼がウィノナ・ライダー好きなのを覚えているだろうか）とヴィノド・ゴエルも具象画と抽象画を使って同じようなｆＭＲＩ実験を行っている。実験の結果、参加者が絵を気に入ると後頭皮質と左前帯状回の活動が活発になることが判明した。[189]

抽象画の場合、脳はその美しさにどう反応するのだろう。ヤコブセン、シュボッツ、ヘーフェル、フォン・クラモンは、別のやり方でこの問いに挑んだ。彼らの実験では、本物のアート作品ではなく実験室でデザインした幾何学的図形を使い、参加者に図形が美しいかどうか、あるいは対称的かどうかを判断させた。この方法では、参加者が画像をよく見ながら判断することができ、判断の根拠を条件によって変化させることができる。実験の結果、美しさの審美的判断のほうが対称性の判断よりも内側および腹側の前頭前野と脳の後部にある楔前部《けつぜんぶ》で活動が活発になることがわかった。[190] これらの領域は広域報酬回路に属する。

心と脳の関係を調べるのに使われるのは、ＭＲＩだけではない。カミーロ・セラ＝コンデとマルコス・ナダルおよび共同研究者らは、脳磁図という技術を使った。脳磁図は、特定のタスクを遂行する際の脳波を記録する。ＭＲＩが脳内で起きる事象の位置を検出するのに対し、脳磁図は脳内で起きる事象のタイミングを検出する。実験では参加者にアート作品と写真を見せて、その像が美しいかどうかを判断させた。美しさの劣る像よりも美しい像のほうが、像を見た４００～１０００ミリ秒後に左背外側前頭前野全体で大きな神経反応を引き起こした。[191] この結果から、意思決定に関与する脳部位が、１秒をはるかに下回るきわめて短い時間で美しい像を識別することがわかる。

これらの研究について、感覚、意味、感情という美学の主要3要素の観点から考えてみよう。まずは感覚について。もちろん、視覚野の一部は視覚アートに反応する。肖像画によって顔領域が活発になり、風景画によって場所領域が活発になるのは当然だ。しかし、アート作品を評価するときにもこれらの視覚領域が関与するのかについては、じつはよくわからない。これらの領域は作品の美しさに反応しているのだろうか。それらは自分の気に入った作品から経験する快感にかかわる神経的基盤の一部なのか。ヴァルタニアンとゴエルの研究は、見た像が美しいときのほうが、これらの領域の神経活動が高まることを示している。私の研究室が行った実験で、参加者が美とは無関係のタスクをしているときでも、視覚領域が美しさに反応することが判明した、という話を顔の美しさを扱ったところで紹介したのを覚えているだろうか。これらの視覚領域は、アートや美については快感回路の延長なのかもしれない。神経科学者のアーヴィング・ビーダーマンは、腹側後頭皮質の高次視覚領域にあるニューロンがオピオイド受容体を備えていることを見出している。[192] 快感のパートで見たとおり、側坐核のオピオイド受容体は快感にかかわる重要な化学信号を受け取る。視覚処理領域にあるオピオイド受容体も、視覚アートによる快感の合図を送っているのかもしれない。

感情については、美しいアートを鑑賞することで生じた快感が、眼窩前頭皮質、前島、前帯状回、腹内側前頭前野の活動を活発にすることがわかる。これらのパーツは、おいしい食べ物、セックス、お金がかかわるときに活発になるのと同じである。しかしこれらの快感については、わからないことがたくさんある。眼窩前頭皮質など一部の領域では活動が高まるが、腹内側前頭前野など別の領域ではそうならないということが研究で見出されている。このようにさまざまなアート作品によって生じるさまざまな活動パターンの経験は、何によって区別されるのだろうか。アートに喚起され得る微妙な感情、たとえば恐怖と嫌悪が混ざり合った気持ちや驚嘆、奇想などについては、ほんのわずかしかわかっていない。

次に、アートにおける意味の役割について考えよう。アート作品に関する短い説明を聞くか、あるいは作者の名前を知るだけでも、絵を見るという審美的経験に変化が起きる。[193] 自分が特定の絵を気に入ったかどうかは、ごく短時間で判断できる。しかし説明を聞いて絵を理解し始めるまでには、もっと時間がかかる（10秒以上）。自分の見たものに合致する情報を受け取ることもあれば、合致しない情報を受け取ることもある。心理学者のマルティナ・ヤケシュとヘルムート・レーダーは、そうした不協和な情報が抽象画を見るという経験に特殊な影響をもたらすことを発見した。現代抽象アート作品について曖昧な情報を与えられると、作品に対する鑑賞者の関心が高まり、いっそう気に入るのだ。[194]

アートに意味が付加されると、脳ではどんなことが起きるだろう。ウルリヒ・カークとマルティン・スコウおよび共同研究者らは、鑑賞している対象に関する経験が期待によって影響されるかどうかを調べるという方法で、アートにおける意味にアプローチしている。[195] 前に味覚を扱ったときに紹介した話だが、飲んでいるコーラのブランド名を知らされているかどうかによって、コークやペプシのおいしさに影響が生じる。カークらは、アートを鑑賞するときにもこれと同じようなコンテクストが影響することを発見した。ｆＭＲＩ実験で、抽象的な「アート作品らしい」ものを刺激として参加者に示した。これには美術館の所蔵品かコンピューターで生成したものというういずれかの表示がついている。すると、コンピューター生成と表示されたものを見た場合よりも美術館の所蔵品と表示されたものを見た場合のほうが、参加者は同じ像について魅力の度合いを高く評価した。この嗜好は、内側眼窩前頭皮質と腹内側前頭前野という報酬系に属するパーツの神経活動の亢進として現れた。像が美術館の所蔵品だと考えると、海馬と密接に結びついていてお金に関して重要な役割を果たす領域である嗅内皮質でも活動が亢進した。コークとペプシの実験のときと同様、ここでも意味が期待という形で視覚イメージに関する経験に影響することがわかる。こうした期待は記憶を利用し、視覚的な快感を高めたり、場合によっては減じたりすることがある。

作品になじみがあれば、視覚的経験に知識を加えることができる。心理学者のジェイムズ・カッティングは、印象派の絵画を見たことのある人は、それだけで印象派の絵画を好むということを発見した。[196]神経科学者のヴァイスマンとイシャイ[197]は、ブラックやピカソによるキュビスムの絵画を見ている参加者の脳をスキャンした。参加者の半数には、30分かけてキュビスムに関する情報を与え、キュビスムの絵に描かれた対象を認識する練習をさせた。キュビスムの絵を見せると、事前に情報や訓練の提供を受けなかった参加者よりも、それらを受けた参加者のほうが、頭頂間溝と海馬傍回の活動が活発になった。短時間の訓練で、これらの絵に対する知覚に神経系で検出できる影響が生じたのだ。

専門知識のある人とない人を調べるというのも、知識が視覚的経験に影響する際に脳内で起きることを知る1つの方法だ。ある研究で、建築の専門家として建築学専攻の学生を参加させ、建築物や人の顔の写真を見たときの反応を他の学生と比較した。[198] 建築の専門家は、顔の写真を見たときより建築物の写真を見たときのほうが海馬の神経活動が活発になった。この神経反応から、建築物の写真が建築物に関する記憶を活性化したことが示唆される。彼らは建築物の写真を見たときに、非専門家と比べて報酬系に属する内側眼窩前頭皮質と前帯状回にも活発な神経活動を示した。これらの例において、建築学専攻の学生のもつ建築の専門知識が快感に影響した。一方、参加者の専門知識のレベルとは無関係に、魅力的な顔や建築物の写真を見たときには、側坐核の神経活動が活発になった。教育やバックグラウンドによる影響とは無関係に、この中核的な快感中枢は対象の楽しさを感知するらしい。

「アートのモジュール」はない

実験神経美学の研究結果を調べると、脳にはアートに特化したモジュールが存在しないことがわかる。アートに接するときの主観的な経験は、他のことをするのに使われる脳のさまざまなパーツをつぎはぎして生み出される。顔や場所に特化した視覚回路があるのと同じように、アートに特化した視覚回路が存在するのではないかという予想があった。また、アートが脳内の他から隔離された場所で特別な感情を喚起するのではないかという予想もあった。さらに、アートは世界に関する日常的な知識から切り離された特別な意味をもつのではないかとする見方もあった。しかし、これらの予想はすべて違っていた。脳がアートに反応するときには、日常的な対象を知覚するのにかかわるパーツ、すなわち記憶や意味を処理するパーツや、食べ物やセックスを堪能するときに反応するパーツを使うのだ。

以上の科学的な美学の世界を巡る短い旅から、脳がアートに反応する仕組みを科学者が解明し始めていることがわかる。このような時期に神経美学の領域で研究をするのはエキサイティングだ。この新たな取り組みをめぐる高揚のさなかに、われわれは一歩さがってこう問うてもよいかもしれない。「アートや美学を扱う場合、科学による分析的な吟味に限界はあるのか」。私が言いたいのは、フェヒナーが当時は実現できなかった内的精神物理学の未来を思い描いたときに認めていた、技術的な限界のことではない。原理的に科学の範疇を超えた限界のことを言っているのだ。たいていの実験的研究では、広く受け入れられているアート作品を探究の焦点として使う。アート作品として美術館に収められている小便器とかブリロの箱に、科学者はどうアプローチすべきなのか。1つの方法は、この手のアート作品を異端として退けることだ。これらは外れ値で異常だと断言し、次の機会が来るまでどこかにしまっておく。そして誰もがアートだと認める作品だけを扱う。あるいはアートをめぐる最近の動きに対峙して、こう問うてもいいかもしれない。「科学的な美学は、コンセプチュアルアートについて何か有益なことを語れるのか」。次の章ではこの問いについて考えたい。

第5章 コンセプチュアルアート

コンセプチュアルアーティスト5人と彼らの作品について考えよう。全員、注目も悪評も浴びたことがある。彼らのアートは、コンセプチュアル、ポストモダン、前衛的、最先端、創発的、などと評されている。平均的な人は、この手の作品を見て当惑し、これのどこがアートなのかと考えてしまう。ここでわれわれは、科学者はこのようなアートについてどう考えるべきかと問おう。こんなアートは邪道だとしてどこかに追い払うべきなのか。それともこのコンテクストにおいて科学は何か意味のあることを言えるのか、確かめるべきなのだろうか。

大量生産された十字架が、金琥珀色の液体に沈んでいる。この十字架をとらえたチバクロームの写真の中の光は精妙で、敬虔な思いをかき立てさえする。だが、この黄金色の液体は作者の尿なのだ。アンドレス・セラーノの『ピス・キリスト』が巻き起こした論争については、すでに触れた。だが、セラーノが自らをカトリック教徒だと認めていることには触れなかった。彼のキリスト教信仰は、彼個人のものである。彼は作品において、自らの信仰やその信仰に伴う社会制度と激しく闘っている。彼は、教会には信者におのれの体の価値をどうとらえるべきか指示する権限があるとか、ある種の体液は嫌悪を催すものだといった考え方に異議を唱える。『ピス・キリスト』は、それより1世紀前に描かれたゴーギャンの『黄色いキリスト』にも言及している。ゴーギャンは遠い南太平洋への航海に出発したとき、ヨーロッパの文化規範を拒絶した。アフリカ系キューバ人とホンジュラス人の子として生まれたセラーノは、敬虔さを表に出すお行儀のいい世界を拒絶する。磔《はりつけ》は醜悪で苦痛に満ちた恐ろしい死に方だ。しかしセラーノの考えでは、もはやこの象徴からは恐怖が取り除かれている。彼は、人々がしばしば宗教自体への敬意を装いながら、じつは宗教的図像に崇敬の念を表すことに疑念を呈する。宗教に対する彼の葛藤は、この写真を見るだけではあらわにならない。写真とそのタイトルが善良なる人々を侮蔑していると感じられるだけだ。

部屋の隅に1枚の青い正方形のマットが敷いてある。マットの4つの角に合わせて大量の正方形の白い紙を積み重ねた山が置かれ、紙で隠されていない青色の部分が十字架のように見える。来場者は紙を1枚取るように勧められる。フェリックス・ゴンザレス＝トレスによるこの作品がミニマリズムの抽象作品だということは容易にわかる。おもしろいというより自己満足的で、ほとんど心を惹かれない。しかし彼のパートナーがAIDSで死期が迫っていたとか、命のはかなさと限界をめぐる考えで彼は頭がいっぱいだったとか、ブルークロス（青い十字）がアメリカで最も有名な医療保険会社だということを知ると、この作品を見る経験が変容する。白い紙の山のあいだに見える青い十字と紙の山自体が、医療保険と、命の最後の苦悶にまでずかずかと入り込んでくるその存在を表す強烈な象徴となる。紙を取ることで来場者は作品にかかわり、この問題の一部分を持ち帰ることになる。ゴンザレス＝トレスの作品は、鑑賞者に行動することを求め、作品を作るきっかけとなった問題に反応することを求める。

幾何学的図形の話が続くが、一辺の長さが2フィート（約60センチメートル）、重さが600ポンド（約270キログラム）の立方体が2つあると想像してほしい。一方はこげ茶色、もう一方は乳白色だ。各辺と頂点のまわりに奇妙な痕がついていて、よく見るとそれは歯形だ。こげ茶色の立方体は『チョコレートのかみ痕』、色の薄いほうは『ラードのかみ痕』という作品だ。このかみついたのは、作者のジャニーン・アントーニだ。彼女の作品は摂食の快感と罪悪感、そして摂食と食事の関係に注意を引きつける。彼女は3つの段階に分けて、プロジェクトに取り組んだ。第1段階では立方体を制作した。『チョコレートのかみ痕』では、チョコレートを溶かして50ポンドずつ型に流し込み、それが冷えて固まったら次の50ポンドを流し込んだ。『ラードのかみ痕』では、型にラードを詰めてからドライアイスで冷やした。このプロセスは単調で、反復的で、強迫観念を起こさせるものだった。2つの立方体が完成すると、次の段階ではアントーニの口が作品制作の道具となった。立方体にかみつき、誰が見てもわかるように歯形を残した。彼女は進化上の要請に従った。栄養的に必要な量をはるかに超えて、糖分と脂肪を摂ろうとする欲求に従ったのだ。彼女はチョコレートとラードのかけらを吐き出すと、このようにかじって吐き出す行為は、罰を受けることなく消費と廃棄を続ける文化のメタファーなのだと考えた。そして吐き出したかけらを使って、プロジェクトの第3段階として新たな像を作った。チョコレートのかけらを溶かしてハート型のキャンディーボックスを作り、ラードのかけらに顔料と蜜ろうを混ぜ合わせて型に入れ、真っ赤な口紅を作った。そしてあるブティックで、このロマンスと欲望の象徴をチョコレートとラードの立方体のそばに飾った。彼女の作品は、女性の自意識と美しさを攻撃する消費社会に思いを巡らせる。

ミレイユ・スザンヌ・フランセット・ポルトは、美しさの概念に対する女性の闘いを熟知している。オルランの名で知られる彼女は、1990年に『聖オルランの再生』というプロジェクトを始めた。自ら美容外科手術を何度も受け、その模様を撮影した動画をパリのポンピドゥーセンターとニューヨークのサンドラ・ゲーリング・ギャラリーで上映した。再生プロセスのために、彼女はボッティチェリの『ヴィーナス』の顎、フランソワ・ジェラールの『アモルとプシュケ』で描かれたプシュケの鼻、フランソワ・ブーシエの『エウロペ』の唇、16世紀のフォンテーヌブロー派の絵画で描かれていたような『ダイアナ』の眼、そしてダ・ヴィンチの『モナ・リザ』の額を選んだ。執刀医たちは、ファッションデザイナーの作った衣装をまとった。

手術中は医師たちもパフォーマンスの演者になるからだ。オルランはこの作品を「生まれつきのもの、変えられないもの、プログラムされているもの、自然、ＤＮＡ、神」との闘いと表現した。その後、現実がオルランのアートに追いついた。アメリカ形成外科学会によれば、２０１０年にはアメリカで１３００万件以上の美容外科手術が行われた。このうち１５０万件以上が侵襲手術だった。侵襲手術の上位5位までに、鼻の整形とまぶたの手術が入っていた。

強迫観念を賛美した別の例では、27歳の女性がパリの街からはるばるヴェネツィアまで、アンリ・Bという男性を13日間にわたって追跡した。化粧、ウィッグ、手袋、サングラス、帽子で変装し、男性を尾行した。彼女は他者に対する病的な執着の徴候を示していたが、決定的な要素が1つ欠けていた。アンリ・Bのことを何も知らなかったのだ。彼はまったくの他人だったが、ランダムに選ばれてしまったという。この追跡譚は『ヴェネツィア組曲』という写真入りの書籍にまとめられた。作者はソフィー・カルだ。本人の話では、カルはこの見知らぬ男性とつながりをもつためにとった行動にふさわしいような嫉妬も愛情も覚えたことがないそうだ。彼女は、実際には抱いていない極端な感情を表現する行動を創作した。13日後、アンリ・Bは尾行に気づき、彼女と対決する。ドラマチックなことは何も起こらない。カルはこの最後の対決を陳腐な物語の陳腐な結末と呼んだ。彼女のアートは、われわれが簡単に妄想を抱いてしまう空疎な恋愛を演じ切ることを目的としていた。彼女はわれわれが他者に投影しがちな甘い空想を検証したのだ。

前衛的すぎるアート

哲学者のアーサー・ダントーは、コンセプチュアルアートを「手に負えないほど」前衛的だと評した。[199]「手に負えないほど」という言葉を使うのは、それより前にやはりナイーブな鑑賞者を当惑させたさまざまなアートの運動とコンセプチュアルアートを区別するためだ。以前の運動は、初めは批評家に嘲笑されたが、やがて多くの人に受け入れられ、さらにはあがめられた。その最たる例が、最初はサロン・ド・パリで拒絶された印象派の絵画だ。今や印象派の絵画は、これまでに制作されたアート作品のなかで指折りの人気を誇っている。ゴッホ、ゴーギャン、マティス、モディリアーニ、ピカソの絵も同じような道をたどった。もっと最近では、ポロックやデ・クーニングによる抽象表現主義の絵画や、アンディー・ウォーホルやロイ・リキテンスタインのポップアートが絶大な人気を集めている。

ダントーは、現代のコンセプチュアルアートのほとんどは、まず拒絶されてから進化してあがめられるようになるというコースをたどることはないだろうと考えている。美術館やギャラリーを飾ったり、ウォール街の有力者の家に置かれたりする日が決して訪れないものもある。ダントーがコンセプチュアルアートを手に負えないほど前衛的だと言うのには、理由が2つある。1つは、絵画的な空間が無視されるからだ。視覚アートではおなじみの金ぴかの額縁や長方形という形が打ち捨てられている。今では紙の山、ラードの塊、外科手術、尾行がアートになり得る。このアートは目を喜ばせることを意図していない。絵画的な美学も視覚リテラシーも、この種のアートとの遭遇では指針として役に立たない。このようなアートに関するこれらの事実は、時が過ぎても変わらないだろう。そしてダントーは、われわれがこのアートに慣れることもないと考えている。

ダントーがこのアートは手に負えないほど前衛的だと考える2つ目の理由は、これが前進的に発展しないからだ。流動的で、変わりやすく、はかなく、自らの定義を改め、さまざまな試みを内包し、明確な進路をもたない。このアートを実践する者の多くは、美の理想をとらえようと周囲から隔絶して闘う孤高の天才というより、活動家に近い。ギャラリー、ディーラー、収集家、オークションハウス、有力な展覧会が絵画的空間を展示し、売り、所有しようとするなかで、こんなアートがこれらの力に耐え切れるかどうか、まだわからない。ディーラー、キュレーター、マーケター、アドバイザーの仕事をこなすチャールズ・サーチは2005年、コンテンポラリーアートをもっと保守的な絵画空間へ押し戻そうとするかのように、「絵画の勝利」と題した自身の展覧会を手がけた。

美しさから生じないアート

コンテンポラリーアートが、たとえばセラーノの『ピス・キリスト』のようにおなじみの額に収められて目を楽しませる場合でも、そのアートとしての力は美しさから生じるのではない。

美や快感というのは、過ぎ去りし時代の素朴な関心事なのかもしれない。多くの場合、コンテンポラリーアートの作品は、18世紀の理論家が思い描いたような無私の関心というスタンスを鑑賞者がとることを狙ってはいない。コンセプチュアルアートはたとえばゴンザレス＝テレスやアントーニのように、積極的に鑑賞者を巻き込み、世界を変えるように駆り立てることを目指す。

美術評論家のブレイク・ゴプニックも、作品が喚起する感覚や感情よりも意味の重要性を重視する。[200] 彼にとって、美しさはほとんど意味がない。美術に関する記事を５００本以上『ワシントンポスト』に寄稿しているが、そのなかで「美」という言葉をほとんど使っていない。ゴプニックはダントーと比べて、コンセプチュアルアートがそれ以前のアートと根本的に違うとは考えていない。ゴプニックにとって、アートとはその社会的および歴史的なコンテクストを通じて理解される「意味」をめぐるものであり、常にそうであった。形式に関する特性が優勢な場合でも、作品の内容がその鑑賞において肝要なのだと彼は主張する。たとえばスーラの『グランド・ジャット島の日曜日の午後』は、点描法、色の使い方、斬新な画面構成について論じられることが多いが、批評家たちが最初に反応したのは、その画期的な様式ではなく、この作品が示したメイドや事務員や騎兵のありふれた散歩に関する社会批評だった。アブサンスプーン、トランプ、家具などを描いたピカソの静物画は、マスメディア小売業の登場に対する社会批評として完全に理解できる。ゴプニックにとって、アートの力は人や社会について何かを語る「意味」にある。美術史家や美術批評家は、すぐれたアートとの遭遇から共鳴する経験を生み出す「意味」の諸層を掘り起こすのだ。

コンセプチュアルアートについて考えると、作品がアイデアを伝える媒体であることが明らかになる。賞賛であれ拒絶であれ議論であれ、作品への反応はその作品が体現するアイデアへの反応なのだ。コンセプチュアルアートは、アートを理解し鑑賞する際の意味と解釈の重要性を明らかにし、あらゆる作品の表層の下に潜むそうした重要性に目を向けさせる。作品が制作された状況、作者の意図、作品が伝える隠れた意味、作品の発する文化的対話などの背景情報がなければ、作品を完全に理解することはできない。

科学はアートにおける意味について、何か有用なことを語れるだろうか。アートに対して科学の範疇が究極的にどこまで広がるのかを予想するのは難しいが、私の知る限り、コンセプチュアルアートの科学について考察した本格的な試みは今までのところ存在しない。美学の3大要素である感覚、感情、意味について考えてみよう。一般に科学者は感覚と感情の結びつきに着目してきた。アートは、この感覚と快感の道筋から外れない限り、経験的な手法による検証をしやすい。科学者は、作品に潜み快感をもたらす光や線や色や形の安定した規則性を探し、それを脳にもともと備わる機能と思われる神経のチューニングと結びつける。作品に喚起される感情に伴う神経反応を調べることもできる。これまでのところ神経美学研究の多くは、「好きか」「ほしいか」を問うような、かなり単純な方法で快感を扱っている。しかしこんなふうに好みや快感について調べるという単純なやり方が、神経科学に可能な原理的限界ではない。

神経科学は複雑に入り混じった感情について何か語れるはずだ。前に見たとおり、バークやカントは崇高なるもの、すなわち不安や恐怖と混ざり合った快感を喚起する美という概念を重視した。「崇高」という言葉は、われわれがおのれの限界、おのれの小ささを経験する風景を描写するのに使われた。最近の研究で、恐怖は審美的経験を増強し得るということが発見され、崇高なるものの経験と結びつけられた。[201] 嫌悪の心理学や神経科学についても、さらに明らかになりつつある。快感と嫌悪の混ざった感情を刺激する作品について、神経科学的手法で研究することもできるだろう。

意味について神経科学はどこまで把握できるか

感覚や感情とは違って、アートにおける文化的および歴史的な意味となると、神経科学が与えてくれるものには限界がある。現在の神経科学的手法は、どちらかというと普遍的で安定的な特性について心の生物学を調べるのが最も得意だ。われわれは光景の一般的な意味なら非常にすばやく理解できる。神経科学はこのプロセスの進み方については明らかにできる部分がある。われわれが窓の外を眺めたときに見えたものをたやすく解釈するのと同じように、具象アートで見たものは簡単に解釈できる。この能力から、アートになじみの薄い鑑賞者が抽象画より具象画を好む理由がいくらか説明できる。具象画なら、意味がいくらか理解できるからだ。

一方、時間とともに変化して文化的コンテクストと作者の意図と鑑賞者の局所的なバイアスの相互作用に依存する作品では、意味のさまざまな面が曖昧すぎて、神経科学ではとらえられない。アートに力を与える個々の作品がもつ豊かに織りなされた意味は、本質的に変わりやすく、さまざまな解釈が可能なので、神経科学には手が出せないのだ。

神経科学はおそらく個々の作品に込められた複雑な意味を調べることはできないが、意味の影響を扱うことはできる。専門家と初心者は、作品へのかかわり方が違う。この違いを調べることはできる。たとえば専門家と初心者は、絵画を見るときの見方が違う。科学者はそれぞれの視線のパターンを記録して、絵のどんな点が注意を引きつけるのかを把握することができる。[202] 前に見たとおり、背景知識によってアートやその他の対象に関する感情経験が変化する。背景知識の影響は、コークとペプシの実験や、コンピューターで作成したと思われるパターンよりも美術館に飾られていたと思われるパターンのほうが好まれた実験で明らかに見られた。しかしアート作品の理解において適用できる知識が多次元であるのに対し、情報や背景知識が審美的遭遇にもたらす影響はどちらかというと1次元に近い。たとえば近代初期のヨーロッパの知的文化においては、数学が重要な役割を果たし、絵画にも影響を与えた。バーセル・ベハムは1529年、数学の問題を解く男性（何者かは不明）の肖像画を描いている。ここで描かれている数学のアルゴリズムは、じつはでたらめだ。[203] ちゃんとした数学の問題ではない。作者はなぜ数字や記号をこんなふうに描こうと決めたのだろう。絵が描かれた歴史的および文化的なコンテクストを探るこのような問いに、神経科学では容易に答えられない。神経美学的な研究なら、個々の作品自体の意味は明らかにできないとしても、意味が作品との遭遇にどのように影響するかを探ることはできる。15世紀から16世紀のヨーロッパで数学が視覚文化に与えた影響について知ることが、絵画に対する鑑賞者の反応をどう変えたかについて、実験で確かめることができる。この変化については、神経学的に観察できる。

コンセプチュアルアートは文化によって生み出される意味を重視するので、科学的に探究するのは難しい。前章で見たとおり、神経美学的な研究は当然ながら、感覚と感情という軸を対象とする。コンセプチュアルアートについては、科学者は何層にも重なった意味をどうしたら解きほぐして実験が設計できるかを考える必要がある。

コンセプチュアルアートは科学者をアートの真の本質に到達するという目標から引き離してしまうのではないかと考える人もいるかもしれない。歴史がごく浅く、しばしば混乱を招くこんなアートについて調べるよりも、大昔のアートに目を向けるべきではないか。原始のアートを調べれば、純粋な形のアートが見つかるかもしれない。アートの本質的な要素が、われわれの加速した文化につきものの過剰性に汚染されていない状態で、明らかになるかもしれない。過去を振り返ることで、神経美学の進むべき方向性について手がかりが得られるのではないだろうか。

第6章 アートのルーツ

1940年9月12日、フランスのラスコーで、10代の少年4人とイヌ1匹が人目につかない洞窟をたまたま見つけた。暗い洞窟に足を踏み入れ、でこぼこの地面を踏む自分たちの足音が反響するのを聞くところを想像してほしい。少年たちは、遠くで水の滴る音を聞き、曲がりくねった壁面から反射される光や、不気味な陰とパターンを生み出す岩の造形を見たかもしれない。驚いたことに、この地下洞窟の壁面や天井には、太古の動物たちが描かれていた。ウマやシカやウシやバイソンが暗闇の中を歩き回っている。4頭の巨大な雄ウシが動いている。1頭は体長が5メートル余りもある。動物の描かれている壁面の凹凸や隆起が、動物たちの絵に奥行きと動きを加える。さかさまにひっくり返ったウマがいる。洞窟の最も奥深い場所には、大きなクマとネコが潜んでいる。動物たちが鮮やかに描かれているのとは違って、1人の人間の姿がぞんざいに描かれていて、どうやら負傷しているようだ。動物たちに加えて、幾何学的な図形が壁面に散らばっている。赤や黒の点、線、線影、幾何学図形がたくさん見える。この壁画は、赤鉄鉱、鉄やマンガンの酸化物といった鉱物から作られた黒、茶色、赤、黄色の顔料で描かれている。描かれたのは今から2万〜1万5000年前だ。

われわれの躁病的な世界で活躍するサザビーやサーチのようなアート関連企業の守備範囲よりも昔のアートの起源までさかのぼれば、無垢なアートが見つかるかもしれない。哲学者はアートを定義する難しさを指摘し、批評家や歴史家はアートを解釈する難しさを指摘する。180万年前から1万年前まで続いた更新世には、初期のアートの痕跡が見つかる。太古のアートを調べれば、誕生したばかりのアートや審美的経験に関する洞察が得られるだろう。

ピカソはラスコー洞窟を歩いたあとで「われわれは何も学んでいない」と言ったと伝えられている。本当にこう言ったのかは定かでないが、この話はしばしば引き合いに出される。これは話としておもしろい。初期のアートについて一般に語られる物語も、真偽のほどはさておきおもしろい。しかしこの物語は積み重なるエビデンスの重みで崩れつつある。[204]この定説では、今から4万〜5万年ほど前に現生人がアフリカからヨーロッパへ移住したとされる。やがて彼らはスペイン北部とフランス南部に到達した。その過程で、彼らは野蛮で発達の遅れていたネアンデルタール人を駆逐した。この土地で定住を進めていくあいだに、彼らは創造力をビッグバンのごとく大きく開花させた。この初期の人類はアーティストとなり、フランスのラスコーやショーヴェ、スペインのアルタミラなどの洞窟に目をみはるような絵画を残した。このように人間の文化的意識がヨーロッパで花開き、それから世界中へ広がっていった。

この定説には、いくつかの疑念が投げかけられている。[205] この創造力の開花は、本当に突然起きたのか、それとも徐々に進展したのか。歴史を通じてこのアートの伝統をたどり、今日のアートに影響を与えるまで進化した道のりを確かめることはできるのか。洞窟壁画より昔へさかのぼっていく場合、アートと呼べるものを見つけられるのはいつごろまでか。アートは現生人だけが、現生人の脳からほとばしるものとして生み出しているのか。太古のさまざまなアートの試みをひとつにまとめる統一的なテーマはあるのか？

アートの起源を特定するのは、じつは複雑な作業だ。われわれにわかる限りでは、アート的な行動は散発的に出現し、それぞれ独自のパターンで脈打っていた。アフリカ、アジア、オーストラリアの初期人類は、定説の描く創造力のビッグバンよりもかなり早い時期に顔料を使い、骨を細工し、ビーズを作り、線刻画や彫像を刻んだ。[206] 覚えておいてほしいのだが、われわれが知っているのは、長い年月を生き延びた作品だけだ。考古学者が手に入れられるのは、風雨の影響を受けず、特別に耐久性のある材料でできた出土品だけなのだ。骨や石でできた遺物はあるが、織物や毛皮でできたものは残っていない。現代の地域的、知的、学術的な資源の制約により、太古のアートの痕跡を探す場所さえ限られることも多い。遺物の耐久性、地理、資源によるこうした限界があることを念頭に置いて時代をさかのぼり、ラスコー洞窟以前のアート活動を探しにいこう。

ラスコーに描かれた動物のすばらしい形態と様式は、ヨーロッパの同じ地域にある別の洞窟にも残されている。ラスコーよりかなり古いものもある。ショーヴェの壁画は、今から3万2000年前に描かれたと推定されている。これらの壁画がどんなものか知りたければ、ヴェルナー・ヘルツォークのドキュメンタリー映画『世界最古の洞窟壁画　忘れられた夢の記憶』をお勧めする。ショーヴェの洞窟は、毎年春の数週間だけ、少数の選ばれた科学者が入場を許可される。特例的に入場を認められたヘルツォークの映画は、はるか昔の美しい壁画のもつ得も言われぬ力を伝える。これよりあとの洞窟壁画は、ショーヴェのものとは様式にいくつか違う点もあるが、それでもその類似に驚かされる。動物たちは同じような色で横向きの姿で描かれている。背景は描かれていない。ショーヴェとラスコーの壁画のあいだには、ラスコーからルーヴルまでに匹敵する時間の隔たりがあることを忘れてはいけない。2万年以上にわたり、バイソン、シカ、オーロックス、アイベックス、ウマ、マンモスといった同じ動物が同じようなポーズで描かれ続けたのだ。ショーヴェの壁画は、1万5000年後にラスコーで完全な表現に至った伝統の単純な初期バージョンではない。ごく早い時期に、この地域のアーティストたちは奥行き感覚を含む技術と動きをとらえる驚くべき能力を発達させた。ショーヴェのアートの様式は、あまり変わることなく2万年以上続いた。信じがたいほどの芸術的な美しさとこれらの絵を生み出した目をみはるような革新を損ねることなく、壁画の作者が別の様式でさらに実験したり動物の背景を描いたり動物を別のアングルからとらえたりしなかったことに、現代人の心は驚愕する。誰も風景画を描かなかったのだ。肖像画も描いていない。過去1世紀のアートを振り返り、10年に一度は新たな何かが登場したことを思い出してほしい。対照的に、太古の画家たちは2万年以上も同じ美しい作品のバリエーションをひたすら描き続けたのだ。彼らが前衛派として熱狂的な革新の時代を生き永らえたのではなく、定められたパターンに従う高度な技術をもつ職人だったことが理解できる。

アートの萌芽を求めて

ショーヴェや同時期の他の洞窟より前にも、アートは存在していたのだろうか。今から30万～50万年前といえば、旧石器時代だ。この時代には、アート行動の萌芽が見られる。絵画以外にも、岩肌や洞窟の壁面に施された彫刻が残っている。ヨーロッパの洞窟に描かれた色彩豊かな動物は何よりも印象的だが、幾何学的図形やさまざまな刻み目のほうがはるかに多く、世界各地で見られる。また、ビーズや貝殻が装飾品として使われた。持ち運べるもののなかには精巧に細工されたものもあれば、簡単に手を加えただけのものもあり、またそれ自体の価値ゆえに見つけたまま取っておかれるものもあった。さらに時間をさかのぼり、アートと認め得るさまざまなものや痕跡を見てみよう。

初期の人類は、アフリカを出て中東に定住した。アラビア半島からさらに南アジアやオセアニアへ進み、今から4万4000〜5万年前にオーストラリアに到達した。[207] オーストラリアで得られたエビデンスによって、アート行動がヨーロッパで創造力のビッグバンとともに始まったという見方に初めて異議が唱えられた。この創造力の爆発とされるものが起きるよりも前に、オーストラリアの人々はオーカーを輸送して加工し、自分たちの体や身のまわりを装飾していた。オーストラリアで最初期の発見は、この地域特有の彫刻や絵画の様式を示している。キンバリー地方のカーペンターズギャップ（タンガルマ岩窟）では、塗装された石の破片と思われるものが発見された。これは4万2000年前のものだ。アーネムランドにあるマラクナンジャ第2岩窟とナウワラビラ第1岩窟で見つかった削り跡のある赤鉄鉱の塊は、4万年前のものだ。

アートはヨーロッパで始まったとする定説には、南アフリカのブロンボス洞窟からも異議が出された。[208] この洞窟は、ケープタウンから300キロメートルほど東の海岸沿いにそびえる石灰岩の断崖にある。交差する線の刻まれた代赭石のかけらが、今から7万5000〜10万年前にできた洞窟で発見され、抽象的な幾何学模様の彫刻の伝統があったことを明らかにしている。この洞窟では8万2000年前に動物の骨を研磨して作った道具も見つかっていて、これはアフリカで見つかった骨製の道具として最古の部類に入る。これらの洞窟で見つかった石器のいくつかは石刃が両面から打ち欠かれているが、ヨーロッパでこのタイプの石器が出現したのは、それから6万3000年後だ。石器に加えてビーズや彫刻からも、これらの洞窟の住人は装飾が好きだったことがわかる。彼らはおそらく20キロメートル離れた川で貝殻のビーズを集めて、洞窟に持ち帰った。洞窟の住人は貝殻選びにうるさく、大きなものを選り分けて糸に通したものを身につけた。この人々が同じようなサイズと色合いの貝殻を選んだこと、そして貝殻は同じパターンで穴が開けられ同じように着用されたことから、彼らの文化ではビーズ作りの伝統が発達していたことがうかがわれる。

当時の人々は、貝殻の装飾品を広く用いていた。アフリカ大陸の反対側の端に目を向ければ、モロッコでおよそ8万2000年前の穴の開いた貝殻が見つかっている。[209] これらの貝殻からはオーカーの痕跡が見つかり、また吊るして使われたことや、長く使用されたことを示す痕跡も見られる。中東でも、貝殻の装飾品やビーズが作られていた。穴の開いた貝殻が、近東地域のカフゼ洞窟やスクール洞窟でも発見されている。[210] これらの貝殻は、海岸からかなりの距離を運ばれた。この貝殻にもオーカーの痕跡があり、ぶら下げられていたことを示す痕跡もある。カフゼ洞窟で見つかった貝殻は9万5000年前のもので、スクール洞窟の貝殻は10万～13万5000年前のものだ。今となっては理由は定かでないが、アフリカと中東で広く行われていたこのビーズ作りの伝統は、今から7万年ほど前に途絶えた。

大昔のビーズに残された痕跡は、初期の人類が装飾のために顔料を使っていたことを示すが、じつはそれより前から顔料は使われていた。ザンビア中部のツインリヴァーズで、20万年前の鉄とマンガンの鉱塊が発見されている。[211] この塊から、黄色、茶色、赤、紫、ピンク、濃青色の顔料が作られた。これらの鉱物は鉱塊が発見された地域には天然に存在しないことから、人々が別の場所で集めて運んできたと考えられる。彼らはおそらく実用的な目的で顔料を使ったのだろう。たとえばオーカーは、道具を組み立てる際の接着剤を作るのに使われる。同じような顔料が、おそらく木製の道具の保護剤として使われた。しかし南アフリカのピナクルポイントで見つかった16万4000年前の顔料は、人類が実用目的以外でも顔料に関心をもっていたことを示す。当時の人々は、ほかにも利用できる色があるなかで、濃い赤のオーカーを最もよく使った。実用性を超えて、最も赤いオーカーが好まれたのかもしれない。[212]

ホモ・サピエンス以外のアート

これらの人々が装飾する能力をもっていたのは、そのような能力をもたらす特別な何かがホモ・サピエンスの脳にあるからなのだろうか。いや、おそらくそのようなものはない。アフリカでの発見よりさらに前、今から25万年も昔に、ネアンデルタール人が代赭石を使っていた。[213]ハンガリーのタタでは、ネアンデルタール人がマンモスの臼歯のかけらを彫って、精巧な楕円形の飾り板を作った。同じ場所で、ネアンデルタール人が有孔虫ヌンムリテスの化石に1本の線を刻んだ。この化石にはもとから亀裂が1本入っていて、2本の線が合わさって完璧な十字になった。[214]ネアンデルタール人は鳥の羽を使って墓や自分の体を装飾した。[215]ネアンデルタール人より前のホモ・ハイデルベルゲンシスは、幾何学的に複雑で規則性のある彫刻を骨や枝角に施していた可能性がある。[216]

この時代で最も衝撃的な発見の1つは、非常に古いヴィーナス像だ。ヴィーナス像はこれよりずっとのちの時代、今から2万8000～2万2000年前に多く作られた。しかしのちのヴィーナス像と直接は結びつかない、もっと古い像が2体ある。ベレハット・ラムとタン・タンのヴィーナス像だ。ベレハット・ラムの像は中東のゴラン高原北部で発見され、高さ35センチメートルほどの玄武岩質凝灰岩でできている。これはおそらく23万年前に作られ、天然の状態で女性の頭、胴体、腕のように見える形をしていたが、その偶像的な形状を強調するために、首と腕と胸部は石に細工が加えられたように見える。[217] モロッコで発見された珪岩製のタン・タンの像も、天然の形状に手が加えられている。高さは6センチメートルほどで、表面に刻まれた8本の対称的な溝が、この像の人間のような形状を強調している。鉄とマンガンでできた赤い塗料で塗られている。[218] 本書を執筆している時点で、この像は40万年前に作られたと推定されており、これまでに知られているなかで最古の彫像となっている。

盃状穴《はいじょうけつ》は非常に古い岩石の彫刻で、世界各地で見つかっている。非常に硬い岩石を盃状に彫った穴である。インドにある2つの珪岩の洞窟に残る一連の盃状穴が装飾を目的としたものならば、これが最も古い既知の「人間によるアート」かもしれない。その洞窟とは、ビームベートカーの岩陰遺跡とダラキ・チャャッタンの岩窟だ。[219] これらの遺跡は29万年以上前のもので、70万年前にできた可能性もある。ビームベートカーの岩陰遺跡では、長さがおよそ25メートルの水平に伸びる広いトンネルが、天井の高い洞窟状の部屋につながり、そこには出口が３つある。洞窟の通路全体が十字型になっていて、中心には「酋長の岩」と呼ばれる体積９立方メートルの巨大な岩がある。この通路には直立した巨大な岩があり、地面より高い位置に盃状穴が９個彫られている。さらにもう１つ、曲がりくねったひと筋の溝がそばに彫られた盃状穴がある。これらの盃状穴が何を意味するのか、なぜ作られたのか、南極大陸以外のすべての大陸で同じような穴が見つかるのはなぜなのか。これらの問いへの答えは誰にもわからない。

　さらに時間をさかのぼると、記録はどんどん曖昧になる。80万年前には、南アフリカのワンダーワーク洞窟で着色顔料が使われていた。85万年前、アフリカのホモ・エレクトスは明白な実用目的をもたずに水晶の結晶を集めていた。[220] 当時の人々も単に光るものが好きだったのかもしれない。アート作品と認められるかもしれない最古の遺物は、南アフリカのマカパンスガット洞窟で見つかった赤い碧玉石の大礫《だいれき》だ。「大礫」とは、地質学で中礫より少し大きな石を指す名称だ［訳注：大礫は径64〜２５６ミリメートル、中礫は径４〜64ミリメートルの岩石］。マカパンスガット洞窟の大礫がもとからこの洞窟にあったとは考えられないので、別の場所から運ばれてきたはずだ。この石はすり減っているせいで、少しばかり顔のように見える。[221] 研究者は、この石がここまで運ばれてきたのはこれに特別な意味があったからだと推測している。実際に特別な意味があったのなら、今から２５０万〜３００万年前に生きていた太古のアウストラロピテクスも、初歩的な象徴能力をもっていた可能性がある。

急ぎ足で過去へさかのぼった結果、アート行動はホモ・サピエンスの脳だけから生まれた特別な活動ではないことがわかった。確かにホモ・サピエンスは、それ以前の原人の作品には見出せないレベルのアートとしての複雑さを示していた。とはいえネアンデルタール人やそれより昔のホモ・エレクトス、さらにはアウストラロピテクスも、アート行動の萌芽を見せていた。彼らは体や骨や石を装飾して埋葬場所に置き、小石やビーズをあたかもそれらに特別な価値があるかのように持ち運んだ。これらの装飾品や作品のうち、現在まで生き延びたのはおそらくごくわずかだが、それでも発見された材料と像の多様性には目をみはるものがある。こうした考古学的記録について説明できる広範で包括的な説は存在しない。[222] アートの伝統が生まれ、しばらくは保たれて受け継がれたが、やがてさまざまな時期および場所で途絶えたと思われる。

多くの遺跡が発掘されるなかで、旧石器時代のアート全体を網羅できる単一の説明は得られていない。これらの活動すべてがたった1つの目的を契機としていたとか、たった1つの目的を果たしたとは考えられない。人類学者のマーガレット・コンキー[223]は、発見された遺物を旧石器時代のアートと呼ぶこと自体、1つの流れから生まれた1つの作品群があるという考えの表れだと主張する。彼女によれば、単純なものから複雑なものへと続く流れを探したいという欲求は、19世紀の人類学的な考え方によるバイアスだ。彼女は、更新世のアートは多様であり、さまざまな地域的条件から生まれたととらえるほうが適切だと考えている。

古代のアートの多様性の研究

こうした古代のアートの多様な例について、研究者の見解は一致しているのだろうか。これらの作品を作るには、計画や技術力、原始的な社会インフラが必要だと考える点で、ほとんどの研究者は一致している。彼らの多くは古代のアート作品を道具とは区別されるものととらえている。作品は、少なくともきわめて直接的な意味で実用を目的として作られたのではない。研究者らは、作品が象徴行動の存在を示すという点でおおむね一致している。見解が一致しているのは、アート作品を作る条件にかかわる部分についてであり、アート作品の意味についてではない。なぜ何時間も費やして顔料を削り、ちょうどいい貝殻を集め、骨や石を彫り、足場を組んで壁面に絵を描いたのか、その理由はわからない。

例の驚異的な洞窟壁画に戻ろう。あの壁画は何を意味するのか。古代のアートの最高峰と誰もが認めるあの壁画に着目したら、われわれがアートを制作し鑑賞する理由を明らかにできるだろうか。残念ながら、その答えはノーだ。[223] 19世紀、研究者は狩猟採集民がこれを描いたのは暇つぶしのためだと考えていた。20世紀に入ると、これは狩猟の儀式としきたりの記録だと考えるようになった。壁画を使って動物に関する実用的な情報を伝えたのだと考える研究者もいた。また、動物を仕留めるのに必要な魔術への傾倒を反映していると考える者や、あるいはシャーマンがもたらすトランス状態を描いたものと考える者もいた。さらに、この作品が繁栄の儀式を描いていると考える者、描かれている動物が象徴としてさまざまな人間の部族を表しているという説を出す者もいた。彼らの考えでは、この壮大な作品は人間の競争、おそらく縄張り争いの物語だった。動物と記号の組み合わせからなるパターンが、たとえば男女の二項対立といった抽象的な原理を表していると主張した研究者もいる。

古代のアートとして、フランス南部やスペイン北部の壁画は例外であり、典型ではない。更新世の造形作品はきわめて数が少ない。それらの作品は特定の地質的、生態学的、人口統計学的な条件のもとで生み出された。フランスとスペインの洞窟壁画は、人間の文化の前進的発達における1段階を表してはいない。特定の地域に限られた、極端な現象だったのだ。洞窟壁画は人類の歴史におけるそうしたエピソードの1つだった。それぞれのエピソードはその地域なりの理由から生まれ、独自の軌跡を描きながら進化した。

洞窟壁画がヨーロッパのこの地域だけで突発的に出現したのはなぜなのか。フランスのピレネー山脈とスペインのカンタブリア山脈の広範な石灰岩の層が、この作品を描き保存するのに必要な地下洞窟を生み出した。ヨーロッパの他の地域にも同様の洞窟はあるが、このような壁画は見られない。このことから、地質学的な条件が適切というだけではこの壁画を描くのに十分ではなかったと言える。適切な気候も不可欠だった。フランス南西部とスペイン北部は大西洋岸に近く、内陸部と比べて夏の気温はおよそ6度低く、冬は8度ほど高かった。この穏やかな海洋性気候のおかげで、ヨーロッパの他の石灰岩洞窟の周辺には見られないツンドラの植物相を備えた特有の環境が生じた。この地域は開けていて、栄養源となる背丈の低い植物が豊富だったので、トナカイ、ウマ、ウシ、バイソン、アカシカ、さらにはもっとめずらしいアイベックス、マンモス、サイ、イノシシといった草食動物が集まっていた。これらの草食動物を狙って、ライオン、ヒョウ、クマといった捕食動物もやって来た。豊富な大型草食動物を狙って、人間もこの地にやって来た。これらの被食動物と捕食動物が、洞窟壁画の主たる題材となっている。豊富な食料のおかげで、人口が増えた。遊牧をして移動を続けるよりも、彼らはこの地に定住することを選んだ。このように環境と豊富な資源と人口増加が重なって、これらの洞窟壁画の生まれる条件が整った。[224]

2万年以上の時を生き延びた、この驚くべきアートの伝統が消えてしまったのはなぜなのか。今からおよそ1万4000年前、最後の氷河期が終わりに近づくと、気温が少なくとも8〜10度、急激に上昇した。この地球温暖化によって土地の環境が変わり、森林に覆われるようになった。開けた土地を好む動物に人間は依存していたが、それらの動物がいなくなり、代わりにもっと小さな森林性動物が新たに暮らし始めた。資源の減少は、そこで暮らす人間の減少を意味した。技術や文化は以前の複雑さを失った。色を塗った石や単純な彫刻を除いて、この地域からアート作品がほとんど消え去った。これ以外にも、遠い昔に花開き死に絶えた複雑なアートの伝統が発見されるのを待っているのかどうか、それはまったくわからない。

コンテンポラリーアートを扱った前章では、遠い過去に目を向けたら何かわかるかもしれないという希望をもって議論を締めくくった。だが、明らかにその見込みは果たせなかった。わかったのは、最先端を行くソーホーのギャラリーであれ、カンタブリアの暗い洞窟であれ、アートは解き明かせない謎だということだ。旧石器時代のアートは、アートとは何かとか、われわれは探究の試みをどのように進めるべきかという問いに明確な答えを示すことなく、コンテンポラリーアートと少なくとも同程度にわれわれを混乱させる。ともあれ、旧石器時代のアートからは3つのことを学ぶことができる。1つ目は、生まれたばかりのアートは信じがたいくらい多様だったということである。このアートは特定のカテゴリーに分類されるのを拒む。2つ目は、古代のアートを解釈しようとするとき、われわれは壁にぶつかるということだ。作品を見てすばらしいと思うかもしれないが、それは理解することとイコールではない。3つ目は、現在と同じく当時も地域の人口や生態系の条件によって作品制作の方向性が決まり、おそらく鑑賞の方向性も決まったということだ。

旧石器時代のアートの世界を訪れた今回の旅を通じて、この先の数章を動かす問いと向き合う準備ができた。私たちの知る限り、どんな昔にもアート的な行動が存在していたのだとしたら、われわれにはアートの本能があるのだろうか。

第7章 進化する心

われわれの心はどのようにして、アートと呼ばれる興味深いものを生み出すに至ったのか。前に見たとおり、進化は快感を利用して、美に対するわれわれの感覚を形づくった。進化がどのようにしてアートを生み出すようにわれわれの心を形づくったのかという問いに触れる前に、心がどのように進化したのかをもう一度見ておきたい。

ダーウィンは、生物学的進化に関する自身の説が心理学にも関係することを理解していた。1966年、ジョージ・ウィリアムズが『適応と自然選択』（辻和希訳、共立出版）を執筆した。多数の研究者が、これは進化を分析する際の重要な装置として「適応」に光を当てた最初の著作だと考えている。ある事象が適応かどうかを判断する最重要の基準は「設計の証拠」だ。「設計」という言葉は、特殊創造論者の考える「知覚力のある設計者」の存在を意味するのではない。適応が過去の環境による問題を解決するために設計されたということを意味する。1992年、進化心理学という生まれたばかりの分野の先駆けとなる論文を集めた『適応した心：進化心理学と文化の創出』（*The Adapted Mind: Evolutionary Psychology and the Generation of Culture*）という本が大きな反響を呼んだ。編集にあたった研究者のジェローム・バーコウ、ジェイムズ・ジョン・トゥービー、レダ・コスミデスは、われわれの集合的進化の歴史という文脈で心について調べれば、人間の本質について根源的な洞察が新たに得られると考えた。本書ですでに述べたとおり、進化心理学はわれわれがどんな存在であるかを明らかにするだけでなく、なぜわれわれが今のような存在であるのかも教えてくれることが期待されている。

進化心理学は、アートの本能は存在するのかという問いに答えてくれるだろうか。そもそも「本能」という言葉で、われわれは正確には何を意味しているのか。この言葉は広く使われているが、その使い方はしばしば厳密さを欠いている。動物実験では、自動的な行動と学習した行動を区別できる。動物が学習していないことをして、その行動を意識しておらず、同じ種の他の個体もたいていその行動をする場合、それは本能だと言える。本能的な行動は、たとえばミツバチが餌のありかまでの距離と方向を仲間に知らせるダンスのように、複雑なこともある。動物の求愛行動も本能だ。人間心理における「本能」という言葉の意味は、もっと曖昧だ。一般的に言って、ステレオタイプ的で、あらかじめプログラムされていると思われ、学習を必要としない行動は、おそらく本能と言える。つまりわれわれが自動的にしがちで人間に普遍的と思われる行動は、本能の候補となる。たいていの人は、本能とは生まれつき備わったものと考えている。ここでの議論では、本能を心理的適応と同義と考える。心理的適応とは、いくつもの世代を経て心に組み込まれた複雑な行動パターンをいう。これは過去の環境による問題を解決することによって繁殖を増強するようにできていて、ほとんどの人間が共有する。

ダーウィンは、進化とは修正を伴う遺伝だと言い表した。複雑で巧みに設計された系が時間をかけて進化するということだ。この系とは、眼や肝臓や脳といった器官かもしれないし、鳥やハチや人間といった個体かもしれない。進化のレシピには、変異性、遺伝可能性、選択という3つの主材料が用いられる。「変異性」とは、集団内の人と人のあいだに見られる特性や行動の違いである。進化に関して意味があるのは、特定の特性をもつ人がその特性をもたない人よりも多く生存して生殖することを可能にする変異性だ。髪の色のように人のあいだで異なっても生存に無関係な特性もあるが、感染症を防ぐ力といった特性は生存に関係する。進化においては、そのような特性や行動が「遺伝可能」でなくてはならない。遺伝可能とは、生物学的に次の世代に受け継がれるという意味だ。ダーウィンは遺伝可能性の媒体が遺伝子だとは知らなかったが、そのような仕組みが存在するに違いないと気づいていた。「選択」は、ある遺伝子が他の遺伝子よりも容易に次世代に受け継がれることを指す。私が想像を膨らませた、フードゥーのアナロジーを覚えているだろうか。私はこの話を使い、形態的特徴が受動的に浸食されることによって最終的にフードゥーたちが形態的な美しさについて同じ考えをもつようになったいきさつを説明した。選択とはふるいのようなものと考えることができる。さまざまな遺伝子の混ざり合った状態をふるい分けて、特定の遺伝子の組み合わせをそれ以外の組み合わせよりも容易に通過させるのだ。いくつもの世代を経るうちに、ふるいを通過した遺伝子の組み合わせが少し増えただけでも、集団内で見られる遺伝子や形質や行動の最終的な比率に大きな影響が生じる。

ほとんどの遺伝子突然変異は、われわれにとって助けではなく害になるということを理解する必要がある。とはいえ、突然変異が選択優位性をもたらすこともある。稀少だが有利な変異がいくつもの世代を生き延び、やがて集団内で優勢になることがある。膵臓や肝臓といった器官がまとまって、食物の消化や毒素のろ過を行う、信じがたいほど複雑だが協調的な系を形成した。その結果、以前よりも安全ですぐれた栄養が摂れるようになって生存率が上がり、よく働く膵臓や肝臓がのちの世代に受け継がれていった。

心と適応の関係

進化心理学の基本的な考え方は、自然が進化によって、われわれの体だけでなく脳や心も形づくるということだ。身体的な特徴のために遺伝子を選択するのと同じ力が、脳の特徴のためにも遺伝子を選び、究極的に生殖上の優位性をもたらす機能を遂行させる。われわれの祖先に生存と繁殖における優位性を与えた知的機能が受け継がれ、時間とともに蓄積していった。栄養分の見つけ方、健康な配偶相手の選び方、困難に満ちた環境を切り抜ける方法を知っているといった特性が、脳の構造に少しずつ組み込まれた。それ以外の複雑な認知能力、たとえば分類や推論、計数、感情の認識、他者の信念や欲求の推測、情報伝達のための言語習得といった能力も、われわれの祖先に選択優位性を与え、われわれに受け継がれた。過去の環境の問題を「解決」する助けとなった脳の適応が、われわれの脳に現在の構造をもたらした。進化には脳を作り上げるマスタープランなどない。それでも修正が続いているのは、知的機能が完璧にではないにしてもかなりよく働いていることの表れである。

進化心理学者は「リバースエンジニアリング」の問題に向き合っている。心を理解するために、今のわれわれが目にするものからさかのぼって、過去の圧力によって設計された重要な心理機能を解明しようとしている。進化の過程で生じた他の進化の副産物や、最近の局所的な条件によって心に追加されたプラグインについても考える必要がある。われわれの心の構造を分析して、どの部分が適応でどの部分が適応でないかを特定するのは、必ずしも容易ではない。

われわれは、自分たちの脳が進化した環境から隔たっている。その環境は更新世の前から変化し始め、200万年近く続いたこの時代のあいだも変化を続けた。この長大な時間にわたり、数十人から数百人の放浪する初期人類からなる集団に対して、さまざまな環境圧が選択の魔法をかけた。たとえば複数車線のハイウェイで車を安全に運転したり、複雑な医療保険の補償の仕組みを理解したりする能力は、（アメリカでは）生存の可能性を確実に高める。しかしわれわれの祖先が進化したときには、こんな能力は不要だった。現代のわれわれの心を構成する、生殖上の優位性をもつ形質を選択した環境圧については、推測することしかできない。

　われわれの脳や体は、単にさまざまな適応を寄せ集めたものではない。脳には適応以外にも、進化の過程に付随し、修飾され、自らを修飾さえした、いろいろなメカニズムが詰め込まれている。生物学の例を見ると、これらの心理メカニズムや身体的特性が寄せ集められる過程がわかる。骨はカルシウム塩でできている。カルシウムが選ばれたのは、おそらく初期の生物に利用可能だった他の材料よりも構造特性がすぐれていたからだ。カルシウム塩は白い。骨が白いのは、カルシウム塩を選択したことに伴う副産物だ。骨が白いことに、機能上の意味はない。進化生物学者のスティーヴン・ジェイ・グールドは、このような副産物をスパンドレルと称した。前にも触れたが、建築におけるスパンドレルとは、柱とアーチに挟まれた副産物として生じるアーチ間のスペースをいう。それ自体に構造上の意味はないが、装飾として利用できる。

さまざまな適応

　進化の副産物が、環境の変化によって役立つものに変わることもある。この現象を「外適応」と呼ぶ。[225] ほとんどの進化生物学者は、鳥の羽が最初は熱を閉じ込める働きをしたと考えている。ダウンジャケットや羽毛布団がわれわれを暖かく保ってくれるのは、羽のこの特性のおかげだ。

しかし初期の鳥の集団が飛翔への圧力を受けると、熱を閉じ込めるように適応した羽が別の目的に役立つようになった。飛翔に外適応したのだ。尾と翼の羽がさらに変化してもっと硬くなるとともに羽弁が非対称になり、その結果としてもっと効率的に飛翔できる空力学的にすぐれたデザインとなった。このとき、羽が二次的適応を果たした。つまり外適応とは、初めは実用的でなかった特徴が環境圧の変化によって実用性を獲得することであり、二次的適応とは、外適応がさらに変化していっそう有用になることだ。

適応、スパンドレル、外適応、二次的適応は、いずれも何世代もかけてわれわれの中に集積する、生物学的および心理的なメカニズムである。長期的な環境圧がそれらを形づくるが、脳の進化の物語はそれで終わりではない。局所的な条件もかかわってくる。

コンピューターに保存した文書を例にとって考えてみよう。その文書は、ほとんどの人に理解できない2進コードで書かれている。文書を開くたびに、コンピューターのハードウェアかソフトウェアに不具合がない限り、保存されているコードが同じように作用し、同じ文書がスクリーンに現れる。別の部屋で仕事をしたら同じ2進コードがスクリーン上で別の文書を生成した、などということがあったら、それはおかしいだろう。遺伝暗号がこれと同じように奇妙なふるまいを示すことがある。遺伝子は局所的な条件によって発現の仕方が変わる場合がある。たとえばネモリア・アリゾナリアというガの幼虫は、オークの木で成長する。春に孵化した幼虫はオークの花を食べ、その花と似た外見になる。一方、夏に孵化した場合はオークの葉を食べ、オークの小枝に似た姿となる。餌の違いによって、同じ遺伝子がまったく違った体を作り出すのだ。[226] 外観の違いによって季節に応じた擬態が可能になるので、このように異なる体を生み出せる力は適応の助けとなる。水中からも同様の例が見つかる。ウミウシは、コケムシという海生生物を食べる。コケムシは、ウミウシの放出する化学物質を感知する。この物質を感知すると、コケムシの体から防御用のとげが生える。感知しなければとげは生えない。環境から感知した信号によって、同じ遺伝子が著しく違った体の形態を作り出すのだ。[227]

環境と遺伝子の作用

局所的な環境によって、遺伝子が著しく異なる行動を生じさせる場合もある。ハプロクロミス・ブルトニというアフリカ原産のカワスズメ科の魚には、2種類の雄が存在する。一方は縄張り習性をもち、鮮やかな体色をしている。発達した精巣をもち、生殖し、攻撃的に縄張りを守る。もう一方の雄は縄張り習性をもたず、地味な外見で、精巣が未発達で、雌とともに泳ぐ。捕食動物は派手な外見に引きつけられて、縄張り習性をもつ雄を食べる可能性が高い。縄張り習性をもつ雄が死んで、縄張り習性をもたない雄が残された領域を引き継ぐと、数日のうちにこの雄の体が鮮やかな色彩を帯び、成熟した精巣を発達させ、攻撃的にふるまい始める。縄張り習性をもつ雄が縄張りを奪われ、新たな縄張りを見つけられないと、鮮やかな体色が消えて精巣も萎縮する。[228] こうした環境による変化は、予測不可能な形で急激に生じ、遺伝子発現にさまざまな事象の連鎖を引き起こし、個体に顕著な変化をもたらす。[229] 環境圧は生物の外見や行動に対し、進化が生物の適応を形づくるのに要する時間よりもはるかに短時間で著しい変化をもたらす場合がある。

生物が自分の環境を変えることもある。たとえばビーバーがダムを造ったり、モグラが地中に穴を掘ったり、人間が食料を育てたりする。このように環境が変化することにより、局所的なニッチが生じる。こうしたニッチは、のちの世代が受ける選択圧に変化をもたらす。農耕の発達により、より多くの人がより少ない土地を使って、より多くの食料を得られるようになった。そして人口密度が上昇した。タンパク質主体の食事からデンプン質の多い安定した食事に移行したことによって栄養不良が生じ、人口密度の上昇と動物の家畜化により感染症が急速に広まるようになった。[230] こうして人類によって新たに生み出された環境のニッチが、のちの人類が受けることになる選択圧に変化をもたらした。以下の例が示すとおり、環境のニッチはきわめて局所的に生じることがある。西アフリカの一部の住民が、雨林を開墾してヤムイモを栽培していた。貯留水が増えたせいで、マラリアを媒介する蚊が増えた。するとマラリアのせいで、鎌状赤血球貧血をもたらす遺伝子をもつ人が集団内で増えた。というのは、この遺伝子にはマラリアに対する防護作用があるからだ。つまり栄養源の安定化のために樹木を伐採したことにより、鎌状赤血球貧血を患う人が増えた。[231] われわれが自分たちの環境に手を加えると、その変化が跳ね返って、われわれの生態や心理に影響する可能性があるのだ。

　本章では、生物学において進化のメカニズムがどんなふうに展開するかを見てきた。ここで取り上げた例から、われわれの心理で展開するに違いない同様のダイナミクスを理解する明確なひな形が得られる。体や体の形態的特徴と同じく、心もさまざまな心理メカニズムをもつように進化した。そうしたメカニズムのなかには役立つものもあれば、手間暇をかけて排除するに値しないという理由で放置されたものもある。これらのメカニズムの集合の中で、適応はわれわれの祖先の生存と繁殖を助けた。ほとんどの適応は今もなお有用だが、なかには現代の世界ではもはや生存や繁殖に関係せず、有用でないものもある。スパンドレルはおまけとして出現したが、それ自体では特に何の役にも立たない。環境の変化によって役立つようになったら、スパンドレルは外適応となる。外適応自体は、選択圧によって変化して二次的適応になるかもしれない。美学の探究というわれわれの目的について言えば、われわれが最も関心を抱いているのは、これらのメカニズムが長い年月のあいだにどのようにしてわれわれの心に蓄積したかである。われわれは局所環境に応じて別の心理メカニズムを獲得する。われわれが自ら生み出した局所環境のニッチが、われわれの体や心に影響することもある。こうしたさまざまなメカニズムを念頭に置いて、いよいよアートの進化について調べる準備が整った。これらの心のメカニズムのうち、アートの制作や鑑賞にかかわるのはどれなのだろうか。

第8章 進化するアート

アートの本能というものは存在するのだろうか。アートを愛する人は、アートがわれわれを形づくる不可欠で奥深い部分だという強い直観を抱いている。作品を作って楽しみたいという衝動は、われわれの本性の根本をなしていると感じられる。何かがわれわれの本性の根本をなしているなら、それは進化によって取り込まれた本能に違いないと考えるのは、この強い直観からの大きな飛躍ではない。この考えは、どこへ目を向けてもアートが目に入るという観察によってさらに支持される。アートというのは、どうやら普遍的であるらしい。ある行動が普遍的なら、それは適応的な機能を果たすに違いない。アートの本能が存在すると考えるのは、やはり大きな飛躍ではない。

アートの本能が存在すると考える立場の対極には、アートは他の適応から生じた副産物にすぎないとする見方がある。有力な知識人のなかには、この見方を支持する人もいる。スティーヴン・ジェイ・グールドやリチャード・レウォンティン[232]は、われわれの知っている人間の文化が誕生してからまだ1万年ほどしか経っておらず、脳が選択圧によって大きく変化するには十分な時間を経ていないと主張している。このように時間の枠が限られていることを踏まえると、アートという文化的産物はもっと昔の祖先を悩ませた問題を解決するために進化した、大きな脳の副産物に違いないと考えられる。心理学者のスティーヴン・ピンカーは、アートをチーズケーキにたとえたことで知られる。彼は音楽の例を使い、音楽はわれわれの耳にとってはチーズケーキだと主張した。チーズケーキは純粋に快感のために設計された人工的な副産物であり、脂肪と糖分への欲求を刺激する。これと同様に、音楽は感情処理や聴覚分析、言語（歌詞がある場合）、運動制御（ダンスを伴う場合）など、適応を助ける他の欲求を刺激する。ピンカーの考えでは、音楽などのアートは、他の適応を助ける目的のために進化した心的能力から生じる心地よい副産物として出現した。

　これらの2つの見解を比較すると、アートは副産物だとする見方では、アートには快感を与える以外の実質的な目的がないとされる。一方、アートは本能だとする見方では、アートには目的があってその目的は適応の助けになるものだとされる。アートは本能だとする説について、研究機関に属さない研究者のエレン・ディサナヤケ、進化心理学者のジェフリー・ミラー、哲学者のデニス・ダットンの著作を通じて、もっと詳しく調べてみよう。アートの本能に関する説が確立できたら、それらの説をアートにあてはめた場合の妥当性を検証する。

アートの本能を支持する説

エレン・ディサナヤケは、思索と執筆の多くを学界という神聖化された世界の外で行っていた。2009年にコペンハーゲンで開催された神経美学会の夕食会で、彼女は私の隣に座っていた。静かな情熱を秘めた女性だ。彼女にとって研究者として成功するための鍵は、他の人がまだ気にかけていないことについて執筆し、最初のアイデアを発展させ続けることだと、彼女は私に語った。彼女はアウトサイダーだったおかげで、美学について他の人が考えたことのない重要な問いを提起することができた。アートと進化を結びつけた点で、彼女は先見性があった。1980年代の初めに彼女なりの進化美学を築き上げた。そのような考え方が学界で広まるよりもずっと前のことだった。彼女は広範な異文化比較的な視点で美学にアプローチする。多くの美学研究者とは違って、西洋のアートについて理論を打ち立てることに固執しない。そのような彼女のやり方は人の心に訴えかける。

ディサナヤケの考えでは、アートは儀式に埋め込まれている。彼女は個人によるアートとの遭遇からそうした遭遇が果たす社会的な役割へと、審美的経験の分析の重点をシフトする。人はアートとかかわることによって協力を促進する。ディサナヤケはこのかかわりを「アート化」

と呼ぶ。もっとくだけた言い方をすれば「特別なものにする」ということだ。ありふれた対象を儀式的に使うと、それが特別なものになる。われわれは単純化、様式化、誇張、精緻化することによって対象を特別なものにする。それからその対象に何度もかかわる度合いによって、特別な対象がありふれた対象から区別される。

ディサナヤケは、アートが本能である理由をいくつか示している[233]。まず、アートは普遍的だという一般命題から始める。なにしろ、子どもは自発的にアートを実践するではないか。落書きをし、歌を歌い、音楽に合わせて体を動かし、空想にふけり、言葉遊びをする。ディサナヤケは、アートが快感をもたらすとも考える。彼女にとってアートを堪能することは、友人と過ごしたり、セックスをしたり、おいしいものを食べたりするのと同じようなことなのだ。つまり、アートは人間の基本的な欲求を満たす。

このようにしてアートが本能だとする一般論を提示したあと、ディサナヤケは「アート化」が適応の助けになる2つの具体的な理由に焦点を当てる。1つ目の理由は、社会の成員を共通の信念や価値観で結びつける共同体の儀式がある場合、社会は結束が強くなるということだ。アート化とは人々を結びつける儀式化された行動であり、結束した集団のほうが、ゆるやかに結びついた個人からなる集団よりも祖先の受けた圧を生き延びやすい。ディサナヤケの挙げる2つ目の理由は、母子の絆の進化とアート化との結びつきだ[234]。二足歩行をするために、ホモ・エレクトスの骨盤は狭くなった。骨盤が狭くなった一方で、初期の人類はそれ以前よりも大きな脳と頭蓋骨を進化させていた。これらの変化により、母親は骨盤が狭くなったのに、頭の大きな赤ん坊を産まなくてはならないという問題に直面した。ある身体的適応がこの問題に対処した。女性は分娩時に開く恥骨を進化させ、赤ん坊は圧縮可能な頭蓋骨を進化させた。妊娠期間も短くなり、それに伴って赤ん坊の脳と体は出生後にも成熟を続ける必要が生じた。そのため人間の赤ん坊は他の霊長類と比べて、世話をしてくれる人に依存する度合いが高く、その期間も長い。これらの身体的適応に加えて、ディサナヤケは特定の儀式が赤ん坊の生存にきわめて重要になったと主張する。母親は、微笑んだり、うなずいたり、眉を上げたり、波打つようなやさしい声を出したり、体をとんとんと叩いたり、触れたり、キスしたりといった、赤ん坊との社会的な絆を強めるふるまいを身につけた。こうした儀式的行動は、単純化、反復、精緻化、誇張などの行動パターンにぴったりとあてはまり、これらはまさにディサナヤケの考えるアート化の要素だ。母親が赤ん坊を特別な存在にする。これらの儀式的な行動は、他の対象を特別なものにする行為の根底にも存在する。アートの制作の根底にも存在するのだ。

　進化に関する説明として、ディサナヤケの考える「本能としてのアート」ほどやさしく穏やかでないのがジェフリー・ミラーの説だ。ミラーは、クジャクの尾という自然の浪費を説明するのに進化心理学者が好んで用いる「コストのかかるシグナル」仮説に重きを置く。[235] 雄は性選択のドラマに駆り立てられて、選り好みする雌をめぐって競争し、クジャクの尾やシカの枝角といった無駄に派手なディスプレイをまとうことで自分がライバルよりも健康であることを誇示する。前に見たとおり、こうしたディスプレイにコストがかかるのは、それらが皮肉にも自然選択において不利に働くからだ。クジャクの尾は動きを妨げ、その持ち主は捕食者にとらわれやすくなる。しかしここで性選択における強みが自然選択における弱みを上回る。派手なクジャクは早死にするリスクがライバルより高いものの、ライバルよりもたくさんの配偶相手を引きつけて多くの子孫を残す。ミラーの考えでは、アートは動物におけるコストのかかるシグナルの人間版だ。男性が自分の力を誇示しようと、無駄な飾りを作り出し、自分の描いた絵のほうがライバルの絵よりも大きくてうまいということを鑑賞者である女性に理解させせようとする競争が、アートの根源だというのだ。

哲学者の故デニス・ダットンは、著書のタイトル『アートの本能』（*The Art Instinct*）で自身の見解を明らかにしている。彼はディサナヤケの「社会的結束」説とミラーの「コストのかかるディスプレイ」説を折衷した立場をとった。アートはさまざまな特徴の集合体をもつが、その特徴のいずれもアートを定義するのに必要でなく十分でもない、とダットンは考えた。彼によれば、アートとはこのようにもともと多様でありながら文化を問わず容易に認識できる営みなのだから、人が生得的にもつ自然な源から生まれるものに違いない。ダットンは、われわれが美しいと感じる風景に共通する性質をめぐる議論にもとづき、われわれはみなアートにおいて重要な、美に関する本能をもっていると考えた。アートが進化の副産物であるかについては、副産物が生活において重要な位置を占めることはあり得ないとして、その可能性を否定した。

ダットンは、進化が2つの仕組みでアートの本能を生み出したと考えた。1つは、われわれが更新世の敵対的な環境条件を生き延びるために創造力を進化させたというものだ。初期の人類は物語を作ったり聞いたりすることにより、自分たちの命を危険にさらすことなく、想像上のシナリオを展開させた。生存のための秘訣を伝え、自分以外の人や状況を理解する能力を築くことができた。物語のすぐれた語り手と聞き手は生き延びる確率が他の人よりわずかながら高かったので、次世代以降にすぐれた語り手と聞き手が増えていった。おそらくこの創造力が物語以外のアートにも広がった。アートの本能が生み出された2つ目の仕組みは、想像力に富む人が求愛と生殖において他の人より幸運に恵まれたことだ。ここでダットンは、ミラーの主張したコストのかかるシグナルによる性選択説を支持した。ダットンの考えでは、アートとは自然選択と性選択に形づくられた本能なのだ。

以上の研究者たちはみな、われわれにはアートの本能があると考えている。しかし、その本能が正確にはどうやって進化したかについての見解は異なる。彼らの見解には4つの考えが埋め込まれている。(1)アートとは、美に対する本能の発現である、(2)アートとは、生殖適応度を誇示するコストのかかるシグナルである、(3)アートとは、実用的なものである、(4)アートとは、社会の結束を促進するものである、という4つの考えを1つずつ見ていこう。ここでは医学の分野で診断検査法を評価するのに用いられる方法を修正して使う。アルツハイマー病など、どんな病気や障害について調べるにしても、検査には感度と特異度がある。「感度」

とは、患者が実際に病気を患っている場合に検査で陽性となる頻度を指す。感度の低い検査では、しばしば病気が見落とされる。「特異度」とは、実際に病気が存在しない場合に検査で正しく陰性となる頻度だ。特異度の低い検査では、検査対象以外の病気がある場合や実際には病気が何も存在していない場合でも陽性の結果が出る。最も望ましいのは、感度と特異度が高い検査だ。これと同じ考え方で、アートの本能が存在するのかどうか、それぞれの説の感度と特異度を評価してみよう。感度と特異度の高い説ほど、説得力のある説となるはずだ。

アートの存在と本能の関係を検証する

アートは美に対する本能を表現するのだろうか。本書の最初のパートでは、われわれの心が美に適応した経緯を論じた。われわれが特定の顔や体や風景を美しいと感じるように進化したのは、こうした「美しい」形態に快感を覚えるという特質のおかげで、性選択や自然選択を通じて繁殖上の優位が得られたからだ。しかしきれいな顔や美しい風景が肖像画や風景画のポイントだと言ってしまうと、アートを単なる視覚的に心地よいものへ貶めることになる。たいていの人は美をアートと結びつけるが、美はアートに対して感度も特異度ももたない。感度がないことは十分に明白だ。最近のコンセプチュアルアートは、美しくなくてもショックを与えたり挑発したりすることができる。このようにアートと美が切り離されたのは、最近のことではない。フランシス・ベーコン、エドヴァルド・ムンク、フランシスコ・ゴヤ、ヒエロニムス・

ボスといった巨匠による昔の作品は、必ずしも美しくなくても強い力をもっていた。アートは美への本能を表現するという主張が、特異度を欠いていることも明らかだ。人や場所、花や顔など、アートではないが美しいものはたくさんある。美の本能をもつことは、アートの本能をもつことと同義ではないのだ。

アートはコストのかかるシグナルの本能的な誇示なのだろうか。アートが人の派手なディスプレイだとする見方は、18世紀のアート観から生まれた。ラリー・シャイナーは著書『アートの発明』(*The Invention of Art*)において、18世紀のヨーロッパの理論家たちがアートを職人の技能から区別し始めた経緯を記している。それ以前には、一般の人の想像の中にそのような区別は存在しなかった。台頭してきた中産階級と新たに発達し始めたアート市場がこうした理論家の見方を支持し、アートを個人の創造性の発露と見なすようになった。この考え方では、それ以前の時代にパトロンや教会や国家への奉仕として作られるのがふつうだったアート作品が無視される。このように依頼によって制作された作品は、基本的になんらかの役割をもち、作者の技量への称賛だけが目的ではなかった。たとえば中世の敬虔なキリスト教徒は、12世紀のロシアの『聖母像』などの像をただ自らの霊的な営みの一部として見つめるだけで、その感動的な像の作者に思いを馳せることなどなかった。「コストのかかるディスプレイ」説は、こうしたアートの伝統をめぐる豊かな歴史に対して感度が低い。そしてこの説は特異度も高くない。前にも述べたが、何万ドルもする腕時計や何十万ドルもする車、何百万ドルもする家は、コストのかかる誇示だ。こうしたシグナルをきわめて巧みに利用して、女性の気を引く男性がいるのは確かだ。しかし、派手な消費の誇示をアートと呼ぶべきだろうか。「コストのかかる誇示」説は、アートに関しては感度も特異度も格別に高くはない。

アートは本能でなくてはならないほど、われわれが生きるうえで役に立つものだろうか。このような主張も意味をなさない。現時点で役立つかどうかは、本能として進化したのかどうかを判断する基準にはならない。適応は、われわれの祖先が生きた過去において役立つように進化した。皮肉なことに、ある行動が役に立たないのに存続していると、われわれはそれが適応だと確信を強めてしまうことがある。たとえば糖分や脂肪から得られる快感は、これらの栄養上の必要を満たすのが難しかった時代に生じた適応だ。この本能による快感が、経済発展を遂げた国では悲惨な結果をもたらしている。こうした国では糖分や脂肪がたっぷりの食べ物が安く簡単に入手できるせいで、肥満や糖尿病が蔓延しているのだ。この古い時代に生まれた性質の適応上の価値が、今では厄介な形でわれわれの行動を左右するという皮肉が起きている。つまり現在の生活において役立つかどうかは、アートへの愛にせよアイスクリームへの愛にせよ、何かが本能かどうかを判断するのに感度の高い基準にはならない。では、この「有用性」説の特異度はどうだろう。この点については、文字言語の例に戻ろう。前に指摘したとおり文字言語は、適応ではないが生活の大部分において不可欠なものの最たる例だ。現在のわれわれの生活に役立つかどうかは、本能かどうかを判断する基準として、あまり特異度は高くない。

では、アートは社会的結束にかかわる本能の表れなのか。社会的結束や絆の強化はアートの重要な役目かもしれないが、すべてのアートがこの目的を果たすわけではないことは明らかだ。哲学者や文化理論家は、アートは果たす役割によってさまざまに定義できると言う。孤高のアーティストが独力で自らの限界を押し広げ、誰からも見られることのない作品を作っていると想像してほしい。社会から評価されないこの作品は、アートではないのだろうか。反対に、強い社会的な絆を生み出し、何かを特別なものにする行為はアートに限らない。スポーツチームとそのファンは、反復的で誇張された複雑な行動によって絆を形成する。われわれのほとんどは、サッカーのユニフォームをアートとは思わないし、過激なファンのふるまいがアート化だとも思わない。スポーツ以外でも、世界中の軍隊が団結を生み出すために儀式的行動を利用する。軍旗を振りかざしながら、膝を曲げずに脚を前に出すグーステップで行進する兵士は、アート活動に参加していると言えるだろうか。

このように、アートの本能が存在するという考えを疑うべき理由はあるが、納得しない人も多いかもしれない。依然としてこの考えには、真実の萌芽があるように感じられるのだ。アートの本能に関する説を統一する試みをやめてしまうのはまだ早いと思う人もいるかもしれない。私がアートの存在に関する「説明」について語ったり、アートの「定義」について語ったりして、揺れ動いているのに気づいた人もいるのではないだろうか。アートが適応だという考えの感度や特異度を検証するという私の方針は、アートを定義するのに必要かつ十分な条件を突き止めようとする試みに似ている。20世紀の哲学者は、この方針がすべてのアートに通用するわけではないということに気づいていた。適応説がアートについては感度も特異度も十分でないということを示すとき、私が言おうとしているのは、適応ですべてのアートを定義することはできないということだ。適応とは物事が何であるかではなくなぜそうなったのかにかかわるものだと、もっともな反論をする人もいるかもしれない。適応は、アートに関する説明とするか、あるいは少なくともアートの起源に関する説明とするほうがよいのかもしれない。アートについては、本能説よりももっと穏当な説を考えるべきだろう。適応は、アートの最初の創造に寄与したかもしれない。特定の適応がアートを支えるのかという問いについては、ケースバイケースで検討するべきだろう。あるいは本能説を全面的に却下する必要はないのかもしれない。アートは副産物だとする見方を受け入れる必要もないかもしれない。アートについて、別の考え方もあるかもしれない。次章では、日本で品種改良された小鳥の例を使って、この第3の考え方を検討しよう。

第9章 アート

尾か鳴き声か

アートが本能でないなら、われわれがアートに囲まれているという事実をどう説明すればいいのだろう。アートの兆しはわれわれの知る限り過去のどの時代にも存在してきたという事実についてはどうだろう。アートはわれわれの集団的心理の奥深くにある本能の発現に違いないという見方を揺るがすのは難しい。その一方で、アートがじつに多様であることは無視できない。アートが歴史と文化に強い影響を受けて形づくられるという事実に対して、目をつぶるわけにはいかない。アートは体制や市場の力でもてはやされる商品になり得るのと同じくらい容易に、熟考や畏敬の対象にもなり得る。アートの普遍性を重視すれば、アートは本能だという考えに至る。アートの著しい多様性と文化によるアートへの影響を認めるなら、アートはスパンドレルのようなものという考えに行き着く。アートについて、他の考え方はないのだろうか。

クジャクの尾とジュウシマツの歌

アートはクジャクの尾のようなものなのだろうか、それともジュウシマツの鳴き声のようなものなのか。ジュウシマツの鳴き声については本書でまだ触れていないが、この問いは、アートがクジャクの尾のようにしっかり磨き上げられた適応の発現なのか、それともジュウシマツの鳴き声のように局所的な条件に対する鋭敏な反応なのかを問う別の方法だ。すでに見たとおり、ある種のガの幼虫は食べるものによって異なる姿態を発達させ、ある種のコケムシは環境中に化学信号を感知すると著しく変化し、ある種の魚は守るべき縄張りをたまたま受け継いだり失ったりすると外見や行動が変化する。私はこれらの例を使って、生物が局所的な環境条件に反応してすばやく顕著に変化する場合があることを示した。これらの変化は、進化的適応が長い時間をかけて蓄積するのとは違い、はるかに短い期間で生じる。長い期間または短い期間に対する進化の反応がアートとどんなふうに関係し得るかを知るために、クジャクとジュウシマツを見てみよう。

言うまでもなく、クジャクの尾は健康状態を誇示するためのコストのかかるディスプレイとして、進化心理学者が好んで引き合いに出す一例だ。この尾は精巧で美しい。その一方で、この尾のせいですばやい動きが妨げられ、捕食者につかまりやすくなる。こうした色鮮やかな尾の発達を促すのは、自然選択ではなく性選択だ。文化的産物には、クジャクの尾のようなものと考えられるものがたくさんある。たとえば前章で見たように、一部の研究者の考えでは、アートはコストのかかるディスプレイの典型的な例だ。精巧で美しく、あまり実用的でないという点は、確かにアートとかなり重なる。しかし前章で述べたとおり、アートの進化をこのようにとらえる見方は、あまり納得できるものではない。

複雑で精巧で変化に富む行動の進化をとらえるために、生物学から別の例を見つける必要がある。多様性に加えて、予測不可能な行動を示し、局所的な環境に合った例がほしい。ラードの塊がアートとなり得るのは、それなりの文化的条件においてのみなのだ。そこで、ジュウシマツの鳴き声がよい例となる。その鳴き声は、クジャクの尾がどんどん強まる選択圧を受けて進化したのとは違い、選択圧が弱まったことから生じている。一般に、選択圧が弱まると適応が制限され、生物の多様性が促進される。[236] 生物人類学者のテレンス・ディーコンは、選択圧が弱まったときに、言語の社会的使用や多くの文化的慣習が生じると述べている。[237]

ジュウシマツは、日本で愛玩用に品種改良された鳥だ。アジアのほぼ全域に自生するコシジロキンパラを原種としている。雄のコシジロキンパラは多くの鳥と同様に、配偶相手を引きつけるために決まった鳴き声を発する。日本の鳥の育種家は、とりわけ色鮮やかな羽をもつ鳥を生み出そうと、その羽を狙ってコシジロキンパラを交配した。この人工的なニッチで250年間、500世代を経て野生のコシジロキンパラは進化し、家禽のジュウシマツが誕生した。ジュウシマツにとって、繁殖を成功させるのに鳴き声はもはや重要でない。彼らは美しい体色をもつように選択された一方で、鳴き声は萎えてしわがれることなく複雑で変化に富むようになり、音の並びが予測不可能になっていった。[238] ジュウシマツは社会的環境にも反応しやすくなった。祖先のコシジロキンパラより容易に新しい鳴き声を習得でき、鳴き声に埋め込まれた抽象的なパターンも習得できる。[239] ジュウシマツの幼鳥はコシジロキンパラの鳴き声を覚えられるが、コシジロキンパラの幼鳥は他種の鳴き声を覚えることができない。ディーコンによれば、鳴き声の内容が通常の選択圧（同じ種を見分けること、縄張りを守ること、捕食者を避けること、配偶相手を引きつけること）とは無関係になるにつれ、典型的な鳴き声をプログラムする遺伝子の出現頻度が自然に変化したり、遺伝子が退化したりすることがある。遺伝子の変化によって神経系に変化が生じ、以前よりも鳴き声が制約されず容易に変化できるようになる。このようにして、周囲から聞いた音によって、ジュウシマツの鳴き声が影響を受けていく。

ジュウシマツの鳴き声の変化には、興味深い脳の変化が伴う。コシジロキンパラの生得的なジュウシマツの鳴き声にかかわる神経路は比較的単純で、大半がRA核と呼ばれる皮質下のパーツで制御される。これに対しジュウシマツの場合は、鳴き声にかかわる神経路が皮質に広く分布し、もっと柔軟に働く。脳のさまざまなパーツがRA核からの出力を協調させる。[240] コシジロキンパラとジュウシマツの鳴き声の違いは、楽譜どおりに演奏される音楽と即興演奏の音楽の違いにたとえられる。脳機能に対する遺伝的な制御が弱まったのに伴い、鳴き声に対する本能による制約がゆるくなった。ジュウシマツの脳が柔軟性を増すとともに、行動は即興的になり、局所的な環境条件に対して敏感に反応するようになった。

このように、クジャクの尾とジュウシマツの鳴き声は互いに「逆方向」の進化の力によって生じた。選択圧が強まったことによってクジャクの尾が出現したのに対し、ジュウシマツの鳴き声は選択圧が弱まったことで生まれたのだ。この鳴き声は、初めは適応として生じたが、比較的短期間で現在の形態に進化した。これはその鳴き声が、もはや適応を助ける役割を果たさなくなったからにほかならない。今日われわれが接するアートは、クジャクの尾よりもジュウシマツの鳴き声に近い。

アートはジュウシマツの鳴き声かもしれない

アートはその出現の経緯に関しても固有の性質に関しても、ジュウシマツの鳴き声に似ている。アートにかかわる経験は、脳に広く分布する神経系パーツの協調によって実現する。アートに特化したモジュールが脳内にあるわけではない。われわれがアートとかかわるときには、鑑別の状況では感覚、感情、意味を扱う系を使う。アートと接するときにどの系を使うかは、鑑賞または制作するアートの種類によって決まる。このように複雑な行動を調整するための脳の柔軟な構造は、ジュウシマツが鳴くときの脳に見られる働きと似ている。ジュウシマツの脳内に、鳴き声に特化したモジュールはない。皮質にあるさまざまなパーツが柔軟に発火して、ジュウシマツがたまたま発した鳴き声を調節するのだ。

アートとは複雑なものだ。それは明白である。アートはまたきわめて多様性に富み、それゆえどの作品も唯一無二に見える。そもそもどんな対象がアートなのか、明確に定義することさえ容易でない。アートはまた、局所的な文化環境に対して敏感に反応する。旧石器時代の画家は自分の石窟に心を奪われ、中世のキリスト教の侍者は聖母マリアのことばかりを考え、ルネサンスの画家はパトロンに全神経を傾け、コンテンポラリーアートのアーティストは自らの信じる社会的大義に傾倒するかもしれない。同様に、ジュウシマツの鳴き声は他の多くの鳥と同じく複雑だ。しかし多くの鳥とは違って、ジュウシマツの鳴き声は多様だ。同じ鳥が状況によって別の鳴き方をすることもあるし、個体ごとに別の鳴き方を覚えることもある。環境に対する敏感な感受性が鳴き声に反映される。

ジュウシマツの鳴き声は多様な音色をもつとはいえ、コシジロキンパラの本能的な鳴き声が起源であることに変わりはない。アートもジュウシマツの鳴き声と同様、適応の起源をもつ。想像力、象徴を使いこなす能力、美から快感を得る感覚、社会的結束への指向が、アートの制作や鑑賞の根底にあるはずだ。しかし今では、こうしたルーツがアートとの触れ合いの多くから消え去っている。

想像力と象徴能力は、アートの必須条件だ。われわれはこれらの力を使って、アートを制作し鑑賞する。前章で見たとおり、アートは美や社会的結束の媒体となることで適応の発現となり得る。しかし今日のアートは美を表現できるものの、そうする必然性はない。社会的結束を促進することもできるが、そうする必要はない。美や社会的結束によって適応を助けるという役割から解放されて、アートは多様性をもてるようになった。アートは適応の起源を利用するが、現在はその柔軟性と果てしない変動性から力を得ている。コンテンポラリーアートは人間の生み出した局所環境的ニッチで形づくられる。本能で厳密にコントロールされるのではなく、まさに本能から解き放たれたおかげで発展しているのだ。

選択圧とその緩和のはざまに

選択圧が弱まったときにアートが栄えるという考えに対し、出される可能性のある反論について考えよう。革命的なアートや異端的なアートについてはどうなのか。この種のアートは強い抑圧のもとで生まれ、しばしばきわめて強い力をもつ。最近の例で言えば、２０１１年に起きた民主化運動「アラブの春」の際には、チュニジアやエジプトでウォールアートや落書き《グラフィティ》が鮮烈な表現様式として用いられた。エジプトのストリートアーティストのガンジーアは「アートはわれわれが軍事独裁に対抗するのに残された唯一の武器だ」と宣言した。[241] 自らの生活をめぐる不安がアートを生み出すきっかけとなり、場合によってはそこから尋常ならざるアートが生まれることもあるようだ。

革命的なアートは、選択圧が弱まったときにアートが栄えるという考えを揺るがすわけではない。この主張を展開する前に、選択圧が強まった場合や弱まった場合に見られる重要な特性を強調しておきたい。多様性と、その多様性に対して起きることについて見ておこう。行動の多様性（表現型の多様性）は、遺伝子と環境の多様性からもたらされる産物だ。遺伝的変異性をもたらすランダムな突然変異は一般に、個体に対してプラスに作用しない。多くの遺伝子突然変異が死や疾患につながるのはそのためだ。通常、遺伝子突然変異は集団から排除される。この排除を行う進化のエンジンの働きで、多様な行動は均一性へ向かい、進化遺伝学用語で言えば「固定」という状態に達する。適応的行動に対する選択圧が弱まると、逸脱的な行動を排除する必要がなくなる。このような行動がもはや生存に影響しなくなり、「突然変異」する自由が生まれる。つまり選択圧が強まると多様性は排除され、選択圧が弱まると多様性は拡大する。

社会的結束を促進する行動の複雑なセットについて考えよう。前章で見たとおり、アートの制作と鑑賞はそのような行動の1つだ（しかし決して唯一のものではない）。更新世に数百人の放浪者からなる集団内で社会的結束を促進した行動は、おそらく現代の複雑な社会では当時と同じ力をもたない。われわれは社会的に結束した個人の行動がもつメリットの一部を、「権威者」が課す法や規則に譲り渡した。個人の社会的行動への制約が弱まると、社会的結束をもたらすために生じた行動が広がっていく場合がある。アートに結束作用を求める圧力が弱まると、社会的結束の表現としてのアートが変化する可能性がある。このようにしてアートがこれまでになくオープンで多様になると、それを抑えようとする力によって排除されない限り、その状態は存続できる。アートの適応的機能として提案された特質のいずれに関しても、同じダイナミクスが展開する。これらの適応を生み出した選択圧が弱まれば、行動は自由に広がることができる。ジュウシマツの鳴き声とアートの類比は、両者の根底にある構造的なダイナミクスが類似していることにより意味をなす。どちらも適応を助ける目的から始まる。それから環境による選択圧によって磨き上げられるか、あるいはそのような圧から解放される。磨き上げられたら、定型的で特徴が誇張されたものになる。選択圧から解放されれば、多様性が高まる。

選択と緩和が交互に起きるダイナミクスは、アートが環境による選択圧（文化的ニッチにより生じる）によって形づくられるときもあれば、そのような選択圧が弱まったときには自由に変化できるときもあるということを意味する。前者の場合、アートは定型化し、変化は限られた形態や内容の範囲内で、ゆるやかな精緻化という形で起きる。中世キリスト教の図像は、そのようなアートの一例かもしれない。教会内で社会的結束を促進するのにこの種のアートが果たした機能的な役割は、アートが徐々に変化し、特定の環境のニッチにおける働きを強めるように精緻化することを意味した。中世のキリスト教教会を巡るツアーで目にするアートは、様式や内容がかなり限られているだろう。現代アートの美術館で目にする作品が多様性に富んでいるのとは、まったく違うのだ。

革命的なアートに話を戻すと、圧制的な政治体制下では、反逆的なアーティストには投獄や死が待っていることがある。アートの制作に対する選択圧は苛酷だ。しかし、政治体制は変化する。革命的なアートが出現するのは、抑圧的な体制が市民に対する支配力を失う兆候を示したときだ。アラブの春のアートが一気に展開したのは、まさに変化の兆しが感じられ、選択圧が弱まり始めていたときだった。革命的なアートが、すでに起こりかけていた変化を加速させた。

選択圧の変動のダイナミクスにもとづき、私は次のように予想する。極端に抑圧的な条件が長期にわたって持続すると、現代人であるわれわれから見て創造的で多様性に富むアートの出現が妨げられる。そのような社会でアートが生み出されるならば、それは定型的で、装飾的で、厳密に定められたルールのもとで営まれ、おそらく国家のプロパガンダとして機能するだけのものだろう。私の想像では、われわれが創造的と感じるようなアートは、北朝鮮では今のところあまり制作されていない。北朝鮮が世界に対して開放されたとしても、孤独の中で絶望を抱きながら闘う創造的なアーティストが生み出した多数の作品を、われわれが目にすることはないだろう。しかし抑圧的な政治体制による選択圧が弱まったら、革命の時期には創造的で多様性に富むアートが徐々に現れるに違いない。今ではインターネットがそのような表現の手段となり、社会の課す選択圧からの解放をもたらしている。たとえば中国の開放は、この移行段階にいる革命的なアーティストたちに力を与えた。北京オリンピック主会場となった「鳥の巣」スタジアムの設計者の1人で、最近『アート・レヴュー』誌からアート界で最も影響力のある人物として選ばれた、反体制的な中国人アーティストの艾未未《アイ・ウェイウェイ》は、抑圧的な国家政策に抗議する自身のアートの媒体としてウェブを利用している。[242] 自宅軟禁中も家にウェブカメラを設置して、自身の監禁の映像記録を反体制アートの作品にした。

私の2つ目の予想は、革命が成功して、抑圧的だった国家が開放的に変わったら、アートの性質も変わるというものだ。革命的なアートは、環境のニッチ（今の例では国家）によって課される選択圧が強弱のあいだを移行するときに生まれる。国家が個人の自由を認めたら、ニューヨークやパリやバルセロナをはじめとする開放的な社会のあらゆる大都市で行われている多様なアートの活動が、いっせいに見られるようになる。この説のロジックが妥当なら、どの時代の社会でも、アートの多様性は自由の度合いを測る尺度となる。国家が自国のアーティストに選択圧をかければかけるほど、その文化で生み出されるアートは定型的で限られたものになる。この選択圧は、必ずしもここで扱ってきたような抑圧的な政治体制によるものとは限らない。金銭的な事情でアート活動が限られ制約される、厳しい経済情勢が選択圧となることもある。国家による抑圧であれ経済的な困窮であれ、そうした選択圧から解放されればされるほど、その文化の中でアートが自由に多様性を謳歌できるようになる。

私の予想は、先ほど触れたジュウシマツのたとえと関係している。このたとえで言いたいのは、ジュウシマツの鳴き声がアートでコシジロキンパラの鳴き声がアートでない、ということではない。大事なのは、どちらの鳴き声も特定の環境のニッチで生まれるアートの性質の例になるということだ。コシジロキンパラの鳴き声は、国家の管理下にあるアートと同じで、ジュウシマツほど多様でない。反対に、鳥の鳴き声やアートに対する選択圧が弱まれば、コミュニティーに差し出される選択肢の多様性が広がる。アートは本能の発露という場合もあるが、そうでないことも多い。実際、われわれにとってまったく予想外で斬新と感じられるアートが、選択圧が弱まったときに生まれることもある。

本章は、アートについての新たな考え方を探索することを目指して幕を開けた。この新たな考え方は、アートを進化の副産物ととらえるか、あるいは本能としてとらえるかという、伝統的な2つの考え方をつなぐものでなくてはならない。そうでなければ、アートのもつめざましい多様性を説明しながら同時に普遍性を説明することはできないだろう。特定の行動に適応のルーツが存在することがあり、適応に対する選択圧が弱まったときにその行動が進化するという事実を示すことによって、コシジロキンパラとジュウシマツはわれわれにこの第3の考え方をもたらしてくれる。革命的なアートを論じた際に見たとおり、アートは環境のニッチによって変化する。アートは特定の目的のためにしっかりと磨き上げられることもある。目的を果たすという重荷から解放され、予想外の変異を経て、発展し、純粋にそれ自体のために存在することもあり得る。アートは本能の発露かもしれないし、この本能からの解放かもしれない。大事なのは、特定の文化環境にあるアートが厳密に定められたルールに従うのか、それとも多様で予想不可能であるのかという点だ。つまるところ、アートはわれわれの自由の指標なのだ。

第10章 アートの偶然性

私がマヨルカ島のパルマ近代現代美術館へ歩いていく場面で、本書は幕を開けた。私は入り江の美しさに見入り、ピカソとミロの技量を堪能し、「愛と死」と銘打ったコンテンポラリーアートの展示に当惑した。美と快感とアートの科学の世界を散策してきたところで、再びこの場面に戻ろう。

パルマ湾は美しかった。きらめく水面とそよぐヤシの木に、私は快感を覚えた。そのとき、たいていの人はこの光景を美しいと感じるだろうと私は思った。この直観はおそらく間違っていなかった。われわれには美に関する本能がある。もっと正確に言えば、美に関するさまざまな本能がある。いろいろな適応のおかげで、美しいと感じられるものがある。美しさとは、じつのところさまざまな要素の混ざり合ったものだ。顔の美しさについて考えたとき、平均的な顔はその奥に大きな遺伝的多様性を秘めていて、誇張された性的二型は健康状態を誇示し、対称性は健康を表すとともに視覚的対象に関する情報処理を容易にすることがわかった。風景について検討したときには、さまざまな適応の組み合わせによって、光景の魅力が増減することを知った。これらの適応は、栄養源の存在と危険からの防護を伝える。数学の定理のように抽象的な対象に美しさを感じるのも、複雑な情報を理解しやすいパーツに還元する能力といった、さらに別の適応によるものだ。美をめぐるわれわれの一般的な経験は、さまざまな進化的適応がゆるやかに結びついた結果としてもたらされる。このように人や場所や数学的証明を結びつけて「美」の経験へとまとめる要素は、これらの対象に快感を覚えたわれわれの祖先が、そうでない者よりもたくさんの子孫を残したという点だ。たいていの人はおそらくパルマ湾の眺望を美しいと感じるだろうが、それはたいていの人が祖先から同じ快感を受け継いでいるからだ。

パルマ湾のような美しい光景を再現すれば、自動的に傑作になるわけではない。砂浜の日没などの美しい光景の写真や絵画は、たいてい陳腐に見える。前にも指摘したが、美学とアートは別物だ。われわれが審美的反応を示す対象はたくさんあるが、それらは必ずしもアートの対象というわけではない。アートの対象は快感の伴う反応を喚起できるが、常にそうである必要はない。ほとんどの人が美とアートを結びつけて考えるが、アートは必ずしも美しいとは限らない。実際、美しくないことも多いのだ。

美術館でピカソの絵皿やミロの版画を見られて、私は強い快感を覚えた。どんなものから生じるかにかかわらず、快感はどれも同じ脳の系を通過する。前パートで見たとおり、われわれの中核的な快感は、脳の奥深くに位置する腹側線条体を通じて作用する。さまざまな快感が同じ系を通過するという事実は、われわれがさまざまな快感の発生源をもつことができ、いつでも新たな快感を生み出せることを意味する。そんなわけで、食べ物やセックスに対する基本的な欲求からかけ離れた、数やお金といった抽象的な対象からも快感を得ることが可能で、実際にわれわれはそうしている。対象が脳の深部にあるこの系を使う限り、われわれはその対象から快感を得ることができる。

私はミロの版画を見て気に入り、自宅に1点飾りたいと思った。このようにミロの作品を楽しむ2つの方法は、それぞれ脳の嗜好系と欲求系を基盤としている。通常、嗜好と欲求は結びついている。われわれは何かを欲しいと思ったら、その欲求の対象を手に入れようと行動するのだから、この結びつきは理にかなっている。欲求の対象を手に入れたら、それから快感が得られる。しかし2つの系が切り離されることもある。嗜好と欲求の違いから、18世紀にシャフツベリー伯爵やイマヌエル・カントが唱道した考えの生物学的解釈がもたらされる。この思想家たちは、審美的経験を「無私の関心」の状態と表現した。審美的経験の枠組みを無私の関心として受け入れた場合（誰もが受け入れるわけではない）、欲求系を作動させずに嗜好系を作動させるということが、脳内における無私の関心の意味だ。

快感はすべて同じ脳深部の系を通過するが、アートにおける快感と砂糖を味わったときに覚える快感が同じだなどと言うのはばかげている。言うまでもなく、審美的遭遇のほうがもっと複雑だ。審美的経験は、基本的な欲求から生じる単純な快感をはるかに超える。審美的遭遇がもたらす感情の報酬はもっと繊細で、この経験は認知系による修正を受けやすい。

審美的遭遇によって感情が微妙にかき立てられる典型的な例が、またしても18世紀の理論家の著作に見られる。エドマンド・バークは、審美的経験における美しいものと崇高なものについて探究した。彼は崇高なものから魅惑と恐怖の絶妙な組み合わせが生じると考えた。高々とそびえたつ山の壮大さは、崇高になり得る。われわれはおのれの小ささに向き合うと同時に、山の荘厳な美しさを経験する。審美的経験は、往々にして組み合わさった複数の感情をもてあそぶ。

われわれはしばしばアートを複数の感情の混ざり合ったものとして経験する。山の壮大さがさまざまな感情を同時に喚起できるという見方は、アート作品にもあてはまる。コンテンポラリーアートは、信仰と競い合ったり、強迫的行動について熟考したり、抑圧的な体制と闘うようにわれわれを促したりする際に、複雑に組み合わさった感情を喚起することがある。アートは、畏怖、恐怖、情熱、激情、怒り、瞑想状態を生み出す。表現主義のアートの理論家たちが指摘したとおり、言葉で伝えるのが難しい微妙な感情、心臓を高鳴らせたり瞳孔を開かせたり身震いさせたりすることのできる感情を、アートは伝えることができる。

コンテンポラリーアートの展示「愛と死」から得た経験は、ピカソやミロの作品を見たときの経験とはまったく違った。ピカソとミロに関する予備知識も、「愛と死」の展示に関する予備知識とはまったく違っていた。ピカソとミロの絵画や版画ならたくさん見たことがある。彼らの作品の分析や生涯の物語を読んだこともある。彼らの作品を見たときの喜びは、作品を見る際の情報源となった知識から切り離すことができない。一方、「愛と死」というアートについては、私は作者たちのことを何も知らず、この作品がどんな状況で作られ、作者たちが何を目指していたのかも知らなかった。前に私は、審美的経験の中核には感覚と感情と意味があると指摘した。私がオーストラリア原住民のアートを楽しめるのは、その色彩と形態が私に快感を与えるからだが、作品が何を意味しているのかはわからない。同様に、ドゴン族の仮面をその簡素な形態と定型化された表情ゆえに楽しむことはできるが、それがどのように使われていたかについては何も知らない。これらの例では、審美的経験をするのに感覚的快楽だけで十分だ。「愛と死」の展示を初めて見たときのように、作品と対峙するのに足場とすべき感覚や感情がわからない場合には、作品に関する情報の補足がなければ完全に途方に暮れてしまう。

意味は単純な快感にさえ影響を与える。コーラ飲料の銘柄がわかると、おいしさに影響が生じる。作品がコンピューターで生成されたものだと思うか、それとも美術館にあったものだと思うかによって、脳の報酬系の示す反応が変化する。われわれに「見える」のは、審美的氷山の一角にすぎない。前にアラビア書道で書かれた「シェヘラザード」の物語を見るという例を引き合いに出した。文章の意味がわからなくても、文字の視覚的形態の美しさを楽しむことはできる。しかしアラビア語がわかれば、この文字にまつわる経験は著しく違ったものになるはずだ。同様に、アート作品を読み解くことができれば、審美的遭遇が大きく変わる。「愛と死」の展示では、解説パネルを見ることで、私は作品を違った形で経験できた。このように経験に変化が起きたからといって、パネルに記された作品解釈が正しいとは限らない。解釈は、作品とよりよくかかわるためのとっかかりを私に与えてくれたにすぎない。

アートにおける意味について考えると、神経科学が美学に対してできることの限界にぶつかる。神経科学は、具象画を認識するプロセスについては明らかにできる部分がある。われわれは自分がものや場所や顔を認識するプロセスについて、いくらか理解している。アートがものや場所や顔を描いたときに脳がどう反応するかについても、いくらか理解している。だが、この知識はこれらのカテゴリーに属する対象に関する一般的な理解に関するものであって、セザンヌの静物画とかレンブラントの肖像画とかターナーの風景画に対する具体的な反応に関するものではない。審美的遭遇に関する分析で何より重要なのは個々の作品の意味であり、局所的文化に埋め込まれた作品が歴史における自らの位置に対して示す反応の仕方であると考えるなら、さまざまな解釈が可能であるというアート特有の寛容性は神経科学にとって手ごわい問題となる。個々の作品の幾重にも重なった意味を理解する作業は、科学的方法がその鋭敏さをもってしてもなし得ない。科学的方法が最も得意とするのは、一般論を引き出すことだ。科学的な美学は、知識が審美的遭遇に与える一般的な影響を精査することはできるが、個々の作品に織り込まれた具体的な知識や多層的な意味を明らかにすることはできない。

アートの本能そのものは存在しない

神経美学研究は、われわれの脳が美学やアートに特化したモジュールをもたないことを明らかにしている。視覚や触覚や嗅覚の受容体はあるが、これと同じような美学に特化した受容体は存在しない。また、恐怖や不安や幸福感といった感情と同様の、美学に特化した感情もない。記憶や言語や動作などの系に相当する、美学に特化した認知系もない。審美的経験は、感覚系、感情系、認知系といった神経系を組み合わせて、柔軟に利用するのだ。この組み合わせに組み込まれた柔軟性は、アートや審美的経験を多様で予想不可能なものにする一因となる。

アートの本能は存在しない。こう言われても、受け入れがたいと感じる人が多いだろう。アートが本能だとする考えは、アートがとても重要なものだということを示唆するので、心強く感じられる。また、アートがわれわれの存在の奥深くにある不可欠な一部であり、人間にとって普遍的で重要な関心事であることも示唆される。教育、公共政策、社会的対話においてアートを軽んじる人は、人間の本質を軽んじている。アートを愛する人が強く懸念するのは、アートが本能を反映するのでないなら、アートは取るに足りない些細なもので、享楽的な社会から生まれた贅沢品と見なされてしまうかもしれないということだ。しかしそのような考えが妥当でないことは、これまでの議論からすでに明らかなはずだ。前に指摘したとおり、読み書きの本能は存在しないが、読み書きが取るに足りない些細なものだとか、享楽的な社会から生まれた贅沢品だなどと主張する人はほぼいないだろう。

アートはいたるところにあり、私たちの知る限り、昔から常になんらかの形で存在してきた。アートがこれほど普遍的であることを踏まえると、アートが他の進化した認知能力から生じた副産物にすぎないとは考えにくい。たいていの研究者は、アートを本能か進化に伴う副産物のいずれかとしてとらえている。しかしアートについて、脳内で育った普遍性と歴史に形づくられた多様性の両方を認められる新たな考え方が必要だ。前章で、コシジロキンパラとジュウシマツの鳴き声を例として使い、アートが本能に根差すものであることを認めつつ、文化によって発展するという考えも受け入れる、第3のとらえ方を提示した。行動に対する本能による制約が弱まると、アートが柔軟に進化できるようになり、すばらしく驚きに満ちたものとなる。

アートは局所的な条件への反応だと強調することによって、何か重要な点を見過ごしていないだろうか。なんといっても、人の心を最も動かすアートが扱うテーマは、誰もが直面し、常に直面してきて、これからもずっと直面するであろうものではないか。私が当惑を覚えた展示は「愛と死」というタイトルだった。これ以上に普遍的なテーマがあるだろうか。アートが普遍的なテーマを扱う場合でも、やり方はそれぞれの状況によって異なる、というのが私の答えだ。愛と死が普遍的なテーマだからといって、さかさまになった木の枝の下に散らばった小鳥に、私が思い入れを抱けるわけではない。アートの力、われわれの心を動かし古いテーマを新たな見方で経験させる力は、その局所的な表現を通じて作用する。アートの内容は、それを生み出した文化、歴史的な先例、制作と受容をめぐる経済状況、時や場所にかかわる言及など、局所的な条件によって形づくられる。

アートは進化と文化の混合である

美がさまざまな要素から生まれた雑種ならば、アートは異なる要素を組み合わせたキメラだ。アートは適応やスパンドレルや期待の集まった混沌であり、歴史の逸話や文化的なニッチによる修正や付加であふれている。文化による圧力が特定のアートを選択すると、生み出される作品は厳密に定型化された境界内に収まってしまう。文化による選択圧が弱まると、アートは発展する。アートにかかわる単一の本能は存在しない。あるのは、アート的な行動を引き起こす複数の本能だ。アートが完全な表現となるのを可能にするのは、本能による支配ではなく、本能による抑制の緩和である。アートは本能によって芽吹き、思いがけない形で成熟していく。その内容は、時代や場所や文化や個人から生まれた偶然の混合物だ。それ以外のあり方など考えられるだろうか。アートの本能に関する大統一理論が存在しないことを気にする必要はない。多様で局所的で偶然性に富んだアートの本質こそ、まさにアートがわれわれを驚かせ、啓蒙し、世界を別の見方で眺めさせ、しっかりと立たせ、揺さぶり、喜ばせ、憤らせ、当惑させ、自分を信じさせられる理由なのだ。

自由を手に入れたら、われわれはゆったりとアートに身を任せる。そしてアートを存分に堪能するのだ。

謝辞

法律やソーセージと同じで、本を生み出す過程はときとして見苦しい。美学について書くとなれば、この見苦しさの重荷をなおさら痛感する。ありがたいことに、執筆中にたくさんの人が私を支え、励ましや手助けを与えて本書の見苦しさをやわらげてくれた。皆さんに心から感謝する。以下に1人ずつ紹介していきたい。

25年以上にわたるパートナーのリサ・サンターは、私が仕事で書くもののほとんどを読んでくれている。彼女は最も見苦しい段階で本書の原稿を読むという特権を与えられた。私に対して最も批判的なエディターとして、彼女は長い時間をかけて初稿に目を通し、言いたいことを明確に伝えるようにと助言してくれた。本書を読んでくださる方には、彼女が初稿に加えたコメントにも感謝していただきたい。

本書が人文学と科学の研究者、そして関心をもつ一般読者の心に響くことを私は願っている。ありがたいことに、知識や専門家としての情報やすぐれたセンスを備えたたくさんの聡明な人たちが、本書をよりよくするために力を貸してくれた。仕事でもプライベートでも多忙をきわめる人たちだ。私が自分の考えをまとめるのに苦労していたときですら、私の本を読むために時間を割いてくれたことに感謝する。

マルコス・ナダルは心理学者で、人間の進化と経験美学に造詣が深い。2010年の秋に私をマヨルカ島へ誘ってくれたことから、本書のプロジェクトが始まった。原稿を入念に読み、方向性を示してくれたおかげで、本書は彼なしでは実現し得なかった質をもつことができた。

心理学者で神経科学者でもあるオシン・ヴァルタニアンは、実験神経美学に最初期から携わってきた。彼の心理学と経験美学に関する知識は、私の書いたものをもっと幅広い経験的な語りに合わせるのを大いに助けてくれた。

ジョナ・クワイトコウスキは、経験美学の該博な知識をもつ心理学者だ。本書のプロジェクトに対する彼女の熱意が、プロジェクトに携わった数カ月のあいだ私を力づけてくれた。そして私が用いるべき「声」についての彼女の鋭い直観のおかげで、本書のトーンの大部分が決まった。

認知心理学者のヘルムート・レーダーは、おそらく現時点で経験美学について世界中の誰よりも熟知している。2011年、本書を執筆中だった私がウィーンを訪れた際には、すばらしいもてなしをしてくれた。初期の草稿について意見を寄せてくれたことに感謝する。

認知神経科学者で同僚のラッセル・エプスタインは、私が神経科学を単純化しすぎていないか、そして人文学に関する私の探究がわかりやすく伝わっているかに目を配ってくれた。彼がすぐれたセンスを示し、漫然とした書き方のせいで読者が取り残されてしまわないように要点を繰り返すことを提案してくれたのをありがたく思っている。

哲学者のウィリアム・シーリーは、神経美学に関心をもち続けている。彼から貴重なフィードバックをもらった。すぐれた哲学者なら誰でもそうするように、彼も私の論考が不明瞭な箇所（特にアートのパートで）を指摘してくれた。

ノエル・キャロルは、美学と芸術哲学に深い関心と知識をもつ年長の哲学者だ。彼の思慮深い助言は、このうえもない助けとなった。彼からの的を射た提案を考慮することで、本書の最終稿を大幅に改善できた。このプロジェクトに対する彼の熱意はたいへん心強かった。

美術批評家のブレイク・ゴプニックは、科学的な美学に対して強い懐疑を抱いている。こちらの取り組みに賛同せず、その理由を説明するのに時間を割いてくれる読者がいるのは、なんとも贅沢だ。彼の辛辣なコメントは、本書を作り上げるうえで貴重だった。

ラファエル・ローゼンバーグは、経験的手法に関心をもつ歴史家だ。彼とは短時間だがウィーンで会った。このときあわただしく話した事柄を踏まえて、彼は本書を読み、私の視野を広げる視点を示してくれた。私のやり方に対する彼の熱意と支持に励まされた。

認知神経科学者で私の元教え子で、今は友人のジョゼフ・ケイブルは、人間の意思決定系と報酬系のエキスパートだ。本書の「快感」のパートに目を通し、正しく書けているか、筋金入りの神経経済学者の気分が悪くなるような書き方をしていないかについて、指針となってくれた。

数理心理学者のダニエル・グレアムは、オイラーの等式が美しい理由をおそらく瞬時に理解した。数に関する章とアートの実験科学に関する章を読んで、ちゃんと書けていると言ってくれた。

親友のジェニファー・マーフィーは、本書をその対象読者である非専門家に合ったものにするのを助けてくれた。大学で英語を専攻した彼女は、私の言葉の使い方に敏感だった。現在は科学に携わっていて（ただし神経科学や心理学や進化生物学ではない）、私の文章で手直しの必要な引っかかる部分を指摘してくれた。彼女の絶え間ないサポートは、たいへんありがたかった。

ペンシルヴァニア大学のような場所で働いていてありがたいことの1つは、周囲の人たちが広範で深い専門知識をもっていることだ。ロバード・カーズバンとマーク・シュミットに感謝を伝えたい。カーズバンは正真正銘の進化心理学者で、シュミットは鳥の鳴き声の神経的基盤を研究している。2人は私と昼食をとる時間を割き、カーズバンは進化心理学について、シュミットは鳥の鳴き声について、考えをぶつけさせてくれた。彼らの分野（私には特別な専門知識のない分野）から得たアイデアを本書に取り入れることに私は不安を覚えていたが、彼らはそれをいくらかやわらげてくれた。

最後になったが、オックスフォード大学出版局のスタッフからサポートをいただいたことに感謝する。プロダクションエディターのエミリー・ペリーとコピーエディターのジェリ・ハールバットは、すばらしい仕事をしてくれた。アシスタントエディターのマイルズ・オズグッドとマーケティングマネジャーのジョン・ハーセルは、コミュニケーションを絶やさなかった。オックスフォードのデザインチームのスキルに感謝の意を表したい。腹側から見た脳のグラフィックが描かれた本書（原書）のカバーに心が躍った。最初の担当編集者だったキャサリン・アレクサンダーは、このプロジェクトを始動させてくれた。彼女はこのような本がタイムリーだと信じ、私なら書けると信頼してくれた。彼女がオックスフォードを退職してからは、ジョーン・ボサートがしっかり引き継いでくれた。彼女の忍耐強さ、アドバイス、そして熱のこもった励ましのおかげで、本書を読者に届けることができた。

ー・F・ミラー著、長谷川眞理子訳、岩波書店）

Ogas, O., & Gaddam, S. (2011). *A Billion Wicked Thoughts. What the World's Largest Experiment Reveals About Human Desire*. New York: Dutton.（『性欲の科学：なぜ男は「素人」に興奮し、女は「男同士」に萌えるのか』オギ・オーガス、サイ・ガダム 著、坂東智子訳、阪急コミュニケーションズ）

Onians, J. (2008). *Neuroarthistory: From Aristotle and Pliney to Baxandall and Zeki*. New Haven, CT: Yale University Press.

Pallen, M. (2009). *The Rough Guide to Evolution*. London: Rough Guides.

Pinker, S. (1997). *How the Mind Works*. New York: W.W. Norton.（『心の仕組み』上・下巻、スティーブン・ピンカー 著、椋田直子訳、筑摩書房）

Rhodes, G., & Zebrowitz, A. (Eds.). (2002). *Facial Attractiveness. Evolutionary, Cognitive, and Social Perspectives*. Westport, CT: Ablex Publishing.

Roach, M. (2008). Bonk: The Curious Coupling of Science and Sex. New York: W.W. Norton.（『セックスと科学のイケない関係』メアリー・ローチ著、池田真紀子訳、日本放送出版協会）

Santayana, G. (1896). *The Sense of Beauty: Being the Outline of Aesthetic Theory*. New York: Dover Publications.

Sartwell, C. (2004). *Six Names of Beauty*. New York: Routledge.

Scruton, R. (2009). *Beauty*. New York: Oxford University Press.

Shermer, M. (2008). *The Mind of the Market: How Biology and Psychology Shape Our Economic Lives*. New York: Holt.

Shimamura, A. P., & Palmer, S. E. (Eds.). (2012). *Aesthetic Science: Connecting Minds, Brains and Experience*. New York: Oxford University Press.

Shiner, L. (2001). *The Invention of Art: A Cultural History*. Chicago: University of Chicago Press.

Skov, M., & Vartanian, O. (Eds.). (2009). *Neuroaesthetics*. Amityville, NY: Baywood Publishing.

Turner, M. (Ed.). (2006). *The Artful Mind: Cognitive Science and the Riddle of Human Creativity*. New York: Oxford University Press.

Wallenstein, G. W. (2009). *The Pleasure Instinct: Why We Crave Adventure, Chocolate, Pheromones, and Music*. Hoboken, NJ: John Wiley & Sons.

Weaver, J. H. (2003). *The Math Explorer: A Journey Through the Beauty of Mathematics*. Amherst, NY: Prometheus Books.

Weintraub, L., Danto, A., & McEvilley, T. (Eds.). (1996). *Art on the Edge and Over*. Litchfield, CT: Art Insights.

Zeki, S. (1999). Inner Vision: An Exploration of Art and the Brain. New York: Oxford University Press.（『脳は美をいかに感じるか：ピカソやモネが見た世界』セミール・ゼキ著、河内十郎監訳、垣添晴香、河内薫訳、日本経済新聞社）

参考図書（私が有用だと思ったもの）

Barkow, J. H., Cosmides, L., & Tooby, J. (Eds.). (1992). *The Adapted Mind: Evolutionary Psychology and the Generation of Culture*. New York: Oxford University Press.

Buller, D. J. (2005). *Adapting Minds: Evolutionary Psychology and the Persistent Quest for Human Nature*. Cambridge, MA: MIT Press.

Burke, E. (1757/1998). *A Philosophical Inquiry into the Origin of Our Ideas of the Sublime and Beautiful*. New York: Oxford University Press.

Butler, C. (2004). *Pleasure and the Arts: Enjoying Literature, Painting, and Music*. New York: Oxford University Press.

Carroll, N. (2010). *Art in Three Dimensions*. New York: Oxford University Press.

Carroll, N. (Ed.). (2000). *Theories of Art Today*. Madison, WI: University of Wisconsin Press.

Clark, K. (1956). *The Nude: A Study in Ideal Form*. Princeton, NJ: Princeton University Press.（『ザ・ヌード』ケネス・クラーク著、高階秀爾・佐々木英也訳、筑摩書房）

Collins, M. (1999). *This is Modern Art*. London: Weidenfield &　Nicolson.

Coyne, J. (2009). *Why Evolution is True*. New York: Viking.（『進化のなぜを解明する』ジェリー・A・コイン著、塩原通緒訳、日経BP社）

Curtis, G. (2007). *The Cave Painters: Probing the Mysteries of the World's First Artists*. New York: Anchor Books.

Davies, S. (2006). *The Philosophy of Art*. Malden, MA: Blackwell Publishing.

Dissanayake, E. (1988). *What is Art For?* Seattle: University of Washington Press.

Dutton, D. (2009). *The Art Instinct. Beauty, Pleasure, and Human Evolution*. New York: Bloomsbury Press.

Etcoff, N. (1999). *Survival of the Prettiest*. New York: Anchor Books.（『なぜ美人ばかりが得をするのか』ナンシー・エトコフ著、木村博江訳、草思社）

Feagin, S. L., & Maynard, M. (Eds.). (1997). *Aesthetics*.New York: Oxford University Press.

Freeland, C. (2001). *But Is it Art? An Introduction to Art Theory*. New York: Oxford University Press.

Gombrich, E. (1960). *Art and Illusion*. Princeton, NJ: Princeton University Press.（『芸術と幻影：絵画的表現の心理学的研究』E・H・ゴンブリッチ著、瀬戸慶久訳、岩崎美術社）

Kringelbach, M., & Berridge, K. C. (Eds.). (2009). *Pleasures of the Brain*. New York: Oxford University Press.

Livingstone, M. (2002). *Vision and Art: The Biology of Seeing*. New York: Abrams.

Livio, M. (2002). *The Golden Ratio: The Story of Phi, the World's Most Astonishing Number*. New York: Broadway Books.（『黄金比はすべてを美しくするか？：最も謎めいた「比率」をめぐる数学物語』マリオ・リヴィオ 著、斉藤隆央訳、早川書房）

Mayr, E. (2001). *What Evolution Is*. New York: Basic Books.

Miller, G. (2000). *The Mating Mind: How Sexual Choice Shaped the Evolution of Human Nature*. New York: Doubleday.（『恋人選びの心：性淘汰と人間性の進化』1・2巻、ジェフリ

Damme (Eds.). 2008, Amsterdam: Valiz, pp. 241–263.

234. Dissanayake, E. *Art and Intimacy. How the Arts Began*. 2000, Seattle: University of Washington Press.

235. Miller, G., *The Mating Mind: How Sexual Choice Shaped the Evolution of Human Nature*. 2000, New York: Doubleday.(『恋人選びの心：性淘汰と人間性の進化』1・2巻、ジェフリー・F・ミラー著、長谷川眞理子訳、岩波書店)

236. Snell-Rood, E. C., et al. Toward a population genetic framework of developmental evolution: The costs, limits, and consequences of phenotypic plasticity. *BioEssays,* 2010. *32*(1): pp. 71–81.

237. Deacon, T. W. Colloquium paper: A role for relaxed selection in the evolution of the language capacity. *Proceedings of the National Academy of Sciences USA,* 2010. *107*(Suppl 2): pp. 9000–9006.

238. Okanoya, K. The Bengalese finch: A window on the behavioral neurobiology of birdsong syntax. *Annals of the New York Academy of Sciences,* 2004. *1016*(1): pp. 724–735.

239. Yamazaki, Y., et al. Sequential learning and rule abstraction in Bengalese finches. *Animal Cognition,* 2011. *15*(3): pp. 369–377.

240. Hosino, T., & Okanoya, K. Lesion of a higher-order song nucleus disrupts phrase level complexity in Bengalese finches. *Neuroreport,* 2000. *11*(10): pp. 2091–2095.

241. Rampen, J., & Tuffrey, L. How Arab revolutionary art helped break the spell of political oppression. *The Guardian* 2012. http://www.guardian.co.uk.

242. AFP. *China Artist Ai Weiwei Sets up Home Webcams*. 2012. Retrieved April 2, 2012, from http://www.google.com/hostednews/afp/ article/ALeqM5jLfw_i27vVoxdFZZUra3srx6k3tw?docId=CNG. d33392c87708cd1e02226d7870c3a573.461.

217. d'Errico, F., & Nowell, A. A new look at the Berekhat ram figurine: Implications for the origins of symbolism. *Cambridge Archaeological Journal,* 2000, *10*(01): pp. 123–167.

218. Bednarik, R. G. A figurine from the African Acheulian. *Current Anthropology,* 2003. *44*(3): pp. 405–413.

219. Bednarik, R. G. The earliest evidence of palaeoart. *Rock Art Research,* 2003. *20*(2): pp. 89–135.

220. Edwards, S. W. Nonutilitarian activities in the Lower Paleolithic: A look at the two kinds of evidence. *Current Anthropology,* 1978. *19*(1): pp. 135–137.

221. Oakley, K. P. Emergence of higher thought 3.0-0.2 Ma B.P. *Philosophical Transactions of the Royal Society, Series B: Biological Sciences,* 1981. *292*(1057): pp. 205–211.

222. Nowell, A. From a Paleolithic art to Pleistocene visual cultures (introduction to two special issues on "Advances in the Study of Pleistocene Imagery and Symbol Use"). *Journal of Archaeological Method and Theory,* 2006. *13*(4): pp. 239–249.

223. Conkey, M. W. New approaches in the search for meaning? A review of research in "Paleolithic art." *Journal of Field Archaeology,* 1987. *14*(4): pp. 413–430.

224. Mellars, P.A. Cognition and climate: Why is Upper Palaeolithic cave art almost confined to the Franco-Cantabrian region? In *Becoming Human. Innovation in Prehistoric Material and Spiritual Culture,* C. Renfrew & I. Morley (Eds.). 2009, New York: Cambridge University Press, pp. 212–231.

225. Andrews, P. W., Gangestad, S. W., & Matthews, D. Adaptationism—how to carry out an exaptationist program. *Behavioral and Brain Sciences,* 2002. *25*(4): pp. 489–504, discussion 504–553.

226. Greene, E. A diet-induced developmental polymorphism in a caterpillar. *Science,* 1989. *243*(4891): pp. 643–646.

227. Harvell, C. D. The ecology and evolution of inducible defenses in a marine bryozoan: Cues, costs, and consequences. *American Naturalist,* 1986. *128*(6): pp. 810–823.

228. Fernald, R. D., & Hirata, N. R. Field study of *Haplochromis burtoni:* Quantitative behavioural observations. *Animal Behaviour,* 1977. *25*: pp. 964–975.

229. Maruska, K. P., & Fernald, R. D. Plasticity of the reproductive axis caused by social status change in an African cichlid fish: II. Testicular gene expression and spermatogenesis. *Endocrinology,* 2011. *152*(1): pp. 291–302.

230. Pearce-Duvet, J. M. C. The origin of human pathogens: Evaluating the role of agriculture and domestic animals in the evolution of human disease. *Biological Reviews,* 2006. *81*(3): pp. 369–382.

231. Wiesenfeld, S. L. Sickle-cell trait in human biological and cultural evolution. *Science,* 1967. *157*(3793): pp. 1134–1140.

232. Gould, S. J., & Lewontin, R. C. The spandrels of San Marco and the Panglossian paradigm: A critique of the adaptationist programme. *Proceedings of the Royal Society of London. Series B, Biological Sciences,* 1979. *205*(1161): p. 581–598.

233. Dissanayake, E. The arts after Darwin: Does art have an origin and adaptive function? In *World Art Studies: Exploring Concepts and Approaches,* K. Zijlemans & W. van

200. Gopnik, B. Aesthetic science and artistic knowledge. In *Aesthetic Science: Connecting Minds, Brains and Experience,* A. P. Shimamura & S. E. Palmer (Eds.). 2012, New York: Oxford University Press, pp. 129–159.

201. Eskine, K. J., Kacinik, N. A., & Prinz, J. J. Stirring images: Fear, not happiness or arousal, makes art more sublime. *Emotion,* 2012. *12*(5): pp. 1071.

202. Nodine, C. F., Locher, P. J., & Krupinski, E. A. The role of formal art training on perception and aesthetic judgement of art compositions. *Leonardo,* 1993. *26*(3): pp. 219–227.

203. Buskirk, J. Artful arithmetic: Barthel Beham's Rechner and the dilemma of accuracy. *Renaissance Quarterly,* 2013.

204. McBrearty, S., & Brooks, A. S. The revolution that wasn't: A new interpretation of the origin of modern human behavior. *Journal of Human Evolution,* 2000. *39*(5): pp. 453–563.

205. Nowell, A. Defining behavioral modernity in the context of Neandertal and anatomically modern human populations. *Annual Review of Anthropology,* 2010. *39*(1): pp. 437–452.

206. Balter, M. Origins. On the origin of art and symbolism. *Science,* 2009. *323*(5915): pp. 709–711.

207. Moore, M. W., & Brumm, A. R. Symbolic revolutions and the Australian archaeological record. *Cambridge Archeological Journal,* 2005. *15*(2): pp. 157–175.

208. Henshilwood, C. S., d'Errico, F., & Watts, I. Engraved ochres from the Middle Stone Age levels at Blombos Cave, South Africa. *Journal of Human Evolution,* 2009. *57*(1): pp. 27–47.

209. Bouzouggar, A., et al. 82,000-year-old shell beads from North Africa and implications for the origins of modern human behavior. *Proceedings of the National Academy of Sciences USA,* 2007. *104*(24): pp. 9964–9969.

210. Vanhaereny, M., et al. Middle Paleolithic shell beads in Israel and Algeria. *Science,* 2006. *312*(5781): pp. 1785–1788.

211. Barham, L. Backed tools in Middle Pleistocene central Africa and their evolutionary significance. *Journal of Human Evolution,* 2002. *43*(5): pp. 585–603.

212. Marean, C. W., et al. Early human use of marine resources and pigment in South Africa during the Middle Pleistocene. *Nature,* 2007. *449*(7164): pp. 905–908.

213. Roebroeks, W., et al. Use of red ochre by early Neandertals. *Proceedings of the National Academy of Sciences USA,* 2012. *109*(6): pp. 1889–1894.

214. Schwarcz, H. P., & Skoflek, I. New dates for the Tata, Hungary archaeological site. *Nature,* 1982. 295: pp. 590–591.

215. Peresani, M., et al. Late Neandertals and the intentional removal of feathers as evidenced from bird bone taphonomy at Fumane Cave 44 ky B.P., Italy. *Proceedings of the National Academy of Science U S A, 108*: pp. 3888–3893.

216. Haidle, M. N., & Pawlik, A. F. The earliest settlement of Germany: Is there anything out there? *Quaternary International,* 2010. *223–224*: pp. 143–153.

Nature, 2006. *444*(7119): pp. E9–E10.

182. Redies, C. A universal model of esthetic perception based on the sensory coding of natural stimuli. *Spatial Vision,* 2007. *27*: pp. 97–117.

183. Graham, D. J., & Field, D. J. Statistical regularities of art images and natural scenes: Spectra, sparseness and nonlinearities. *Spatial Vision,* 2007. *21*: pp. 149–164.

184. Graham, D. J., & Redies, C. Statistical regularities in art: Relations with visual coding and perception. *Vision Research,* 2010. *50*(16): pp. 1503–1509.

185. Graham, D. J., & Field, D. J. Variations in intensity statistics for representational and abstract art, and for art from the Eastern and Western hemispheres. *Perception,* 2008. *37*(9): pp. 1341–1352.

186. Redies, C., et al. Artists portray human faces with the Fourier statistics of complex natural scenes. *Network (Bristol, England),* 2007. *18*(3): pp. 235–248.

187. Chatterjee, A. Prospects for a cognitive neuroscience of visual aesthetics. *Bulletin of Psychology and the Arts,* 2004. *4*: pp. 55–59.

188. Kawabata, H., & Zeki, S. Neural correlates of beauty. *Journal of Neurophysiology,* 2004, *91*(4): pp. 1699–705.

189. Vartanian, O., & Goel, V. Neuroanatomical correlates of aesthetic preference for paintings. *Neuroreport,* 2004. *15*(5): pp. 893–897.

190. Jacobsen, T., et al. Brain correlates of aesthetic judgments of beauty. *Neuroimage,* 2005. 29: pp 276–285.

191. Cela-Conde, C. J., et al. The neural foundations of aesthetic appreciation. *Progress in Neurobiology,* 2011. *94*(1): pp. 39–48.

192. Biederman, I., & Vessel, E.A. Perceptual pleasure and the brain. *American Scientist,* 2006, *94*: pp. 249–255.

193. Leder, H., Carbon, C.-C., & Ripsas, A.-L. Entitling art: Influence of title information on understanding and appreciation of paintings. *Acta Psychologica,* 2006. *121*(2): pp. 176–198.

194. Jakesch, M., & Leder, H. Finding meaning in art: Preferred levels of ambiguity in art appreciation. *Quarterly Journal of Experimental Psychology,* 2009. *62*(11): pp. 2105–2112.

195. Kirk, U., et al. Modulation of aesthetic value by semantic context: An fMRI study. *Neuroimage,* 2009. *44*(3): pp. 1125–1132.

196. Cutting, J. E. Mere exposure, reproduction, and the impressionist canon. In *Partisan Canons,* A. Brzyski (Ed.). 2007, Durham, NC: Duke University Press: pp. 79–93.

197. Wiesmann, M., & Ishai, A. Training facilitates object recognition in cubist paintings. *Frontiers in Human Neuroscience,* 2010. *4*: p. 4.

198. Kirk, U., et al. Brain correlates of aesthetic expertise: A parametric fMRI study. *Brain and Cognition,* 2009. *69*(2): pp. 306–315.

199. Danto, A. C. *The Abuse of Beauty: Aesthetics and the Concept of Art. Paul Carus Lectures; 21st Series.* 2003. Chicago: Open Court Publishing.

(邦訳は『判断力批判』(上・下)カント著、牧野英二訳、岩波書店など多数)
160. Bullough, E. "Psychical distance" as a factor in art and an aesthetic principle. *British Journal of Psychology,* 1904–1920, 1912. *5*(2): pp. 87–118.
161. Bell, C., *Art,* J. B. Bullen (Ed.). 1914/1987, Oxford: Oxford University Press.
162. Shiner, L., *The Invention of Art. A Cultural History.* 2001, Chicago: University of Chicago Press.
163. Fischer, S. R. *A History of Reading.* 2003, London: Reaktion Books.
164. Bub, D. N., Arguin, M., & Lecours, A. R. Jules Dejerine and his interpretation of pure alexia. *Brain and Language,* 1993, *45,* pp. 531–559.
165. Nakamura, K., et al. Universal brain systems for recognizing word shapes and handwriting gestures during reading. *Proceedings of the National Academy of Sciences U S A,* 2012, *109*(50): pp. 20762–20767.
166. Holmes, G. Disturbances of visual orientation. *British Journal of Ophthalmology,* 1918. *2*: pp. 449–468.
167. Zeki, S. Art and the brain. *Journal of Consciousness Studies,* 1999. *6*: pp. 76–96.
168. Zeki, S., & Lamb, M. The neurology of kinetic art. *Brain,* 1994. *117* (Pt 3): pp. 607–636.
169. Cavanagh, P. The artist as neuroscientist. *Nature,* 2005. *434*(7031): pp. 301–307.
170. Seeley, W. P. What is the cognitive neuroscience of art. . . and why should we care? *American Society of Neuroaesthetics Newsletter,* 2011. *31*(2): pp. 1–4.
171. Livingstone, M. *Vision and Art: The Biology of Seeing.* 2002, New York: Abrams.
172. Ungerleider, L. G., & Mishkin, M. Two cortical visual systems. In *Analysis of Visual Behavior,* D. J. Ingle, M. A. Goodale, & R. J. W. Mansfield (Eds.). 1982, Cambridge, MA: MIT Press, pp. 549–586.
173. Carroll, N. *Art in Three Dimensions.* 2010, New York: Oxford University Press.
174. Ekman, P. An argument for basic emotions. *Cognition & Emotion,* 1992. *6*(3–4): pp. 169–200.
175. Roseman, I., & Evdokas, A.Appraisals cause experienced emo-ions: Experimental evidence. *Cognition & Emotion,* 2004. *18*(1): pp. 1–28.
176. Rock, I., & Palmer, S. The legacy of Gestalt psychology. *Scientific American,* 1990. *263*(6): pp. 84–90.
177. Arnheim, R. *Art and Visual Perception: A Psychology of the Creative Eye.* 1954, Berkeley, CA: University of California Press.
178. Berlyne, D. Novelty, complexity and hedonic value. *Perception and Psychophysics,* 1970. *8*: pp. 279–286.
179. Taylor, R. P., Micolich, A. P., & Jonas, D. Fractal analysis of Pollock's drip paintings. *Nature,* 1999. *399*(6735): pp. 422–422.
180. Taylor, R. P., et al. Authenticating Pollock paintings using fractal geometry. *Pattern Recognition Letters,* 2007. *28*(6): pp. 695–702.
181. Jones-Smith, K., & Mathur, H. Fractal analysis: Revisiting Pollock's drip paintings.

139. Skinner, B. F. Reinforcement today. *American Psychologist,* 1958. *13*(3): p. 94.

140. Kable, J. W., & Glimcher, P. W. The neural correlates of subjective value during intertemporal choice. *Nature Neuroscience,* 2007. *10*: pp. 1625–1633.

141. Shiv, B., & Fedorikhin, A. Heart and mind in conflict: The interplay of affect and cognition in consumer decision making. *Journal of Consumer Research,* 1999. *26*(3): pp. 278–292.

142. Mellers, B. A., & McGraw, A. P. Anticipated emotions as guides to choice. *Current Directions in Psychological Science,* 2001. *10*(6): pp. 210–214.

143. Dawkins, R. *The God Delusion,* 2006, New York: Bantam Press.(『神は妄想である：宗教との決別』リチャード・ドーキンス著、垂水雄二訳、早川書房)

144. Berridge, K. C., Robinson, T. E., & Aldridge, J. W. Dissecting components of reward: "liking," "wanting," and learning. *Current Opinion in Pharmacology,* 2009. *9*: pp. 65–73.

145. Berridge, K., & Kringelbach, M. Affective neuroscience of pleasure: Reward in humans and animals. *Psychopharmacology,* 2008. *199*(3): pp. 457–480.

146. Smith, K. S., & Berridge, K. C. Opioid limbic circuit for reward: Interaction between hedonic hotspots of nucleus accumbens and ventral pallidum. *Journal of Neuroscience,* 2007. *27*(7): pp. 1594–1605.

147. Berridge, K. C. Food reward: Brain substrates of wanting and liking. *Neuroscience & Biobehavioral Reviews,* 1996. *20*(1): pp. 1–25.

148. Schultz, W. Multiple dopamine functions at different time courses. *Annual Review of Neuroscience,* 2007. *30*: pp. 259–288.

149. Gopnik, A. Explanation as orgasm. *Minds and Machines,* 1998. *8*: pp. 101–118.

150. Sanfey, A. G. The neural basis of economic decision-making in the Ultimatum Game. *Science,* 2003. *300*(5626): pp. 1755–1758.

151. King-Casas, B., et al. Getting to know you: Reputation and trust in a two-person economic exchange. *Science,* 2005. *308*(5718): pp. 78–83.

152. Jacobsen, T., et al. The primacy of beauty in judging the aesthetics of objects. *Psychological Reports,*2004. *94*: pp. 1253–1260.

153. Carroll, N. Beauty and the genealogy of art theory. *Philosophical Forum,* 1991. *22*(4): pp. 307–334.

154. Sibley, F. Aesthetic and nonaesthetic. *Philosophical Review,* 1965. *74*(2): pp. 135–159.

155. Gombrich, E. H. *The Story of Art.* 1950, London: Phaidon.(『美術の物語』エルンスト・H・ゴンブリッチ著、天野衛ほか訳、河出書房新社)

156. Hutcheson, F. *An Inquiry into the Original of Our Ideas of Beauty and Virtue in Two Treatises.* 1725/2004, Indianapolis: Liberty Fund.

157. Burke, E., *A Philosophical Inquiry into the Origin of Our Ideas of the Sublime and Beautiful.* 1757/1998, New York: Oxford University Press.

158. Hume, D. *Of the Standards of Taste,* J. W. Lenz (Ed.). 1757/1965, Indianapolis: Bobbs-Merrill.

159. Kant, I., *Critique of Judgment,* W. S. Pluhar (Transl.), 1790/1987, Indianapolis: Hackett.

and memory. *Pharmacology Biochemistry and Behavior,* 2008. *90*(2): pp. 236–249.

122. Arnow, B. A., et al. Brain activation and sexual arousal in healthy, heterosexual males. *Brain,* 2002. *125*(5): pp. 1014–1023.

123. Georgiadis, J. R., & Kotekaas, R. The sweetest taboo: Funtional neurobiology of human sexuality in relation to pleasure. In *Pleasures of the Brain,* M. Kringlebach & K. C. Berridge (Eds.). 2009, New York: Oxford University Press, pp. 178–201.

124. Baumgartner, T., et al. Oxytocin shapes the neural circuitry of trust and trust adaptation in humans. *Neuron,* 2008. *58*(4): pp. 639–650.

125. Davis, K. D. The neural circuitry of pain as explored with functional MRI. *Neurological Research,* 2000. *22*(3): pp. 313–317.

126. Rachman, S., & Hodgson, R. J. Experimentally induced "sexual fetishism": Replication and development. *Psychological Record,* 1968. *18*(1): pp. 25–27.

127. Moan, C. E., & Heath, R. G. Septal stimulation for the initiation of heterosexual behavior in a homosexual male. *Journal of Behavior Therapy and Experimental Psychiatry,* 1972. 3(1): pp. 23–30.

128. Broca, P. M. Remarques sur le siége de la faculté du langage articulé, suivies d'une observation d'aphémie (perte de la parole). *Bulletin de la Société Anatomique,* 1861. *6*: pp. 330–357.

129. Pessiglione, M., et al. How the brain translates money into force: A neuroimaging study of subliminal motivation. *Science,* 2007. *316*(5826): pp. 904–906.

130. Knutson, B., et al. Distributed neural representation of expected value. *Journal of Neuroscience,* 2005, *25*(19): pp. 4806–4812.

131. Seymour, B., et al. Differential encoding of losses and gains in the human striatum. *Journal of Neuroscience,* 2007. *27*: pp. 4826–4831.

132. Sarinopoulos, I., et al. Uncertainty during anticipation modulates neural responses to aversion in human insula and amygdala. *Cerebral Cortex,* 2010. *20*(4): pp. 929–940.

133. Sescousse, G., Redouté, J., & Dreher, J.-C. The architecture of reward value coding in the human orbitofrontal cortex. *Journal of Neuroscience,* 2010. *30*(39): pp. 13095–13104.

134. Tversky, A., & Kahneman, D. The framing of decisions and the psychology of choice. *Science,* 1981. *211*(4481): pp. 453–458.

135. Kahneman, D., Knetsch, J. L., & Thaler, R. H. Anomalies: The endowment effect, loss aversion, and status quo bias. *Journal of Economic Perspectives,* 1991. *5*(1): pp. 193–206.

136. Prelec, D., & Simester, D. Always leave home without it: A further investigation of the credit-card effect on willingness to pay. *Marketing Letters,* 2001. *12*(1): pp. 5–12.

137. Rangel, A., Camerer, C., & Montague, P. R. A framework for studying the neurobiology of value-based decision making. *Nature Reviews Neuroscience,* 2008. *9*(7): pp. 545–556.

138. Seymour, B., & Dolan, R. Emotion, decision making, and the amygdala. *Neuron,* 2008. *58*(5): pp. 662–671.

418(6895): pp. 289–290.

105. Martin, F.-P. J., et al. Metabolic effects of dark chocolate consumption on energy, gut microbiota, and stress-related metabolism in free-living subjects. *Journal of Proteome Research,* 2009. *8*(12): pp. 5568–5579.

106. Barr, R. G., et al. Effects of intra-oral sucrose on crying, mouthing and hand-mouth contact in newborn and six-week-old infants. *Developmental Medicine & Child Neurology,* 1994. *36*(7): pp. 608–618.

107. di Tomaso, E., Beltramo, M., & Piomelli, D. Brain cannabinoids in chocolate. *Nature,* 1996. *382*(6593): pp. 677–678.

108. Crawford, M. A., et al. Evidence for the unique function of docosahexaenoic acid during the evolution of the modern hominid brain. *Lipids,* 1999. *34*: pp. 39–47.

109. Drewnowski, A., & Greenwood, M. Cream and sugar: Human preferences for high-fat foods. *Physiology & Behavior,* 1983. *30*(4): pp. 629–633.

110. Pittman, D. W., et al. Linoleic and oleic acids alter the licking responses to sweet, salt, sour, and bitter tastants in rats. *Chemical Senses,* 2006. *31*(9): pp. 835–843.

111. Volkow, N. D., et al. Overlapping neuronal circuits in addiction and obesity: Evidence of systems pathology. *Philosophical Transactions of the Royal Society. Series B: Biological Sciences,* 2008. *363*(1507): pp. 3191–3200.

112. Klüver, H., & Bucy, P. C. "Psychic blindness" and other symptoms following bilateral temporal lobectomy in Rhesus monkeys. *American Journal of Physiology,* 1937. *119*: pp. 352–353.

113. Lilly, R., et al. The human Klüver-Bucy syndrome. *Neurology,* 1983. *33*(9): pp. 1141–1141.

114. Laumann, E. O., et al. The social organization of sexuality: Sexual practices in the United States. In *Studies in Crime and Justice Series,* 1994, Chicago: University of Chicago Press.

115. Cameron, P., & Biber, H. Sexual thought throughout the life-span. *Gerontologist,* 1973. *13*(2): pp. 144–147.

116. *Pornography industry is larger than the revenues of the top technology.* 2010. Retrieved November 24, 2012, from http://blog.cytalk.com/2010/01/ web-porn-revenue/.

117. Deaner, R. O., Khera, A. V., & Platt, M. L. Monkeys pay per view: Adaptive valuation of social images by rhesus macaques. *Current Biology,* 2005. *15*(6): pp. 543–548.

118. Hamann, S., et al. Men and women differ in amygdala response to visual sexual stimuli. *Nature Neuroscience,* 2004. *7*(4): p. 411–416.

119. Lal, S., et al. Apomorphine: Clinical studies on erectile impotence and yawning. Progress in Neuro-Psychopharmacology and Biological Psychiatry, 1989. 13(3–4): pp. 329–339.

120. Whipple, B., & Komisaruk, B. R. Elevation of pain threshold by vaginal stimulation in women. *Pain,* 1985. *21*(4): pp. 357–367.

121. Phillips, A. G., Vacca, G., & Ahn, S. A top-down perspective on dopamine, motivation

87. Liley, A. W. The foetus as a personality. *Australian and New Zealand Journal of Psychiatry,* 1972. *6*(2): pp. 99–105.

88. Faas, A.E., et al. Differential responsiveness to alcohol odor in human neonates: Efects of maternal consumption during gestation. *Alcohol,* 2000. *22*(1): pp. 7–17.

89. Schaal, B., Marlier, L., & Soussignan, R. Human foetuses learn odours from their pregnant mother's diet. *Chemical Senses,* 2000. *25*(6): pp. 729–737.

90. Gottfried, J. A., Winston, J. S., & Dolan, R. J. Dissociable codes of odor quality and odorant structure in human piriform cortex. *Neuron,* 2006. *49*(3): pp. 467–479.

91. Rolls, E. T., Kringelbach, M. L., & de Araujo, I. E. T. Different representations of pleasant and unpleasant odours in the human brain. *European Journal of Neuroscience,* 2003. *18*(3): pp. 695–703.

92. Anderson, A. K., et al. Dissociated neural representations of intensity and valence in human olfaction. *Nature Neuroscience,* 2003. *6*(2): pp. 196–202.

93. Small, D. M., et al., Differential neural responses evoked by orthonasal versus retronasal odorant perception in humans. *Neuron,* 2005. *47*(4): pp. 593–605.

94. Veldhuizen, M. G., Rudenga,K. J., & Small, D. M. The pleasure of taste, flavor, and food. In *Pleasures of the Brain,* M. Kringlebach & K. C. Berridge (Eds.). 2009, New York: Oxford University Press, pp. 146–168.

95. O'Doherty, J., et al. Sensory-specific satiety-related olfactory activation of the human orbitofrontal cortex. *Neuroreport,* 2000. *11*(4): pp. 893–897.

96. Kringelbach, M. L., et al. Activation of the human orbitofrontal cortex to a liquid food stimulus is correlated with its subjective pleasantness. *Cerebral Cortex,* 2003. *13*(10): pp. 1064–1071.

97. Gottfried, J. A., O'Doherty, J., & Dolan, R. J. Appetitive and aversive olfactory learning in humans studied using event-related functional magnetic resonance imaging. *Journal of Neuroscience,* 2002. *22*(24): pp. 10829–10837.

98. Schultz, W., Dayan, P., & Montague, P. R. A neural substrate of prediction and reward. *Science,* 1997. *275*: pp. 1593–1598.

99. O'Doherty, J. P., et al. Temporal difference models and reward-related learning in the human brain. *Neuron,* 2003. *38*: pp. 329–337.

100. McClure, S. M., et al. Neural correlates of behavioral preference for culturally familiar drinks. *Neuron,* 2004. *44*(2): pp. 379–387.

101. de Araujo, I. E., et al. Cognitive modulation of olfactory processing. *Neuron,* 2005. *46*: pp. 671–679.

102. lassmann, H., et al. Marketing actions can modulate neural representations of experienced pleasantness. *Proceedings of the National Academy of Sciences U S A,* 2008. *105*: pp. 1050–1054.

103. Wansink, B., Payne, C. R., & North, J. Fine as North Dakota wine: Sensory expectations and the intake of companion foods. *Physiology & Behavior,* 2007. *90*(5): pp. 712–716.

104. Hurst, W. J., et al. Cacao usage by the earliest Maya civilization. *Nature,* 2002.

70. Knight, C., Power, C., & Watts, I. The human symbolic revolution: A Darwinian account. *Cambridge Archaeological Journal,* 1995. *5*(1): pp. 75–114.

71. Gallup, J. G. G., & Frederick, D. A. The science of sex appeal: An evolutionary perspective. *Review of General Psychology,* 2010. *14*(3): p. 240.

72. Kaplan, S., Kaplan, R., & Wendt, J. Rated preference and complexity for natural and urban visual material. *Perception & Psychophysics,* 1972. *12*(4): pp. 354–356.

73. Balling, J. D., & Falk, J. H. Development of visual preference for natural environments. *Environment and Behavior,* 1982. *14*(1): pp. 5–28.

74. Synek, E., & Grammer. K. *Evolutionary Aesthetics: Visual Complexity and the Development of Landscape Preference.* 1998. Retrieved November 21, 2012, from http://evolution.anthro.univie.ac.at/institutes/urbanethology/projects/urbanisation/landscapes/indexland.html.

75. Heerwagen, J. H., & Orians, G. H. Humans, habitats, and aesthetics. In *The Biophilia Hypothesis,* S. R. Kellert & E. O. Wilson (Eds.). 1995, Washinton, DC: Island Press.(「人間、生息地、美学」ジュディス・H・ヘールワーゲン, ゴードン・H・オリアンズ著『バイオフィーリアをめぐって』スティーヴン・R・ケラート、エドワード・O・ウィルソン編、荒木正純、時実早苗、船倉正憲訳、法政大学出版局)

76. Han, K. T. An exploration of relationships among the responses to natural scenes: Scenic beauty, preference, and restoration. *Environment and Behavior,* 2010. *42*(2): pp. 243–270.

77. Orians, G. H., & Heerwagen, J. H. Evolved responses to landscapes. In *The Adapted Mind: Evolutionary Psychology and the Generation of Culture,*J. H. Barkow, L. Cosmides, & J. Tooby (Eds.). 1992, : New York: Oxford University Press, pp. 555–580.

78. Kaplan, R., & Kaplan, S. *The Experience of Nature: A Psychological Perspective* 1989, New York: Cambridge University Press.

79. Epstein, R. A., & Higgins, J. S. Differential parahippocampal and retrosplenial involvement in three types of visual scene recognition. *Cerebral Cortex,* 2006. *17*(7): pp. 1680–1693.

80. Yue, X. , Vessel, E. A. , & Biederman, I. The neural basis of scene preferences. *Neuroreport,* 2007. *18*(6): pp. 525–529.

81. Mitchison, G. J. Phyllotaxis and the Fibonacci series. *Science,* New Series, 1977. *196*(4287): pp. 270–275.

82. Douady, S., & Couder, Y. Phyllotaxis as a physical self-organized growth process. *Physical Review Letters,* 1992. *68*(13): pp. 2098–2101.

83. Schmidhuber, J. Low-complexity art. *Leonardo,* 1997. *30*(2): pp. 97–103.

84. Gerstmann, J., Some notes on the Gerstmann syndrome. *Neurology,* 1957. *7*(12): pp. 866–866.

85. Dehaene, S., et al. Three parietal circuits for number processing. *Cognitive Neuropsychology,* 2003. *20*(3–6): p. 487–506.

86. Schmidt, H. J., & Beauchamp, G. K. Adult-like odor preferences and aversions in three-year-old children. *Child Development,* 1988. *59*(4): pp. 1136–1143.

53. Miller, G. F. Sexual selection for cultural displays. In *The Evolution of Culture,* R. Dunbar, C. Knight, & C. Power (Eds). 1999, New Brunswick, NJ: Rutgers University Press, pp. 71–91.

54. Mervis, C. B., & Rosch, E. Categorization of natural objects. *Annual Review of Psychology,* 1981. *32*(1): pp. 89–115.

55. Martindale, C., & Moore, K. Priming, prototypicality, and preference. *Journal of Experimental Psychology: Human Perception and Performance,* 1988. *14*: pp. 661–667.

56. Gangestad, S. W., & Buss, D. M. Pathogen prevalence and human mate preferences. *Ethology and Sociobiology,* 1993. *14*(2): pp. 89–96.

57. Ruff, C. B., & Jones, H. H. Bilateral symmetry in cortocal bone of the humerus and tibia —sex and age factors. *Human Biology,* 1981. *53*: pp. 69–86.

58. Grammer, K., et al. Female faces and bodies: n-dimensional feature space and attractiveness. In *Facial Attractiveness: Evolutionary, Cognitive, and Social Perspectives,* G. Rhodes & L. Zebrowitz (Eds.). 2001, Westport, CT: Ablex.

59. Zahavi, A., & Zahavi, A. *The Handicap Principle: A Missing Piece of Darwin's Puzzle.* 1997, Oxford: Oxford University Press.(『生物進化とハンディキャップ原理:性選択と利他行動の謎を解く』アモツ・ザハヴィ、アヴィシャグ・ザハヴィ著、大貫昌子訳、白揚社)

60. Hamilton, W. D., & Zuk, M. Heritable true fitness and bright birds: A role for parasites? *Science,* 1982. *218*(4570): pp. 384–387.

61. Little, A. C., DeBruine, L. M., & Jones, B. C. Exposure to visual cues of pathogen contagion changes preferences for masculinity and symmetry in opposite-sex faces. *Proceedings of the Royal Society, Series B: Biological Sciences,* 2011. *278*(1714): pp. 2032–2039.

62. Perrett, D. I., et al. Effects of sexual dimorphism on facial attractiveness. *Nature,* 1998. *394*(6696): pp. 884–887.

63. Gangestad, S. W., Thornhill, R., & Garver-Apgar, C. E. Adaptations to ovulation implications for sexual and social behavior *Current Directions in Psychological Science,* 2005. *14*(6): pp. 312–316.

64. Apicella, C. L., & Feinberg, D. R. Voice pitch alters mate-choice-relevant perception in hunter-gatherers. *Proceedings of the Royal Society: Biological Sciences,* 2009. *276*(1659): pp. 1077–1082.

65. Møller, A. P. Ejaculate quality, testes size and sperm competition in primates. *Journal of Human Evolution,* 1988. *17*(5): pp. 479–488.

66. Tinbergen, N. *Curious Naturalist* 1954, New York: Basic Books.(『好奇心の旺盛なナチュラリスト』N・ティンバーゲン著、安部直哉・斎藤隆史訳、思索社)

67. Ramachandran, V. S., & Hirstein, H. The science of art: A neurological theory of aesthetic experience. *Journal of Consciousness Studies,* 1999. *6*: pp. 15–51.

68. Daprati, E., Iosa, M., & Haggard, P. A dance to the music of time: Aesthetically relevant changes in body posture in performing art. *PLoS ONE,* 2009. *4*(3): p. e5023.

69. Corson, R. *Fashions in Makeup, from Ancient to Modern Times* 1972, Owen.

36. Pettijohn, T. F., & Jungeberg, B. J. Playboy Playmate curves: Changes in facial and body feature preferences across social and economic conditions. *Personality and Social Psychology Bulletin,* 2004. *30*(9): pp. 1186–1197.

37. Pettijohn Ii, T. F., & Tesser, A. Popularity in environmental context: Facial feature assessment of American movie actresses. *Media Psychology,* 1999. *1*(3): pp. 229–247.

38. Singh, D. Adaptive significance of female physical attractiveness: Role of waist-to-hip ratio. *Journal of Personality and Social Psychology,* 1993. *65*(2): pp. 293–307.

39. Confer, J. C., Perilloux, C., & Buss, D. M. More than just a pretty face: Men's priority shifts toward bodily attractiveness in short-term versus long-term mating contexts. *Evolution and Human Behavior,* 2010. *31*(5): pp. 348–353.

40. Sivinski, J., & Burk, T. Reproductive and mating behaviour. In *Fruit Flies: Their Biology, Natural Enemies, and Control,* A. S. Robinson & G. Hooper (Eds). 1989. New York: Elsevier, p. 343.

41. Singer, F., et al. Analysis of courtship success in the funnel-web spider *Agelenopsis aperta. Behaviour,* 2000. *137*(1): pp. 93–117.

42. Manning, J. T., & Pickup, L. J. Symmetry and performance in middle distance runners. *International Journal of Sports Medicine,* 1998. *19*(03): pp. 205–209.

43. Provost, M. P., Troje,N. F., & Quinsey, V. L. Short-term mating strategies and attraction to masculinity in point-light walkers. *Evolution and Human Behavior,* 2008. *29*(1): pp. 65–69.

44. Kenealy, P., Frude, N., & Shaw, W. Influence of children's physical attractiveness on teacher expectations. *Journal of Social Psychology,* 1988. *128*: pp. 373–383.

45. Sroufe, R., et al. The effects of physical attractiveness on honesty: A socially desirable response. *Personality and Social Psychology Bulletin,* 1976. *3*(1): pp. 59–62.

46. Benson, P. L., Karabenick, S. A., & Lerner, R. M. Pretty pleases: The effects of physical attractiveness, race, and sex on receiving help. *Journal of Experimental Social Psychology,* 1976. *12*(5): pp. 409–415.

47. Chatterjee, A., et al. The neural response to facial attractiveness. *Neuropsychology,* 2009. *23*(2): pp. 135–143.

48. Aharon, I., et al. Beautiful faces have variable reward value: fMRI and behavioral evidence. *Neuron,* 2001. *32*: pp. 537–551.

49. Winston, J., et al., Brain systems for assessing facial attractiveness. *Neuropsychologia,* 2007. *45*: pp. 195–206.

50. Kim, H., et al. Temporal isolation of neural processes underlying face preference decisions. *Proceedings of the National Academy of Sciences U S A,* 2007. *104*(46): pp. 18253–18258.

51. Brown, S., Martinez, M. J., & Parsons, L. M. The neural basis of human dance. *Cerebral Cortex,* 2006. *16*(8): pp. 1157–1167.

52. Calvo-Merino, B., et al. Towards a sensorimotor aesthetics of performing art. *Consciousness and Cognition,* 2008. *17*(3): pp. 911–922.

18. Grammer, K., & Thornhill, R. Human (*Homo sapiens*) facial attractiveness and sexual selection: The role of symmetry and averageness. *Journal of Comparative Psychology,* 1994. *108*(3): pp. 233–242.

19. Mealey, L., Bridgstock, R., & Townsend, G. C. Symmetry and perceived facial attractiveness: A monozygotic co-twin comparison. *Journal of Personality and Social Psychology,* 1999. *76*(1): pp. 151–158.

20. Buss, D. M. Sex differences in human mate preferences: Evolutionary hypotheses tested in 37 cultures. *Behavioral and Brain Sciences,* 1989. *12*(01): pp. 1–14.

21. Grammer, K., et al. Darwinian aesthetics: Sexual selection and the biology of beauty. *Biological Reviews,* 2003. *78*(3): pp. 385–407.

22. Perrett, D. I., May, K. A., & Yoshikawa, S. Facial shape and judgements of female attractiveness. *Nature,* 1994. *368*: pp. 239–242.

23. Winkler, E. M., & Kirchengast, S. Body dimensions and differential fertility in Kung San males from Namibia. *American Journal of Human Biology,* 1994. *6*(2): pp. 203–213.

24. Mazur, A., Mazur, J., & Keating, C. Military rank attainment of a West Point class: Effects of cadets' physical features. *American Journal of Sociology,* 1984. *90*(1): pp. 125–150.

25. Perrett, D. I., et al. Effects of sexual dimorphism on facial attractiveness. *Nature,* 1998. *394*: pp. 884–887.

26. Penton-Voak, I. S., & Perrett, D. I. Female preference for male faces changes cyclically: Further evidence. *Evolution and Human Behavior,* 2000. *21*(1): pp. 39–48.

27. Møller, A. P., & Thornhill, R. Bilateral symmetry and sexual selection: A meta–analysis. *American Naturalist,* 1998. *151*(2): pp. 174–192.

28. Markusson, E., & Folstad, I. Reindeer antlers: Visual indicators of individual quality? *Oecologia,* 1997. *110*(4): pp. 501–507.

29. Moller, A. P. Female swallow preference for symmetrical male sexual ornaments. *Nature,* 1992. *357*(6375): pp. 238–240.

30. Thornhill, R., & Gangestad, S. W. Human fluctuating asymmetry and sexual behavior. *Psychological Science,* 1994. *5*(5): pp. 297–302.

31. Thornhill, R., Gangestad, S. W., & Comer, R. Human female orgasm and mate fluctuating asymmetry. *Animal Behaviour,* 1995. *50*(6): pp. 1601–1615.

32. Scutt, D., & Manning, J. T. Ovary and ovulation: Symmetry and ovulation in women. *Human Reproduction,* 1996. *11*(11): pp. 2477–2480.

33. Jackson, L. A., & Ervin, K. S. Height stereotypes of women and men: The liabilities of shortness for both sexes. *Journal of Social Psychology,* 1992. *132*(4): pp. 433–445.

34. Zeifman, D. M., & Ma, J. E. Experimental examination of women's selection criteria for sperm donors versus life partners. *Personal Relationships,* 2012. doi: 10.1111/j.1475-6811.2012.01409.x.

35. Horvath, T. Correlates of physical beauty in men and women. *Social Behavior and Personality,* 1979. *7*(2): pp. 145–151.

参考文献

1. Shimamura, A. P. Towards a science of aesthetics. In *Aesthetic Science: Connecting Minds, Brains and Experience,* A. P. Shimamura & S. E. Palmer (Eds). 2012, New York: Oxford University Press, pp. 3–28.
2. *Most Beautiful Women of the 20th century,* 2010. Accessed December 2, 2012, from http://movies.rediff.com/slide-show/2010/jul/01/slide-show-1-most- beautiful-women.htm.
3. Cunningham, M. R., et al. "Their ideas of beauty are, on the whole, the same as ours": Consistency and variability in the cross-cultural perception of female physical attractiveness. *Journal of Personality and Social Psychology,* 1995. *68*(2): p. 261.
4. Langlois, J. H., et al. Maxims or myths of beauty? A meta-analytic and theoretical review. *Psychological Bulletin,* 2000. *126*(3): pp. 390–423.
5. Jones, D., & Hill, K. Criteria of facial attractiveness in five populations. *Human Nature,* 1993. *4*(3): pp. 271–296.
6. Mondloch, C. J., et al. Face perception during early infancy. *Psychological Science,* 1999. *10*(5): pp. 419–422.
7. Pascalis, O., et al. Mother's face recognition by neonates: A replication and an extension. *Infant Behavior and Development,* 1995. *18*(1): pp. 79–85.
8. Slater, A., et al. Newborn infants prefer attractive faces. *Infant Behavior and Development,* 1998. *21*(2): pp. 345–354.
9. Langlois, J. H., et al. Facial diversity and infant preferences for attractive faces. *Developmental Psychology,* 1991. *27*(1): pp. 79–84.
10. Langlois, J. H., Roggman, L. A., & Rieser-Danner, L.A. Infants' differential social responses to attractive and unattractive faces. *Developmental Psychology,* 1990. *26*(1): p. 153.
11. Leder, H., et al. When attractiveness demands longer looks: The effects of situation and gender. *Quarterly Journal of Experimental Psychology,* 2010. *63*(9): pp. 1858–1871.
12. Bergman, J. Using facial angle to prove evolution and the human race hierarchy. *Journal of Creation,* 2010. *24*: pp. 101–105.
13. Lavater, J. C. *Essays on Physiognomy.* 15th ed. 1878, London: William Tegg and Co.
14. Blackford, K. M. H., & Newcomb, A. *The Job, the Man, the Boss.* 1919, Garden City, NY: Doubleday.
15. Galton, F. Composite portraits, made by combining those of many different persons into a single resultant figure. *Journal of the Anthropological Institute of Great Britain and Ireland,* 1878. *8*: pp. 132–142.
16. Thornhill, R., & Gangestad, S. W. Facial attractiveness. *Trends in Cognitive Sciences,* 1999. *3*(12): pp. 452–260.
17. Rubenstein, A. J., Kalakanis, L., & Langlois, J. H. Infant preferences for attractive faces: A cognitive explanation. *Developmental Psychology,* 1999. *35*(3): pp. 848–855.

著者略歴———
アンジャン・チャタジー　Anjan Chatterjee
ペンシルヴァニア大学認知神経科学センター教授。神経科学、心理学、神経美学、脳科学を専門に研究している。2002年、米国神経学会よりノーマン・ゲシュウィンド賞（行動・認知神経学部門）を受賞。

訳者略歴———
田沢恭子　たざわ・きょうこ
翻訳家。お茶の水女子大学大学院人文科学研究科英文学専攻修士課程修了。翻訳書に『アルゴリズム思考術』（早川書房）、『戦争がつくった現代の食卓』、『ルーズな文化とタイトな文化』（以上、白揚社）、『酵母 文明を発酵させる菌の話』『AIが職場にやってきた』（以上、草思社）などがある。

なぜ人はアートを楽しむように進化したのか

2024年6月27日　第1刷発行

著　者　アンジャン・チャタジー
訳　者　田沢恭子
装幀者　五十嵐徹（芦澤泰偉事務所）
発行者　碇　高明
発行所　株式会社 草思社
〒160-0022　東京都新宿区新宿1-10-1
電話　営業 03(4580)7676　編集 03(4580)7680

本文組版　有限会社 一企画
本文印刷　株式会社 三陽社
付物印刷　日経印刷 株式会社
製本所　大口製本印刷 株式会社

ISBN978-4-7942-2733-1　Printed in Japan　検印省略